CHRIS

Christian Jacq est né à Paris en 1947. Il découvre l'Egypte à treize ans, à travers ses lectures, et se rend pour la première fois au pays des pharaons quatre ans plus tard. Après des études de philosophie et de lettres classiques, il s'oriente vers l'archéologie et l'égyptologie, et obtient un doctorat d'études égyptologiques en Sorbonne avec pour sujet de thèse : *Le voyage dans l'autre monde selon l'Égypte ancienne*. Parallèlement à sa carrière universitaire, il écrit des ouvrages de fiction dès l'âge de seize ans. Producteur délégué à France Culture, il travaille notamment pour *Les chemins de la connaissance*.

Christian Jacq publie son premier essai, *Le message des bâtisseurs de cathédrales*, en 1974, suivi d'une quinzaine d'autres, dont *L'Égypte des grands pharaons* (1981), qui est couronné par l'Académie française, ainsi que *Le petit Champollion illustré* et *Initiation à l'égyptologie* (1994), qui mettent à la portée de tous des connaissances jusque-là réservées aux spécialistes. Dans le domaine du roman, le premier grand succès de Christian Jacq est *Champollion l'Égyptien* (1987), succès confirmé par *La reine Soleil* (prix Jean d'heurs du roman historique 1988) et *L'affaire Toutankhamon* (prix des Maisons de la Presse 1992).

Créateur de l'Institut Ramsès, Christian Jacq effectue avec son équipe une "description photographique de l'Égypte", destinée à préserver les sites menacés, et mène de fréquentes missions sur le terrain. Il poursuit ainsi une triple carrière d'égyptologue, d'essayiste et de romancier, qui le ramène toujours à l'Égypte ancienne.

LE JUGE D'ÉGYPTE

***

LA JUSTICE DU VIZIR

DU MÊME AUTEUR
CHEZ POCKET

L'AFFAIRE TOUTANKHAMON
CHAMPOLLION L'ÉGYPTIEN
MAÎTRE HIRAM ET LE ROI SALOMON
POUR L'AMOUR DE PHILAE
LA REINE SOLEIL
BARRAGE SUR LE NIL
LE VOYAGE INITIATIQUE
LA SAGESSE ÉGYPTIENNE
LE MOINE ET LE VÉNÉRABLE
LES ÉGYPTIENNES
LE PHARAON NOIR
LA TRADITION PRIMORDIALE DE L'ÉGYPTE ANCIENNE
LE PETIT CHAMPOLLION ILLUSTRÉ
LA SAGESSE VIVANTE DE L'ÉGYPTE ANCIENNE

Le juge d'Égypte

1 — LA PYRAMIDE ASSASSINÉE
2 — LA LOI DU DÉSERT
3 — LA JUSTICE DU VIZIR

Ramsès

1 — LE FILS DE LA LUMIÈRE
2 — LE TEMPLE DES MILLIONS D'ANNÉES
3 — LA BATAILLE DE KADESH
4 — LA DAME D'ABOU SIMBEL
5 — SOUS L'ACACIA D'OCCIDENT

CHRISTIAN JACQ

Le Juge d'Égypte

***

LA JUSTICE DU VIZIR

PLON

© Librairie Plon, 1994.

ISBN : 2-266-11841-2

Réjouis-toi, terre entière !
La justice est revenue à sa place.
Vous tous, les justes, venez et contemplez ;
La justice a triomphé du mal,
Les pervers sont tombés sur leurs visages,
Les avides sont condamnés.

Papyrus Sallier I
(British Museum 1018), recto VIII. 7.

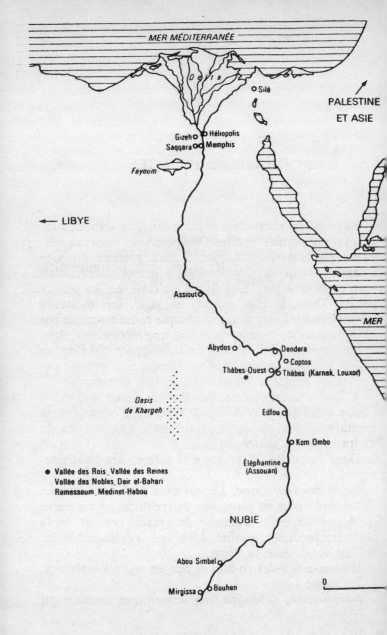

MER MÉDITERRANÉE

Delta

PALESTINE
ET ASIE

Silé

Gizeh Héliopolis
Saqqara Memphis

Fayoum

← LIBYE

Assiout

MER

Abydos Dendera
Coptos
Thèbes-Ouest Thèbes (Karnak, Louxor)

Oasis
de Khargeh

Edfou

Kom Ombo

Éléphantine
(Assouan)

● Vallée des Rois, Vallée des Reines
Vallée des Nobles, Deir el-Bahari
Ramesseum, Medinet-Habou

NUBIE

Abou Simbel

Mirgissa Bouhen

0

CHAPITRE PREMIER

La trahison rapportait gros. Joufflu, rougeaud, avachi, Iarrot but une troisième coupe de vin blanc, se félicitant de son choix. Lorsqu'il était greffier du juge Pazair, devenu vizir de Ramsès le grand, il travaillait trop et gagnait peu. Depuis qu'il s'était mis au service de Bel-Tran, le pire ennemi du vizir, son existence s'embellissait. En échange de chaque renseignement sur les habitudes de Pazair, il recevait une rétribution. Avec l'appui de Bel-Tran et le faux témoignage d'un de ses sbires, Iarrot espérait obtenir le divorce aux torts de son épouse et la garde de sa fille, future danseuse.

Affligé d'une migraine, l'ex-greffier s'était levé avant l'aube, alors que la nuit régnait encore sur Memphis, la capitale économique de l'Égypte, située à la jonction du Delta et de la vallée du Nil.

Dans la ruelle, d'ordinaire si calme, des chuchotements.

Iarrot posa sa coupe. Depuis qu'il trahissait Pazair, il buvait de plus en plus, non par remords, mais parce qu'il pouvait enfin s'acheter de grands crus et de la bière de première qualité. Une soif inextinguible lui brûlait sans cesse la gorge.

Il poussa le volet en bois et jeta un œil à l'extérieur.

Personne.

Bougonnant, il songea à la magnifique journée qui

9

s'annonçait. Grâce à Bel-Tran, il quittait ce faubourg pour résider dans un meilleur quartier, proche du centre de la ville. Dès ce soir, il s'installerait dans une maison de cinq pièces, pourvue d'un jardinet ; le lendemain, il serait titulaire d'un poste d'inspecteur du fisc, dépendant du ministère que dirigeait Bel-Tran.

Une seule contrariété : malgré la qualité des indications fournies à Bel-Tran, Pazair n'avait pas encore été éliminé, comme si les dieux le protégeaient. La chance finirait bien par tourner.

Dehors, on ricanait.

Troublé, Iarrot colla l'oreille à la porte donnant sur la ruelle. Soudain, il comprit : de nouveau cette bande de gamins qui s'amusait à maculer la façade des maisons avec une pierre ocre !

Furieux, il ouvrit sa porte à la volée.

Face à lui, la gueule ouverte d'une hyène. Une énorme femelle, la bave aux lèvres, les yeux rouges. Elle poussa un cri, semblable à un rire d'outre-tombe, et lui sauta à la gorge.

*

D'ordinaire, les hyènes nettoyaient le désert en dévorant les charognes et ne s'approchaient pas des agglomérations. Dérogeant à leurs habitudes, une dizaine de fauves s'étaient aventurés dans les faubourgs de Memphis et avaient tué un ex-greffier, Iarrot, un ivrogne que ses voisins détestaient. Armés de bâtons, les habitants du quartier avaient mis en fuite les prédateurs, mais chacun interpréta le drame comme un mauvais présage pour l'avenir de Ramsès dont personne, jusqu'à présent, n'avait contesté l'autorité. Au port de Memphis, dans les arsenaux, sur les docks, dans les casernes, dans les quartiers du Sycomore, du Mur du crocodile, du Collège de médecine, sur les marchés, dans les échoppes d'artisans, les mêmes mots couraient sur les lèvres : « l'année des hyènes » !

Le pays s'affaiblirait, la crue serait mauvaise, la terre stérile, les vergers dépériraient, on manquerait de fruits, de légumes, de vêtements et d'onguents ; les bédouins attaqueraient les exploitations du Delta, le trône de Pharaon vacillerait. L'année des hyènes, la rupture de l'harmonie, la brèche dans laquelle s'engouffreraient les forces du mal !

On murmura que Ramsès le grand avait été incapable d'empêcher ce désastre. Certes, dans neuf mois aurait lieu la fête de régénération qui redonnerait au monarque la puissance nécessaire pour affronter l'adversité et la vaincre. Mais cette célébration ne viendrait-elle pas trop tard ? Pazair, le nouveau vizir, était jeune et inexpérimenté. Entrer en fonctions pendant l'année des hyènes le conduirait à l'échec.

Si le roi ne protégeait plus son peuple, ils périraient l'un et l'autre dans la gueule vorace des ténèbres.

*

En cette fin du mois de janvier, un vent glacé balayait la nécropole de Saqqara, dominée par la pyramide à degrés du pharaon Djeser, gigantesque escalier vers le ciel. Nul n'aurait pu reconnaître le couple chaudement vêtu qui se recueillait dans la chapelle de la tombe du sage Branir ; protégés par une tunique épaisse, formée de bandes d'étoffe cousues, aux manches longues, Pazair et Néféret lisaient en silence les hiéroglyphes gravés sur une belle pierre calcaire :

Vivants qui êtes sur terre et passez près de ce sépulcre, qui aimez la vie et haïssez la mort, prononcez mon nom afin que je vive, prononcez en ma faveur la formule d'offrande.

Branir, maître spirituel de Pazair et de Néféret, avait été assassiné. Qui s'était montré assez cruel pour lui enfoncer une aiguille en nacre dans la nuque, l'empêcher de devenir grand prêtre de Karnak, et faire accuser de meurtre son disciple Pazair ? Bien que l'enquête piétinât, le couple s'était juré de découvrir la vérité, quels que fussent les risques encourus.

Un personnage décharné, aux sourcils épais et noirs se rejoignant au-dessus du nez, aux lèvres minces, aux mains interminables et aux jambes grêles, s'approcha de la chapelle. Momificateur, Djoui passait le plus clair de son temps à préparer les cadavres pour les transformer en Osiris.

– Désirez-vous voir l'emplacement de votre tombe ? demanda-t-il à Pazair.

– Je vous suis.

Élancé, les cheveux châtain, le front large et haut, les yeux verts teintés de marron, le vizir Pazair avait reçu de Ramsès le grand la mission de sauver l'Égypte d'un complot qui menaçait le trône. Petit juge de province muté à Memphis, le jeune Pazair dont le nom signifiait « le voyant », « celui qui discerne dans le lointain », avait refusé de cautionner une irrégularité administrative et mis au jour un drame abominable dont la clé lui avait été offerte par le roi en personne.

Des comploteurs avaient supprimé la garde d'honneur du sphinx de Guizeh pour accéder à un couloir débutant entre les pattes de la statue gigantesque et aboutissant à l'intérieur de la grande pyramide, centre énergétique et spirituel du pays. Ils avaient violé le sarcophage de Khéops et dérobé le testament des dieux, qui légitimait le pouvoir de Pharaon. Si ce dernier ne pouvait le montrer aux prêtres, à la cour et au peuple, lors de la fête de régénération, fixée au vingt juillet prochain, jour du nouvel an, il serait contraint d'abdiquer et de remettre le navire de l'État à un être des ténèbres.

Ramsès avait placé sa confiance en Pazair, parce que le jeune juge s'était révélé inflexible en refusant toute compromission, au péril de sa carrière et de sa vie. Nommé vizir, magistrat suprême, maître du sceau du roi, chef des secrets, directeur des travaux de Pharaon, premier ministre d'Égypte, Pazair devait tout tenter pour sauver le pays du désastre.

En marchant dans une allée bordée de tombeaux, il contempla son épouse, Néféret, dont la beauté le ravissait davantage chaque jour. Les yeux d'un bleu d'été, les cheveux tirant sur le blond, le visage très pur aux lignes tendres, elle était le bonheur et la joie de vivre. Sans elle, il aurait cédé sous les coups du destin.

Devenue médecin-chef du royaume au terme d'un long chemin d'épreuves, Néféret aimait guérir. Du sage Branir, médecin et radiesthésiste, elle avait hérité le don d'identifier la nature des maux et d'en extirper la racine. Au cou, elle portait une turquoise que lui avait offerte son maître, afin d'écarter le malheur.

Ni Pazair ni Néféret n'avaient désiré occuper des fonctions d'une telle importance; leur vœu le plus cher était de se retirer dans un village de la région thébaine et de couler des jours heureux sous le soleil de Haute-Égypte. Mais les dieux en avaient décidé autrement; seuls dépositaires du secret de Pharaon, ils combattraient sans faiblir, même si le pouvoir dont ils disposaient semblait illusoire.

– C'est ici, indiqua le momificateur, en désignant un emplacement vide, près de la sépulture d'un ancien vizir. Les tailleurs de pierre commenceront les travaux dès demain.

Pazair hocha la tête. Conformément à son rang, son premier devoir consistait à faire creuser sa demeure d'éternité où il séjournerait en compagnie de son épouse.

De sa démarche lente et fatiguée, le momificateur s'éloigna.

– Nous ne serons peut-être jamais enterrés dans ce cimetière, dit Pazair d'une voix sombre. Les ennemis de Ramsès ont clairement proclamé leur volonté d'abandonner les rites traditionnels. C'est un monde qu'ils veulent détruire, non un homme.

Le couple se dirigea vers la grande cour à ciel ouvert précédant la pyramide à degrés. Là, au cœur de la fête de régénération, Ramsès devrait brandir le testament des dieux qu'il ne possédait plus.

Pazair demeurait persuadé que le meurtre de son maître était lié au complot; identifier l'assassin le mettrait sur la piste des voleurs et lui permettrait peut-être d'écarter les mâchoires du piège. Privé de l'aide irremplaçable de son ami Souti, son frère en esprit condamné à une année de forteresse pour infidélité conjugale, il ne songeait qu'au moyen de le faire libérer. Mais lui, maître de la justice, ne pouvait favoriser un proche, sous peine d'être démis de sa fonction.

La grande cour de Saqqara imposait la grandeur inégalable du temps des pyramides. Ici avait pris corps l'aventure spirituelle des pharaons, ici s'étaient unis le nord et le sud, formant un royaume lumineux et puissant dont Ramsès assumait l'héritage. Pazair enlaça tendrement Néféret; éblouis, ils admirèrent l'austère édifice, visible de toutes les parties de la nécropole.

Derrière eux, un bruit de pas.

Le vizir et son épouse se retournèrent. S'approchait un homme de taille moyenne, au visage rond et à l'ossature lourde; les cheveux noirs, les mains et les pieds potelés, il marchait vite et semblait nerveux. Incrédules, Pazair et Néféret se consultèrent du regard.

C'était bien lui, Bel-Tran, leur ennemi juré, l'âme du complot.

Directeur de la Double Maison blanche, ministre de l'économie, doté d'une prodigieuse habileté à calculer, travailleur acharné, Bel-Tran était parti du bas de l'échelle sociale. Fabricant de papyrus, puis trésorier principal des greniers, il avait fait mine de soutenir Pazair afin de mieux contrôler ses actions. Lorsque ce dernier, contre toute attente, était devenu vizir, Bel-Tran avait ôté son masque d'ami sincère. Pazair revoyait son visage grimaçant et se rappelait ses menaces : « Les dieux, les temples, les demeures d'éternité, les rituels... Tout cela est dérisoire et dépassé. Vous n'avez aucune conscience du monde nouveau où nous entrons. Votre univers est vermoulu, j'ai rongé les poutres qui le soutenaient! »

Pazair n'avait pas jugé bon d'arrêter Bel-Tran; il lui fallait d'abord détruire la toile qu'il avait tissée, démanteler ses réseaux de complicité, et retrouver le testament des dieux. Bel-Tran se vantait-il ou avait-il gangrené le pays?

— Nous nous sommes mal compris, dit-il d'une voix doucereuse; je regrette la violence de mes propos. Pardonnez-moi cette impétuosité, mon cher Pazair; j'éprouve pour vous respect et admiration. À la réflexion, je suis persuadé que nous nous entendons sur l'essentiel. L'Égypte a besoin d'un bon vizir, et vous êtes celui-là.

— Que cachent ces flatteries?

— Pourquoi s'entre-déchirer, alors qu'une alliance éviterait bien des désagréments? Ramsès et son régime sont condamnés, vous le savez. Allons dans le sens du progrès, vous et moi.

Un faucon pèlerin traçait des cercles dans l'azur du ciel d'hiver, au-dessus de la grande cour de Saqqara.

— Vos regrets ne sont qu'hypocrisie, intervint Néféret; n'espérez aucune entente.

La colère emplit les yeux de Bel-Tran.

— C'est votre dernière chance, Pazair; ou vous vous soumettez, ou je vous éliminerai.

— Quittez immédiatement cet endroit; sa lumière ne saurait vous convenir.

Furieux, le ministre de l'économie tourna les talons.

Pazair et Néféret, dont les mains s'unirent, contemplèrent le faucon qui vola vers le sud.

CHAPITRE 2

Tous les dignitaires du royaume d'Égypte étaient présents dans la salle de justice du vizir, une vaste pièce à colonnes et aux murs nus. Au fond, une estrade où Pazair prendrait place; sur les marches, quarante bâtons de commandement recouverts de cuir, symbolisant l'application de la loi. La main droite sur l'épaule gauche, une dizaine de scribes, portant perruque et pagne courts, veillaient sur les précieux objets.

Au premier rang, assise sur un trône en bois doré, la reine mère Touya. Agée de soixante ans, mince, hautaine, les yeux perçants, elle arborait une longue robe de lin au liséré d'or et une superbe perruque de cheveux humains dont les longues tresses descendaient au milieu du dos. À ses côtés, Néféret, qui l'avait guérie de graves affections ophtalmiques; l'épouse de Pazair était parée des attributs officiels de sa charge, une peau de panthère sur une robe de lin, une perruque striée, un collier de cornaline, des bracelets de lapis-lazuli aux poignets et aux chevilles. Dans la main droite, elle tenait son sceau; dans la gauche, un écritoire. Les deux femmes s'estimaient; la reine mère avait lutté avec efficacité contre les ennemis de Néféret et favorisé son accession au sommet de la hiérarchie médicale.

Derrière Néféret, le chef de la police, allié inconditionnel de Pazair, le Nubien Kem. Condamné pour un vol qu'il n'avait pas commis, il avait eu le nez coupé et portait une prothèse en bois peint ; engagé comme policier à Memphis, il s'était pris d'amitié pour le jeune juge sans expérience, amoureux d'une justice en laquelle Kem ne croyait plus. Après bien des péripéties, et sur demande de Pazair, le Nubien dirigeait à présent les forces de maintien de l'ordre. Aussi serrait-il, non sans fierté, l'emblème de sa fonction, une main de justice en ivoire, décorée d'un œil grand ouvert pour détecter le mal, et d'une tête de lion, évoquant la vigilance. À ses côtés, tenu en laisse, son babouin policier, répondant au nom de Tueur ; puissant, doté d'une force colossale, le grand singe venait de bénéficier d'une promotion pour ses remarquables états de service. Son rôle majeur consistait à veiller sur Pazair, dont l'existence avait été menacée à plusieurs reprises.

À bonne distance du babouin, l'ancien vizir Bagey, dont le dos voûté portait le poids des ans. Grand, sévère, le visage en longueur dévoré par un nez proéminent, le teint pâle, réputé pour son caractère inflexible, redouté, il goûtait une retraite paisible dans une petite demeure de Memphis, tout en conseillant son jeune successeur.

Derrière un pilier, Silkis, l'épouse de Bel-Tran, adressait des sourires à ses voisins. Femme-enfant, obsédée par son poids, elle avait fait appel à la chirurgie esthétique pour continuer de plaire à son mari. Gourmande, avide de pâtisseries, elle souffrait de fréquentes migraines, mais n'osait plus consulter Néféret depuis que Bel-Tran avait déclaré la guerre au vizir. Discrètement, elle étala sur ses tempes une pommade à base de genévrier, de sève de pin et de baies de laurier ; ostensiblement, elle replaça son collier de faïence bleue sur sa poitrine et fit glisser sur ses poignets de délicats bracelets, faits de pièces d'étoffe rouge, attachés par des cordonnets en forme de corolles de lotus épanouies.

Bel-Tran, bien qu'il s'habillât chez le meilleur tailleur de Memphis, semblait toujours engoncé dans des vêtements trop étroits ou flottait dans un pagne trop large. En cette heure d'une inquiétante gravité, il oubliait ses prétentions d'élégance et attendait, inquiet, l'arrivée du vizir. Personne ne connaissait le motif du jugement solennel que Pazair avait décidé de proclamer.

Quand le vizir apparut, les bavardages cessèrent. Seules ses épaules émergeaient d'une robe rigide, au tissu épais, enveloppant le reste du corps; le vêtement était empesé, comme s'il voulait souligner la difficulté de la fonction. Accentuant encore l'austérité et la simplicité de sa mise, Pazair s'était contenté d'une perruque courte à l'ancienne.

Il accrocha une figurine de la déesse Maât * à une chaînette en or, signifiant que la séance du tribunal était ouverte.

— Distinguons la vérité du mensonge et protégeons les faibles pour les sauver des puissants, déclara le vizir, utilisant la formule rituelle dont chaque juge, du plus petit au plus grand, devait faire sa règle de vie.

D'ordinaire, quarante scribes formaient une haie de chaque côté de l'allée centrale par où passaient accusés, plaignants et témoins qu'introduisaient des policiers. Cette fois, le vizir se contenta de s'asseoir sur une chaise à dossier bas et de fixer longuement les quarante bâtons de commandement disposés devant lui.

— L'Égypte court de graves dangers, révéla Pazair; des forces obscures tentent de déferler sur le pays. C'est pourquoi je dois rendre justice, afin de châtier les coupables qui ont été identifiés.

Silkis serra le bras de son mari; le vizir oserait-il s'attaquer de front au puissant Bel-Tran, contre lequel il ne possédait aucune preuve ?

— Cinq vétérans appartenant à la garde d'honneur du sphinx de Guizeh ont été assassinés, poursuivit

---

* Maât est la déesse de la justice, dont le nom signifie « celle qui est droite, celle qui donne la bonne direction ». Incarnant la règle universelle, qui survivra à l'espèce humaine, elle est symbolisée par une femme assise, tenant une plume d'autruche.

18

Pazair. Cet acte horrible résulte d'un complot auquel participèrent le dentiste Qadash, le chimiste Chéchi et le transporteur Dénès. En raison de leurs divers méfaits, bien établis par l'enquête, ils sont passibles de la peine capitale.

Un scribe demanda la parole.

— Mais... ils sont morts!

— Certes, mais ils n'ont pas été jugés. Que le destin les ait frappés ne supprime pas le devoir de cette cour de justice. La mort ne permet pas à un criminel de lui échapper.

Bien que l'assistance fût étonnée, elle admit que le vizir respectait la loi. Lecture fut donnée de l'acte d'accusation, rappelant les actes des trois complices de Bel-Tran, dont le nom ne fut pas prononcé.

Personne ne contesta les faits, aucune voix ne s'éleva pour défendre les accusés.

— Les trois coupables seront dévorés par le feu du cobra royal dans l'au-delà, déclara le vizir. Ils ne seront pas enterrés dans la nécropole, ne bénéficieront d'aucune offrande, d'aucune libation, et seront livrés aux couteaux des massacreurs préposés aux portes du monde souterrain. Ils y mourront une seconde fois, et périront de faim et de soif.

Silkis frissonna, Bel-Tran demeura imperturbable. Le scepticisme de Kem, le chef de la police, se fissura; les yeux du babouin se dilatèrent, comme s'il se satisfaisait de cette condamnation posthume. Néféret, bouleversée, eut le sentiment que les mots prononcés prenaient force de réalité.

— Tout Pharaon, tout chef d'État qui amnistieraient les condamnés, conclut le vizir en reprenant une antique formule, perdraient couronne et pouvoir.

CHAPITRE 3

Le soleil était levé depuis près d'une heure lorsque Pazair se présenta à la porte du palais royal ; les gardes de Pharaon s'inclinèrent devant le vizir.

Il s'engagea dans un couloir aux murs ornés de peintures délicates représentant des lotus, des papyrus et des coquelicots, traversa une salle à colonnes agrémentée d'un bassin où folâtraient des poissons, et parvint au bureau du souverain. Son secrétaire particulier salua Pazair.

– Sa Majesté vous attend.

Comme chaque matin, le vizir devait rendre compte de son action au maître des Deux Terres, la Haute et la Basse-Égypte. L'endroit était idyllique : une pièce vaste et lumineuse, des fenêtres s'ouvrant sur le Nil et des jardins, des dalles de faïence ornées de fleurs de lotus bleus, des bouquets posés sur des guéridons dorés. Sur une table basse, des papyrus déroulés et un matériel d'écriture.

Face à l'est, le roi méditait. De taille moyenne, robuste, les cheveux presque roux, le front large et le nez busqué, Ramsès le grand offrait une impression de puissance. Associé très jeune au trône par un extraordinaire pharaon, Séthi Ier, bâtisseur de Karnak et d'Abydos, il avait guidé son peuple sur le chemin de la paix avec les Hittites et d'une prospérité que lui enviaient bien des pays.

– Pazair, enfin! Comment s'est déroulé le procès?

– Les morts coupables ont été condamnés.

– Bel-Tran?

– Tendu, impressionné, mais solide. J'aurais aimé prononcer la formule habituelle : « Tout est en ordre, les affaires du royaume vont bien », mais je n'ai pas le droit de vous mentir.

Ramsès parut troublé. Il était vêtu d'un simple pagne blanc et ne portait d'autres bijoux que des bracelets de poignets en or et en lapis-lazuli, dont la partie supérieure avait la forme de deux têtes de canard sauvage.

– Conclusions, Pazair?

– En ce qui concerne l'assassinat de mon maître Branir, je ne possède aucune certitude, mais je compte explorer quelques pistes avec l'aide de Kem.

– La dame Silkis?

– L'épouse de Bel-Tran figure en tête des suspects.

– Une femme faisait partie des conjurés.

– Je ne l'oublie pas, Majesté. Trois d'entre eux sont morts; reste à identifier leurs complices.

– Bel-Tran et Silkis, à l'évidence!

– C'est probable, mais je manque de preuves.

– Bel-Tran ne s'est-il pas dévoilé?

– Certes, mais il dispose d'appuis importants.

– Qu'as-tu découvert?

– Je travaille jour et nuit avec les responsables des diverses administrations. Des dizaines de fonctionnaires m'ont adressé des rapports écrits, j'ai écouté des scribes haut placés, des chefs de service et des petits employés. Le bilan est plus sombre que je ne l'imaginais.

– Explique-toi.

– Bel-Tran a acheté quantité de consciences. Chantage, menaces, promesses, mensonges... Il ne recule devant aucune bassesse. Lui et ses amis ont conçu un plan précis : faire main basse sur l'économie du pays, combattre et détruire nos valeurs ancestrales.

– Par quels moyens?

– Je l'ignore encore. Arrêter Bel-Tran serait une erreur de stratégie, car je ne serais pas certain de trancher toutes les têtes du monstre et d'identifier les multiples pièges qu'il a tendus.

– Le jour du nouvel an, je devrai montrer au peuple le testament des dieux, lorsque l'étoile Sothis apparaîtra dans le signe du Cancer pour déclencher la crue du Nil. Si j'en suis incapable, il me faudra abdiquer et offrir le trône à Bel-Tran. Auras-tu le temps, en si peu de mois, de le réduire à l'impuissance ?

– Seul Dieu pourrait répondre à votre question.

– C'est Lui qui a créé la royauté, Pazair, afin de bâtir des monuments à sa gloire, de rendre les hommes heureux et d'écarter les envieux. Il nous a donné la plus précieuse des richesses, cette lumière dont je suis dépositaire et que je dois répandre autour de moi. Les humains ne sont pas égaux ; c'est pourquoi les pharaons sont des soutiens pour les faibles. Tant que l'Égypte construira des temples où sera préservée l'énergie lumineuse, sa terre fleurira, ses chemins seront sûrs, l'enfant sera paisible dans les bras de sa mère, la veuve protégée, les canaux seront entretenus, la justice sera rendue. Nos existences n'ont aucune importance ; c'est cette harmonie-là qu'il faut préserver.

– Ma vie vous appartient, Majesté.

Ramsès sourit et posa les mains sur les épaules de Pazair.

– J'ai le sentiment d'avoir bien choisi mon vizir, même si sa tâche est écrasante. Tu deviens mon ami unique. Sais-tu ce qu'écrivait l'un de mes prédécesseurs : *N'aie confiance en personne ; tu n'auras ni frère ni sœur. C'est celui à qui tu auras beaucoup donné qui te trahira, c'est le pauvre que tu auras enrichi qui te frappera dans le dos, c'est celui à qui tu auras tendu la main qui fomentera le trouble. Méfie-toi de tes subordonnés et de tes proches. Ne compte que sur toi-même. Personne ne t'aidera, le jour du malheur* *.

---

* Citations extraites de *L'Enseignement pour Merikarê*.

– Le texte n'ajoute-t-il pas que le pharaon qui sait s'entourer préserve sa grandeur et celle de l'Égypte ?

– Tu connais bien les paroles des sages ! Je ne t'ai pas enrichi, vizir, je t'ai accablé d'un fardeau qu'un homme raisonnable aurait refusé ; sois conscient que Bel-Tran est plus dangereux qu'une vipère des sables. Il a su tromper la vigilance de mes proches, endormir leur méfiance, s'infiltrer dans la hiérarchie comme un ver dans le bois. Il a simulé l'amitié à ton égard afin de mieux t'étouffer ; désormais, sa haine ira grandissante et ne te laissera plus en paix. Il attaquera là où tu ne l'attends pas, se drapera de ténèbres, maniera les armes des traîtres et des parjures. Acceptes-tu ce combat ?

– La parole donnée ne se reprend pas.

– Si nous échouons, Néféret et toi subirez la loi de Bel-Tran.

– Seuls les lâches subissent ; nous résisterons jusqu'au bout.

Ramsès le grand s'assit sur un siège en bois doré, face au soleil levant.

– Quel est ton plan ?

– Attendre.

Le roi ne dissimula pas son étonnement.

– Le temps ne joue pas en notre faveur !

– Bel-Tran me croira désespéré et il progressera en terrain conquis ; il ôtera d'autres masques, et je riposterai d'une manière appropriée. Afin de le persuader que je m'égare, je ferai porter mes efforts sur un domaine secondaire.

– Tactique risquée.

– Elle le serait moins si je disposais d'un allié supplémentaire.

– De qui s'agit-il ?

– De mon ami Souti.

– T'aurait-il trahi ?

– Il a été condamné à un an de forteresse nubienne pour manquement à la fidélité conjugale. Le jugement fut conforme à la loi.

— Ni toi ni moi ne pouvons le briser.

— S'il s'évadait, nos soldats ne devraient-ils pas se consacrer davantage à la protection de la frontière qu'à la poursuite d'un fugitif ?

— Autrement dit, ils recevront un ordre leur enjoignant de ne pas quitter les murs de la forteresse, en prévision d'une attaque de tribus nubiennes.

— La nature humaine est versatile, Majesté, particulièrement celle des nomades ; dans votre sagesse, vous avez eu l'intuition qu'une révolte se préparait.

— Mais elle n'aura pas lieu...

— Les Nubiens renonceront en constatant que notre garnison se tient sur ses gardes.

— Rédige cet ordre, vizir Pazair, mais ne favorise d'aucune manière l'évasion de ton ami.

— Le destin y pourvoira.

CHAPITRE 4

Panthère, la Libyenne blonde, se dissimula dans un abri de berger, au milieu d'un champ. Depuis deux heures, l'homme la suivait. Grand, ventripotent et sale. Un arracheur de papyrus qui passait le plus clair de son temps dans la boue pour en extraire le précieux matériau. Il l'avait épiée pendant qu'elle se baignait, nue, et s'était approché en rampant.

Perpétuellement en éveil, la jeune et belle Libyenne avait réussi à s'enfuir, non sans abandonner un châle indispensable contre le froid nocturne. Panthère, expulsée d'Égypte à cause de sa liaison ostentatoire avec Souti, jeune marié avec la dame Tapéni pour les besoins de l'enquête du juge Pazair, refusait son sort. Fermement décidée à ne pas abandonner son amant, dont elle redoutait l'infidélité, elle voyagerait jusqu'en Nubie afin de l'arracher à sa prison et de vivre à nouveau auprès de lui. Jamais elle ne se passerait de sa force et de ses caresses enflammées, jamais elle ne lui permettrait de se vautrer dans la couche d'une autre femme.

La distance ne l'effrayait pas ; jouant de son charme, Panthère avait emprunté des bateaux de charge, de port en port jusqu'à Éléphantine et à la première cataracte. De l'autre côté de l'amoncellement de roches qui empêchait le passage des embarcations, elle s'était accordé un moment de détente dans un bras d'eau serpentant vers une zone cultivée.

Elle ne sèmerait pas son suiveur ; il connaissait le terrain à la perfection et ne tarderait pas à déceler sa cachette. Être prise de force n'effrayait pas Panthère ; avant de rencontrer Souti, elle avait appartenu à une bande de pillards et affronté les soldats égyptiens. Sauvageonne, elle aimait l'amour, sa violence et son extase. Mais cet arracheur de papyrus était répugnant, et elle n'avait pas de temps à perdre.

Lorsque l'homme se glissa dans l'abri, Panthère était étendue sur le sol, nue et endormie. Ses cheveux blonds répandus sur ses épaules, ses seins généreux, son sexe doré aux boucles luxuriantes firent perdre toute prudence à l'arracheur de papyrus. Quand il se précipita sur sa proie, ses pieds se prirent dans un collet disposé au ras du sol, et il chuta lourdement. Très vive, Panthère s'installa sur son dos et l'étrangla. Dès qu'il tourna de l'œil, elle cessa de serrer, le déshabilla afin de disposer d'un vêtement pour la nuit et continua sa route vers le grand sud.

*

Le commandant de la forteresse de Tjarou, au cœur de la Nubie, repoussa l'infâme brouet que lui avait servi son cuisinier.

— Un mois de cachot pour cet incapable, décréta-t-il.

Une coupe de vin de palme le consola de cette déception. Loin de l'Égypte, il était difficile de se nourrir correctement ; mais occuper un tel poste lui vaudrait promotion et retraite avantageuse. Ici, dans ce pays désolé et aride, où le désert menaçait les rares cultures et où le Nil entrait parfois dans de violentes colères, il accueillait des condamnés à des peines d'exil variant d'un à trois ans. D'ordinaire, il se montrait plutôt clément avec eux et leur assignait des tâches domestiques où ils ne s'usaient guère ; la plupart de ces pauvres bougres n'avaient pas commis de graves délits et profitaient de leur séjour forcé pour réfléchir sur leur passé.

Avec Souti, la situation s'était vite dégradée. Celui-là acceptait mal l'autorité et refusait de se soumettre. Aussi le commandant, dont le premier devoir consistait à surveiller les tribus nubiennes afin de prévenir toute révolte, avait-il placé le réfractaire en première ligne et sans arme. Il y jouerait un rôle d'appât et y éprouverait quelques frayeurs salutaires. Bien entendu, la garnison volerait à son secours en cas d'agression ; le commandant aimait libérer ses hôtes en bon état et préserver un dossier administratif immaculé.

Le sous-officier préposé à la poste lui apporta un papyrus provenant de Memphis.

— Courrier spécial.

— Le sceau du vizir !

Intrigué, le commandant coupa les cordelettes et brisa le sceau. Le sous-officier attendait les ordres.

— Les services de renseignements redoutent une agitation en Nubie ; on nous demande de redoubler de vigilance et de vérifier notre système de défense.

— Autrement dit, nous fermons les portes de la forteresse et plus personne n'en sort.

— Transmettez la consigne sur-le-champ.

— Et le prisonnier Souti ?

Le commandant hésita.

— Qu'en pensez-vous ?

— La garnison déteste ce gaillard ; il ne nous apportera que des ennuis. Là où il se trouve, il nous sera utile.

— Si un incident survenait...

— Notre rapport conclurait à un regrettable accident.

*

Souti était un homme de belle stature, au visage allongé, au regard franc et direct, et aux longs cheveux noirs ; force, séduction et élégance caractérisaient la moindre de ses attitudes. Après s'être évadé de la grande école des scribes de Memphis où les études l'ennuyaient, il avait vécu l'existence aventureuse dont il rêvait, connu des femmes superbes, était devenu un héros en identifiant un général félon et en secondant son ami Pazair, avec lequel il avait partagé son sang. Malgré son jeune âge, Souti avait souvent côtoyé la mort ; sans une opération réussie grâce au génie de Néféret, il aurait succombé aux blessures infligées par un ours qui l'avait terrassé, en Asie, lors d'un combat singulier *.

Assis sur un rocher, au milieu du Nil, attaché à un bloc par une chaîne solide, il ne pouvait que contempler le lointain, le sud mystérieux et angoissant d'où surgissaient parfois des hordes de guerriers nubiens, au courage indomptable. À lui, la sentinelle la plus avancée, de donner l'alerte en criant à pleins poumons. La transparence de l'air était telle que les guetteurs de la forteresse ne manqueraient pas de l'entendre.

Mais Souti ne crierait pas ; il ne donnerait pas ce plaisir-là au commandant et à ses sbires. Bien qu'il n'eût pas la moindre envie de mourir, il ne s'humilierait pas. Il songeait à cet instant merveilleux où il avait abattu le général Asher, traître et criminel, alors qu'il échappait à la justice en s'enfuyant avec un chargement d'or.

Un chargement que Souti et Panthère avaient dissimulé avec soin, une fortune qui leur aurait permis de jouir de tous les plaisirs. Mais il était enchaîné, et elle avait regagné sa Libye natale, avec interdiction de fouler de nouveau le sol de l'Égypte. Sans doute l'avait-elle déjà oublié, en s'étourdissant dans d'autres bras.

Quant à Pazair, sa position de vizir le ligotait ; toute intervention en faveur de Souti serait sanctionnée, sans pour autant aboutir à une libération. Et dire que le jeune homme subissait cette peine d'exil parce qu'il avait épousé la jolie et fougueuse Tapéni pour les besoins de l'enquête ! Un mariage qu'il pensait défaire sans difficulté, sous-estimant les exigences de la tisserande. La garce l'avait accusé d'adultère et fait condamner à un an

* Voir *La Pyramide assassinée.*

de forteresse; lorsqu'il reviendrait en Égypte, il devrait travailler pour elle, afin de lui donner une pension.

Rageur, Souti frappa le roc et tira sur sa chaîne. Mille fois, il avait espéré qu'elle céderait; mais cette prison sans murs et sans barreaux se révélait d'une solidité sans faille.

Les femmes, son bonheur et son malheur... Mais aucun regret! Peut-être une grande Nubienne aux seins haut placés, fermes et ronds, serait-elle à la tête des rebelles, peut-être s'éprendrait-elle de lui, peut-être le délivrerait-elle au lieu de lui trancher la gorge... Périr ainsi, après tant d'aventures, de conquêtes et de victoires, c'était trop stupide.

Le soleil quittait le zénith, et amorçait sa descente vers l'horizon. Voilà longtemps qu'un soldat aurait dû lui apporter à boire et à manger. En s'allongeant, il recueillit de l'eau du Nil dans le creux de la main et se désaltéra; avec un peu d'habileté, il attraperait un poisson et ne mourrait pas de faim. Pourquoi ce changement d'habitudes?

Le lendemain, force lui fut de conclure qu'on l'abandonnait à son sort. Si la garnison demeurait tapie à l'intérieur de la forteresse, ne redoutait-elle pas un raid des Nubiens? Parfois, à la suite d'une fête un peu trop arrosée, une troupe de guerriers en mal de combat avait l'idée folle d'envahir l'Égypte et courait au massacre.

Hélas, il se trouvait sur leur chemin.

Il lui fallait briser cette chaîne, quitter cet endroit avant l'attaque; mais il ne disposait même pas d'une pierre dure. L'esprit vide, la rage au cœur, il hurla.

Quand le soir tomba, ensanglantant le Nil, l'œil exercé de Souti perçut un mouvement insolite derrière les buissons ornant la rive.

Quelqu'un l'épiait.

CHAPITRE 5

Sur la plaque rouge, bordée de boutons, qui s'étalait sur sa jambe gauche, Bel-Tran appliqua une pommade à base de fleurs d'acacia et de blancs d'œuf, et but quelques gouttes de jus d'aloé, sans espérer une guérison spectaculaire. Refusant d'admettre que ses reins fonctionnaient mal et que son foie était encombré, le directeur de la Double Maison blanche n'avait pas le temps de se soigner.

Son meilleur remède était une activité incessante. Perpétuellement animé d'une énergie conquérante, sûr de lui, bavard à en épuiser son auditoire, il ressemblait à un torrent que rien n'arrête. À quelques mois du but que s'étaient fixé les conjurés, le pouvoir suprême, de petits ennuis de santé n'interrompaient pas sa marche triomphale. Certes, trois de ses alliés étaient morts ; mais il lui en restait bien d'autres. Les disparus étaient médiocres, souvent stupides ; n'aurait-il pas dû s'en débarrasser, tôt ou tard ? Le jour où le complot avait été fomenté, Bel-Tran avait suivi la stratégie définie sans commettre la moindre erreur. Chacun avait cru qu'il serait un serviteur fidèle de Pharaon, que son dynamisme se déploierait au bénéfice de l'Égypte de Ramsès, que sa puissance de travail se comparerait à celle des grands sages œuvrant pour le temple et non pour eux-mêmes.

Même la disparition de Iarrot, le greffier félon, ne le gênait guère, car sa source de renseignements menaçait de se tarir. Les hyènes l'avaient soulagé d'un fardeau.

Bel-Tran sourit en songeant qu'il était parvenu à abuser la hiérarchie et à tisser une toile solide sans qu'aucun membre de l'entourage de Pharaon ne s'en aperçût. Même si Pazair tentait de le combattre, il était trop tard.

Le ministre de l'économie massa ses orteils boudinés avec une pâte de feuilles d'acacia broyées, mélangées à la graisse de bœuf ; elle effaçait fatigue et douleur. Bel-Tran ne cessait de parcourir les grandes villes et les capitales provinciales pour conforter ses complices dans l'idée qu'une révolution se produisait bientôt et que, grâce à lui, ils deviendraient riches et puissants, au-delà de ce qu'ils imaginaient dans leurs rêves les plus fous. L'appel à la cupidité humaine, soutenu par des arguments de poids, ne restait jamais sans écho.

Il mastiqua deux pastilles destinées à rendre l'haleine agréable ; oliban, souchet odorant, résine de thérébinthe et roseau de Phénicie, mêlés au miel, formaient un mélange des plus suave. Avec satisfaction, Bel-Tran contempla sa villa de Memphis. Une vaste maison, au centre d'un jardin clos de murs ; une porte de pierre, au linteau décoré de palmes ; une façade rythmée par de hautes et minces colonnes imitant des papyrus, dont il était le principal producteur ; un vestibule et des pièces de réception dont la splendeur éblouissait ses hôtes, des vestiaires avec des dizaines de coffres à linge, des lieux d'aisance en pierre, dix chambres, deux cuisines, une boulangerie, un puits, des silos à grain, des écuries, un grand jardin où, autour de la pièce d'eau, poussaient palmiers, sycomores, jujubiers, perséas, grenadiers et tamaris.

Seul un homme riche possédait une telle demeure. Il se sentait fier de sa réussite, lui, le petit employé, le parvenu que les hauts dignitaires avaient dédaigné avant de le craindre et de se soumettre à sa loi. Fortune

31

et biens matériels : il n'existait pas d'autre bonheur durable et d'autre réussite. Les temples, les divinités, les rites n'étaient qu'illusions et rêveries. C'est pourquoi Bel-Tran et ses alliés avaient décidé d'arracher l'Égypte à un passé révolu et de la faire entrer sur le chemin du progrès où seule compterait la vérité de l'économie. Dans ce domaine, personne ne l'égalerait ; Ramsès le grand et Pazair ne pourraient qu'encaisser les coups avant de disparaître.

Bel-Tran extirpa une jarre fichée dans le trou d'une planche surélevée et pourvue d'un bouchon en limon ; enduite d'argile, elle conservait admirablement la bière. Le bouchon ôté, il introduisit dans le récipient un tuyau relié à un filtre, afin d'éliminer d'éventuelles impuretés, et savoura un liquide frais et digestif.

Soudain, il eut envie de voir sa femme. N'avait-il pas réussi à transformer une petite provinciale assez gauche et plutôt laide en une dame memphite, parée des plus beaux atours, et provoquant la jalousie de ses rivales ? Certes, la chirurgie esthétique lui avait coûté fort cher ; mais les traits de Silkis et la disparition de ses bourrelets graisseux lui donnaient satisfaction. Bien qu'elle fût d'humeur changeante, parfois en proie à des crises d'hystérie qu'apaisait l'interprète des rêves, Silkis demeurait une femme-enfant et lui obéissait au doigt et à l'œil. Dans les réceptions d'aujourd'hui, et dans les réunions officielles de demain, elle apparaîtrait à ses côtés comme un bel objet, avec pour obligations le silence et une mise éblouissante.

Elle s'appliquait un masque de beauté, composé de miel, de natron rouge et de sel du nord, après avoir frotté sa peau avec de l'huile de fenugrec et de la poudre d'albâtre. Sur ses lèvres, de l'ocre rouge ; autour de ses yeux, un fard vert.

— Tu es ravissante, ma chérie.

— Donne-moi ma plus belle perruque, veux-tu ?

Bel-Tran tourna le bouton de nacre d'un vieux coffre en cèdre du Liban. Il en sortit une perruque de cheveux humains, pendant que Silkis faisait coulisser le couvercle d'un nécessaire de toilette afin d'en extraire un bracelet de perles et un peigne en acacia.

— Comment te portes-tu, ce matin ? lui demanda-t-il en ajustant la précieuse coiffe.

— Mes intestins demeurent très fragiles ; je bois de la bière de caroube mélangée à de l'huile et à du miel.

— Si la situation empire, consulte un médecin.

— Néféret me guérirait.

— Ne parlons plus de Néféret!

— C'est une thérapeute exceptionnelle.

— Elle est notre ennemie, comme Pazair, et sombrera avec lui.

— Ne consentirais-tu pas à la sauver... pour me servir ?

— Nous verrons bien. Sais-tu ce que je t'apporte ?

— Une surprise!

— De l'huile de genévrier pour oindre ta peau délicate.

Elle lui sauta au cou et l'embrassa.

— Tu restes à la maison, aujourd'hui ?

— Malheureusement, non.

— Ton fils et ta fille auraient aimé te parler.

— Qu'ils obéissent à leur précepteur, c'est plus important. Demain, ils compteront au nombre des personnalités marquantes du royaume.

— Ne crains-tu pas...

— Rien, Silkis, je ne crains rien, car je suis intouchable. Et personne ne peut connaître l'arme décisive dont je dispose.

Un serviteur les interrompit.

— Un homme demande à voir le maître.

— Son nom ?

— Mentmosé.

Mentmosé, l'ancien chef de la police, remplacé par le Nubien Kem. Mentmosé, qui avait tenté de se débarrasser de Pazair en l'accusant de meurtre et en l'envoyant au bagne. Bien qu'il n'appartînt pas au cercle des comploteurs, l'ex-fonctionnaire avait bien servi la cause des futurs dirigeants. Bel-Tran le croyait à jamais disparu, exilé à Byblos, au Liban, et réduit au rang d'ouvrier sur un chantier naval.

— Introduisez-le dans le salon aux lotus, près du jardin, et servez-lui de la bière; j'arrive dans un instant.

Silkis était inquiète.

— Que veut-il? Je ne l'aime pas.

— Sois tranquille.

— Demain, seras-tu encore en voyage?

— Il le faut.

— Et moi, que dois-je faire?

— Continuer à être jolie, ne parler à personne sans mon autorisation.

— Je voudrais un troisième enfant de toi.

— Tu l'auras.

*

La cinquantaine passée, Mentmosé avait un crâne chauve et rouge, et une voix nasillarde qui montait dans l'aigu dès qu'il était contrarié. Corpulent, le nez pointu, cauteleux, il avait mené une brillante carrière en utilisant les défaillances d'autrui. Jamais il n'aurait imaginé sombrer dans un tel abîme, alors qu'il s'entourait de mille et une précautions. Mais le juge Pazair avait désorganisé son système et mis en lumière son incompétence. Depuis que son ennemi occupait le poste de vizir, Mentmosé ne possédait pas la moindre chance de retrouver sa splendeur perdue. Bel-Tran était son dernier espoir.

— N'êtes-vous pas interdit de séjour en Égypte?

— Je suis en situation illégale, c'est vrai.

— Pourquoi prendre de tels risques?

— Il me reste quelques relations, et Pazair n'a pas que des amis.

— Qu'attendez-vous de moi?

— Je suis venu vous offrir mes services.

Bel-Tran sembla dubitatif.

— Lors de l'arrestation de Pazair, rappela l'ancien chef de la police, celui-ci s'est défendu d'avoir assassiné son maître Branir. Je n'ai pas cru une seconde à sa culpabilité et j'ai eu conscience d'être manipulé, mais cette situation m'arrangeait. Quelqu'un m'a prévenu, en m'adressant un message, pour que je prenne Pazair en flagrant délit, lorsqu'il se pencherait sur le cadavre de son maître. J'ai eu le temps de réfléchir à cet épisode. Qui m'a alerté, sinon vous-même ou l'un de vos alliés ? Le dentiste, le transporteur et le chimiste sont morts ; pas vous.

— Comment savez-vous qu'ils étaient mes alliés ?

— Certaines langues se délient et vous présentent comme le futur maître du pays ; je hais Pazair autant que vous et je détiens peut-être des indices gênants.

— Lesquels ?

— Le juge affirma qu'il avait accouru chez Branir à cause d'une brève missive : « Branir est en danger, venez vite. » Supposez que, contrairement à mes propres affirmations, je n'ai pas détruit ce document, et que l'on puisse identifier l'écriture. Supposez aussi que j'aie également conservé l'arme du crime, l'aiguille en nacre, et qu'elle appartienne à une personne qui vous serait chère.

Bel-Tran réfléchit.

— Qu'exigez-vous ?

— Louez-moi un logement en ville, permettez-moi d'agir contre Pazair, et donnez-moi un poste dans votre futur gouvernement.

— Rien d'autre ?

— Je suis persuadé que vous êtes l'avenir.

— Vos prétentions me paraissent légitimes.

Mentmosé s'inclina devant Bel-Tran. Il ne lui restait plus qu'à se venger de Pazair.

CHAPITRE 6

Néféret appelée d'urgence à l'hôpital principal de Memphis pour une opération difficile, le vizir Pazair nourrit lui-même Coquine, le petit singe vert. Bien que l'insupportable femelle passât son temps à ennuyer les domestiques et à voler aux cuisines, Pazair se montrait envers elle d'une grande faiblesse. Lorsqu'il avait croisé Néféret pour la première fois, n'était-ce pas grâce à une intervention de Coquine, aspergeant d'eau Brave, le chien du juge, qu'il avait osé aborder sa future épouse ?

Brave posa sa patte avant droite sur le poignet du vizir. Haut sur pattes, une longue queue, des oreilles pendantes qui se dressaient à l'heure des repas, le chien de couleur sable portait un collier en cuir rose et blanc au nom de « Brave, compagnon de Pazair ». Pendant que Coquine décortiquait des noix de palmier, le chien se régala d'une purée de légumes. Par bonheur, une paix concertée s'était établie entre les deux animaux ; Brave acceptait de se laisser tirer la queue une dizaine de fois par jour, Coquine respectait son sommeil lorsqu'il s'installait sur la vieille natte du juge, le seul trésor en sa possession lors de son arrivée à Memphis. Un bel objet, en vérité, servant de lit, de table, de tapis et, parfois, de linceul. Pazair s'était juré de le conserver, quelle que fût sa fortune ; puisque Brave l'avait adoptée, dédaignant ses coussins et sièges moelleux, il savait sa natte bien gardée.

Un doux soleil d'hiver éveillait les dizaines d'arbres et les parterres de fleurs qui donnaient à la grande demeure du vizir l'aspect de l'un des paradis de l'autre monde où vivaient les justes. Pazair fit quelques pas dans une allée, goûtant les parfums subtils qui montaient de la terre mouillée de rosée. Un museau amical lui toucha le coude; son âne fidèle, Vent du Nord, le saluait à sa manière. Magnifique grison au regard tendre et à l'intelligence aiguisée, il possédait un fabuleux sens de l'orientation dont le vizir lui-même était dépourvu. Pazair lui offrait avec joie un domaine où il n'avait plus à porter de lourdes charges.

L'âne dressa la tête. Il percevait une présence insolite au grand portail, vers lequel il se dirigea d'une allure rapide. Pazair le suivit.

Kem et son babouin policier attendaient le vizir. Insensible au froid comme à la chaleur, détestant le luxe, le chef de la police n'était vêtu que d'un pagne court, comme n'importe quel homme de condition modeste; à la ceinture, un étui en bois contenant un poignard, cadeau du vizir : lame en bronze, poignée en électrum, mélange d'or et d'argent, avec une marqueterie de rosettes de lapis-lazuli et de feldspath vert. Le Nubien préférait ce chef-d'œuvre à la main en ivoire qu'il était obligé d'arborer lors des cérémonies officielles. Détestant l'atmosphère des bureaux, il continuait, comme par le passé, à parcourir les rues de Memphis et à travailler sur le terrain.

Le babouin paraissait paisible; lorsque sa fureur se déclenchait, il devenait capable de terrasser un lion. Seul un autre singe de sa taille et de sa force, envoyé par un mystérieux assassin décidé à l'écarter de sa route pour mieux attaquer Pazair, avait osé l'affronter dans un duel à mort. Tueur en était sorti vainqueur, mais gravement blessé; les soins de Néféret, auquel le singe vouait une reconnaissance sans bornes, l'avaient vite remis sur pattes.

– Aucun danger en vue, estima Kem. Ces derniers jours, personne ne vous a épié.

– Je vous dois la vie.

– Moi aussi, vizir; puisque nos destins sont liés, ne perdons pas notre salive à nous remercier. Le gibier est au nid, j'ai vérifié.

Vent du Nord, comme s'il était informé des intentions du vizir, prit aussitôt la bonne direction. Dans les rues de Memphis, il trottina avec élégance, quelques mètres devant le babouin et les deux hommes. Le passage de Tueur imposait le calme; tête massive, bande de poils rudes courant du haut du dos jusqu'à la queue, cape rouge sur les épaules, il aimait marcher droit et jeter des regards circulaires.

Une joyeuse animation régnait devant le principal atelier de tissage de Memphis; des tisserandes papotaient, des livreurs apportaient des pelotes de fil de lin qu'une surveillante examinait avec attention avant de les accepter. L'âne s'immobilisa devant un tas de fourrage, tandis que le vizir, le chef de la police et son babouin pénétraient à l'intérieur d'une pièce bien aérée où étaient disposés les métiers.

Ils se dirigèrent vers le bureau de la supérieure des tisserandes, la dame Tapéni, dont l'apparence était trompeuse. Petite, les cheveux noirs, les yeux verts, la trentaine séduisante, vive, elle dirigeait l'atelier d'une poigne de fer et ne songeait qu'à sa carrière.

L'apparition du trio lui fit presque perdre son sang-froid.

– C'est... c'est moi que vous désiriez voir?

– Je suis persuadé que vous pouvez nous aider, déclara Pazair d'une voix posée.

Déjà, dans l'atelier, les commérages allaient bon train; le vizir d'Égypte en personne et le chef de la police chez la dame Tapéni! Bénéficiait-elle d'une promotion fulgurante ou avait-elle commis un grave délit? La présence de Kem impliquait plutôt la seconde solution.

– Je vous rappelle, continua Pazair, que mon maître Branir a été assassiné avec une aiguille en nacre. Grâce à vos informations, j'ai envisagé plusieurs hypothèses, malheureusement infructueuses. Or, vous avez prétendu détenir des renseignements déterminants ; ne serait-il pas temps de les formuler ?

– Je me suis vantée.

– Parmi les conjurés qui ont assassiné les gardes du sphinx, il y avait une femme, aussi cruelle et déterminée que ses complices.

Les yeux rouges du babouin fixèrent la jolie brune, de plus en plus mal à l'aise.

– Supposez, dame Tapéni, que cette femme-là soit aussi une excellente manieuse d'aiguille et qu'elle ait reçu l'ordre de supprimer mon maître Branir, pour stopper net son enquête.

– Tout ceci ne me concerne pas.

– J'aimerais obtenir vos confidences.

– Non ! cria-t-elle, au bord de la crise de nerfs. Vous voulez vous venger parce que j'ai fait condamner votre ami Souti ; il était dans son tort, moi dans mon droit. Ne me menacez plus, ou je porterai plainte contre vous. Sortez d'ici !

– Vous devriez adopter un langage plus respectueux, recommanda Kem ; vous vous adressez au vizir d'Égypte.

Tremblante, Tapéni baissa le ton.

– Vous ne possédez aucune preuve contre moi.

– Nous finirons par en obtenir ; portez-vous bien, dame Tapéni.

*

– Le vizir est-il satisfait ?

– Plutôt, Kem.

– Un coup de pied dans une fourmilière...

– Cette jeune personne est très nerveuse et fort attachée à sa réussite sociale ; notre visite ne promet rien de bon pour sa réputation.

39

– Donc, elle va réagir.

– Sans tarder.

– La croyez-vous coupable?

– De méchanceté et de ladrerie, certes.

– Vous songez davantage à Silkis, l'épouse de Bel-Tran?

– Une femme-enfant peut devenir une criminelle par simple caprice; Silkis, de plus, est une excellente manieuse d'aiguille.

– On la dit peureuse.

– Elle se plie aux moindres volontés de son mari; s'il lui a demandé de servir d'appât, elle aura obéi. Le gardien-chef du sphinx, la voyant apparaître au cœur de la nuit, aura perdu sa lucidité.

– Commettre un crime...

– Je ne formulerai pas d'accusation formelle avant de détenir la preuve.

– Et si vous ne l'obtenez jamais?

– Faisons confiance au travail, Kem.

– Vous me cachez un fait important.

– J'y suis contraint; mais sachez que nous luttons pour la survie de l'Égypte.

– Œuvrer à vos côtés n'est pas de tout repos.

– Je n'aspire qu'à une existence tranquille, à la campagne, en compagnie de Néféret, de mon chien et de mon âne.

– Il vous faudra patienter, vizir Pazair.

*

La dame Tapéni ne tenait plus en place. Elle connaissait l'obstination du vizir Pazair, son acharnement à découvrir la vérité, et son amitié indéfectible pour Souti. Sans doute la supérieure des tisserandes s'était-elle montrée trop dure avec son mari; mais Souti l'avait épousée, et elle ne supportait pas qu'on lui fût infidèle. Il paierait sa liaison avec cette chienne de Libyenne.

Exposée à la vindicte du vizir, Tapéni devait trouver au plus vite un protecteur. D'après des rumeurs récentes, aucune hésitation n'était permise.

Tapéni courut jusqu'aux bâtiments officiels où travaillaient les fonctionnaires du ministère des Finances. Elle interrogea des gardes, et ne patienta qu'une demi-heure avant de voir arriver une chaise à porteurs vide, à haut dossier, équipée d'un tabouret pour y poser les pieds et de larges accoudoirs. À l'arrière, un parasol protégeait l'occupant des rayons du soleil. Vingt porteurs assuraient un déplacement rapide, sous les ordres d'un chef à la voix puissante ; ils louaient leurs services à un prix élevé, excluant les trop longues courses.

Bel-Tran sortit par la porte principale du ministère et se dirigea à pas pressés vers sa chaise. Tapéni lui barra le chemin.

– Je dois vous parler.

– Dame Tapéni ! Des ennuis dans votre atelier ?

– Le vizir m'importune.

– Il se prend volontiers pour un justicier.

– Il m'accuse de crime.

– Vous ?

– Il me soupçonne d'avoir assassiné son maître Branir.

– Ses preuves ?

– Il n'en possède pas, mais il me menace.

– Une innocente ne risque rien.

– Pazair, Kem et son singe policier me font peur ; j'ai besoin de votre aide.

– Je ne vois pas comment je...

– Vous êtes un homme riche et puissant ; on murmure que votre ascension n'est pas terminée. J'aimerais devenir votre alliée.

– De quelle manière ?

– Je règne sur le commerce des étoffes ; les nobles dames, comme la vôtre, en sont friandes. Je sais comment obtenir les meilleures conditions d'achat et de vente. Les bénéfices, croyez-moi, ne seront pas négligeables.

41

— Fort volume d'affaires ?

— Avec vos qualités, vous l'accroîtrez sans peine. En prime, je vous promets de nuire à ce maudit vizir.

— Un plan précis ?

— Pas encore, mais comptez sur moi.

— Entendu, dame Tapéni ; considérez-vous comme protégée.

CHAPITRE 7

Au service des conjurés, enrichi par ses crimes, l'avaleur d'ombres * était un perfectionniste. Il avait promis d'éliminer Pazair, il avait échoué, il réussirait. Après avoir longtemps suivi sa piste, le chef de la police s'était résolu à constater son échec. Travaillant seul, sans aide, l'homme des ténèbres ne serait jamais identifié. Grâce à l'or avec lequel il avait été payé, il serait bientôt propriétaire d'une villa à la campagne où il jouirait d'une paisible retraite.

L'avaleur d'ombres n'avait plus aucun contact avec ses employeurs ; trois étaient morts, Bel-Tran et Silkis se rendaient inaccessibles. Pourtant, cette dernière ne s'était guère montrée farouche lors de leur dernière rencontre, quand elle lui avait transmis l'ordre de rendre Pazair invalide ; elle n'avait ni gémi ni appelé au secours en subissant son désir. Bientôt, Bel-Tran et Silkis monteraient sur le trône d'Égypte ; aussi l'avaleur d'ombres se sentait-il obligé de leur offrir la tête du vizir, leur pire ennemi.

Tirant parti de ses précédents échecs, il n'attaquerait plus de front ; Kem et son babouin se révélaient trop efficaces. Le singe pressentait le danger, le Nubien veillait en permanence sur Pazair. L'avaleur d'ombres agirait de manière indirecte, en tendant des pièges.

* Traduction littérale de l'expression égyptienne signifiant « assassin ».

Au milieu de la nuit, il escalada le mur de l'hôpital principal de Memphis, rampa sur le toit, et s'introduisit à l'intérieur du bâtiment grâce à une échelle. Empruntant un couloir qui fleurait bon les onguents et les pommades, il se dirigea vers les réserves de produits dangereux. Dans plusieurs laboratoires étaient entreposés bave, excréments et urine de crapauds, de chauves-souris, venins de serpents, de scorpions et de guêpes, et d'autres substances toxiques provenant de végétaux avec lesquelles les pharmaciens préparaient des remèdes très actifs.

La présence d'un surveillant n'embarrassa pas l'avaleur d'ombres ; il l'assomma, s'empara d'une fiole de poison et d'une vipère noire, prisonnière dans un panier.

*

Atterrée, Néféret s'enquit de l'état du surveillant avant d'inspecter les laboratoires. L'homme n'était pas gravement blessé ; il avait été frappé à la base du cou, sans même deviner la présence de son agresseur.

— L'étendue du vol ? demanda-t-elle au médecin-chef de l'hôpital.

— Presque rien... Une vipère noire, dans un panier.

— Des poisons ?

— Difficile à dire ; nous venions de recevoir un lot que je devais inventorier ce matin. Le voleur n'a rien cassé.

— La garde sera doublée, dès cette nuit ; je préviens moi-même le chef de la police.

Inquiète, la jeune femme songeait aux tentatives de meurtre perpétrées contre son mari ; cet incident inhabituel ne préludait-il pas à un nouveau drame ?

*

L'esprit embrumé, le vizir se présenta à la porte du Trésor en compagnie de Kem et du singe policier. Pour

44

la première fois depuis son intronisation, il inspectait les réserves de métaux précieux. Réveillé avant l'aube par un émissaire de l'hôpital, il n'avait même pas eu le temps d'échanger quelques pensées avec Néféret, pressée de se rendre sur les lieux. Incapable de se rendormir, il avait apprécié une douche brûlante avant de partir pour le centre de Memphis et de franchir les cordons de policiers interdisant l'accès du quartier du Trésor aux personnes non qualifiées.

Le vizir apposa son sceau sur le registre que lui présenta le gardien du Trésor, un homme âgé, lent et méticuleux. Bien qu'il connût le visage de Pazair, il vérifia la conformité de l'empreinte avec celle que lui avait transmise le palais lors de la nomination du nouveau vizir.

– Que désirez-vous voir ?
– L'ensemble des réserves.
– Cette tâche prendra du temps.
– Elle fait partie de mes devoirs.
– À vos ordres.

Pazair commença par l'immense bâtiment où étaient entreposés les lingots d'or et d'argent provenant des mines de Nubie et du désert oriental. Chaque pièce avait reçu un numéro d'ordre, le rangement était impeccable.

Un chargement partirait bientôt pour le temple de Karnak où les orfèvres travailleraient le précieux métal afin d'orner deux grandes portes.

L'éblouissement passé, Pazair constata que le local était à moitié vide.

– Nos réserves sont au plus bas, commenta le gardien du Trésor.
– Pour quelle raison ?
– Ordre supérieur.
– Provenance ?
– La Double Maison blanche.
– Montrez-moi les documents.

Le gardien du Trésor n'avait commis aucune faute

administrative; depuis plusieurs mois, lingots d'or et d'argent, ainsi qu'une importante quantité de minéraux rares, sortaient régulièrement des réserves sur la demande de Bel-Tran.

L'attentisme n'était plus de mise.

*

Marchant d'un pas vif, Pazair n'eut pas une longue distance à parcourir pour atteindre la Double Maison blanche, ensemble de constructions à deux étages abritant des bureaux que séparaient des jardinets. Comme d'ordinaire, y régnait une activité de fourmilière; depuis que Bel-Tran avait été placé à la tête du grand corps d'État, il ne tolérait pas le moindre laxisme et régnait en tyran sur une armée de scribes affairés.

Dans un vaste enclos, des bœufs gras destinés au temple; des spécialistes examinaient les bêtes, reçues au titre d'acquittement de l'impôt. Dans une remise entourée d'un mur en brique et protégée par des soldats, des comptables pesaient des lingots d'or avant de les déposer dans des caisses. Le courrier interne fonctionnait de l'aube au couchant; des jeunes hommes aux jambes déliées couraient d'un endroit à l'autre, portant des consignes à exécuter sans délai. Des intendants s'occupaient de l'outillage, de la fabrication du pain et de la bière, de la réception et de la circulation des onguents, du matériel pour les grands chantiers, des amulettes et des objets liturgiques. Un service se consacrait aux palettes de scribe, aux roseaux pour écrire, aux papyrus, aux tablettes d'argile et de bois.

En traversant les salles à colonnes où des dizaines de fonctionnaires rédigeaient notes et rapports, le vizir prit conscience de la machinerie dont Bel-Tran était devenu le manipulateur. Peu à peu, il en avait contrôlé les divers rouages et ne s'était mis en avant qu'après les avoir maîtrisés.

Les chefs d'équipe s'inclinèrent devant le vizir, leurs

employés continuèrent à travailler; ils semblaient redouter davantage leur patron que le premier ministre de l'Égypte. Un intendant les guida jusqu'au seuil d'une vaste salle où Bel-Tran, marchant de long en large, dictait ses instructions à trois scribes contraints d'écrire avec une remarquable dextérité.

Le vizir observa son ennemi déclaré. L'ambition et la volonté de puissance imprégnaient chaque parcelle de son être, chacune de ses paroles; l'homme ne doutait ni de ses qualités, ni de son triomphe final. Lorsqu'il aperçut Pazair, il s'interrompit, congédia sèchement les scribes et leur ordonna de fermer la porte en bois.

— Votre visite m'honore.

— Ne vous épuisez pas en formules hypocrites.

— Avez-vous pris le temps d'admirer mon administration? Le travail acharné est sa loi majeure. Vous pourriez me démettre et nommer un autre directeur, mais la machine se gripperait, et vous seriez la première victime. Il vous faudrait plus d'un an pour reprendre le gouvernail de ce lourd vaisseau, et vous ne disposez que de quelques mois avant la nomination du nouveau pharaon. Renoncez, Pazair, et soumettez-vous.

— Pourquoi avez-vous vidé nos réserves de métaux précieux?

Bel-Tran, sourit, satisfait.

— Auriez-vous procédé à une inspection?

— C'est mon devoir.

— Belle rigueur, en vérité.

— J'exige des explications.

— Intérêt supérieur de l'Égypte! Il fallait contenter nos vassaux et nos amis, les Libyens, les Palestiniens, les Syriens, les Hittites, les Libanais, et tant d'autres, afin de maintenir de bonnes relations et de préserver la paix. Leurs gouvernants apprécient les cadeaux, surtout l'or de nos déserts.

— Vous avez largement dépassé les quantités habituelles.

— En certaines circonstances, il faut savoir se montrer généreux.

— Plus un gramme de métal précieux ne sortira du Trésor sans mon autorisation.

— À vos ordres... Mais aucune irrégularité n'a été commise. Je perçois votre arrière-pensée : n'ai-je pas utilisé une procédure légale afin de détourner des richesses à mon profit ? Idée astucieuse, je l'admets. Permettez-moi de vous laisser dans le doute, avec une seule certitude : vous ne pourrez rien prouver.

CHAPITRE 8

Enchaîné à un roc au milieu du Nil, Souti fixait les buissons de la berge où se cachait le Nubien qui l'observait. Prudent, ce dernier demeurait immobile, redoutant un piège ; Souti se présentait comme un trop bel appât.

Le Nubien remua de nouveau ; il avait décidé d'agir. Excellent nageur, comme tous ceux de sa race, il se déplacerait sous l'eau et surprendrait sa proie.

Avec la rage du désespoir, Souti tira sur sa chaîne ; elle grinça, gémit, mais ne rompit pas. Il allait mourir ici, stupidement, sans pouvoir se défendre. Tournant sur lui-même, il chercha à percevoir l'endroit d'où viendrait l'attaque ; la nuit était sombre, l'eau du fleuve impénétrable.

La forme élancée jaillit, tout près de lui. Il se rua, la tête en avant, tendant la chaîne au maximum. L'autre l'évita, glissa sur le roc mouillé, tomba à l'eau et ressurgit.

— Tiens-toi tranquille, imbécile !

Cette voix... Il l'aurait reconnue dans le royaume de dessous terre !

— C'est toi... Panthère ?

— Qui d'autre viendrait à ton secours ?

Nue, les cheveux blonds ruisselant sur les épaules, elle s'avança vers lui, baignée d'un rayon de lune. Sa beauté et sa sensualité l'éblouirent.

Elle se colla contre lui, l'entoura de ses bras, posa ses lèvres sur les siennes.

— Tu m'as beaucoup manqué, Souti.

— Je suis enchaîné.

— Au moins, tu ne m'as pas trompée.

Panthère s'enflamma, Souti ne résista pas à cet assaut inattendu. Sous le ciel de Nubie, bercés par le chant d'un Nil sauvage, ils se donnèrent l'un à l'autre avec fougue.

Lorsque la passion s'apaisa, elle s'étendit sur lui, comblée. Il caressa doucement ses cheveux blonds.

— Par bonheur, ta vigueur ne s'est pas amoindrie. Sinon, je t'aurais abandonné.

— Comment es-tu arrivée jusqu'ici ?

— Des bateaux, des chariots, la piste, des ânes... J'étais certaine de réussir.

— Des ennuis ?

— Des violeurs et des voleurs par-ci, par-là. Rien de vraiment dangereux ; l'Égypte est un pays paisible.

— Quittons cet endroit au plus vite.

— Je me sens bien, ici.

— Si des Nubiens se ruent sur nous, tu changeras d'avis.

Panthère se leva, plongea, et revint porteuse de deux pierres coupantes. Avec force et précision, elle s'acharna sur l'un des maillons de la chaîne, pendant que Souti fracassait l'anneau qui lui enserrait le poignet.

Leurs efforts furent couronnés de succès. Libre, fou de joie, Souti s'empara de Panthère et la souleva ; les jambes de la Libyenne se nouèrent autour des reins de son amant dont la virilité renaissait. S'enchâssant l'un dans l'autre, ils glissèrent sur le roc mouillé et tombèrent dans le fleuve en éclatant de rire.

Roulant sur la berge, leurs corps ne se désunirent pas. Ivres l'un de l'autre, ils puisaient dans l'étreinte une nouvelle énergie. Le froid de l'aube les apaisa enfin.

— Il faut partir, dit Souti, soudain grave.

— Vers où ?

— Vers le sud.

— L'inconnu, les bêtes sauvages, les Nubiens...

— Éloignons-nous de la forteresse et des soldats égyptiens. Quand ils constateront ma disparition, ils enverront des patrouilles et alerteront leurs espions. Cachons-nous jusqu'à ce que leur hargne s'éteigne.

— Notre or ?

— Nous le récupérerons, sois sans crainte.

— La partie ne sera pas facile.

— A deux, nous réussirons.

— Si tu me trompes encore avec cette Tapéni, je te tuerai.

— Tue-la d'abord ; tu me soulageras.

— Le responsable de ce mariage, c'est toi ! Tu as obéi à ton ami Pazair qui t'a abandonné, et voilà où nous en sommes !

— Je réglerai tous mes comptes.

— Si nous échappons au désert.

— Il ne m'effraie pas ; as-tu de l'eau ?

— Deux outres pleines, accrochées à la branche d'un tamaris.

Ils s'élancèrent sur une piste étroite, passant entre des roches calcinées et des falaises hostiles. Panthère suivit le lit d'un oued où subsistaient quelques touffes d'herbe dont ils se nourrirent. Le sable surchauffé leur brûlait les pieds, des vautours au cou blanc les survolaient.

Pendant deux jours, ils ne croisèrent pas âme qui vive ; au milieu du troisième, le bruit d'une galopade les contraignit à se dissimuler derrière un abri rocheux formé de boules de granit qu'érodaient les vents. Ils virent apparaître deux cavaliers nubiens traînant derrière eux un garçon nu qui courait à perdre haleine, s'agrippant à la corde attachée à la queue d'un des chevaux. Ils stoppèrent, une poussière ocre monta vers le ciel d'azur. L'un coupa la gorge du prisonnier, l'autre les testicules; hilares, ils abandonnèrent le cadavre, et repartirent vers leur campement.

Panthère n'avait pas fermé les yeux.

– Tu vois ce qui nous attend, ma douce; les bandits nubiens ignorent la pitié.

– Il suffit de ne pas tomber entre leurs mains.

– Les lieux ne sont guère favorables à une retraite heureuse; allons plus loin.

Ils se nourrirent de pousses de palmiers, égarés dans la solitude de roches noires. Des plaintes lugubres les accompagnèrent; un souffle puissant s'était levé, des nuages de sable bouchaient l'horizon. Ils s'égarèrent, s'affalèrent, serrés l'un contre l'autre, et attendirent la fin de la tempête.

*

Un froissement doux parcourut sa peau; Souti s'éveilla, chassa les grains de sable qui emplissaient nez et oreilles.

Panthère demeurait inerte.

– Lève-toi, la tourmente est finie.

Elle ne bougea pas.

– Panthère!

Paniqué, Souti la souleva. La jeune femme était molle, abandonnée.

– Réveille-toi, je t'en supplie!

– M'aimerais-tu un peu? questionna-t-elle, d'une voix chaude.

– Tu jouais la comédie!

– Quand on risque de devenir l'esclave d'un amant infidèle, il faut le mettre à l'épreuve.

– Nous n'avons plus d'eau.

Elle marcha devant, scrutant le sable afin d'y repérer des traces d'humidité. A la tombée du jour, Panthère réussit à tuer un rongeur. Elle planta deux morceaux de nervure de palmier qu'elle immobilisa avec ses genoux, et frotta entre eux une baguette de bois très sèche, tenue à deux mains; le mouvement, répété avec vigueur, produisit de la poussière de bois qui s'embrasa. La viande cuite, même en faible quantité, leur redonna des forces.

Dès le lever du soleil, le modeste repas et la relative fraîcheur nocturne furent vite oubliés; il leur fallait trouver un puits au plus vite, sous peine de périr. Mais comment le repérer? Pas la moindre oasis en vue, pas même quelques touffes d'herbes ou des bosquets d'épineux, révélant parfois la présence de l'eau.

— Seul un signe peut nous sauver, déclara Panthère. Asseyons-nous, et guettons-le. Marcher davantage est inutile.

Souti acquiesça. Il ne redoutait ni le désert, ni le soleil; mourir libre, au cœur de cet océan de feu, ne l'épouvantait pas. La lumière dansait sur les roches, le temps se dissolvait dans la chaleur, l'éternité s'imposait, brûlante et indomptée. En compagnie de la blonde Libyenne, ne vivait-il pas une forme de bonheur aussi précieuse que l'or des montagnes?

— Là-bas, murmura-t-elle, sur ta droite.

Souti tourna doucement la tête. Il le vit, orgueilleux et farouche, prenant le vent au sommet d'une dune.

Un oryx mâle, pesant au moins deux cents kilos, et dont les longues cornes pouvaient transpercer un lion de part en part. L'antilope des sables supportait des températures caniculaires, errant dans le désert même lorsque le soleil dardait à la verticale.

— Suivons-le, décida Panthère.

Une brise soulevait les poils noirs de la queue de l'oryx, dont le rythme respiratoire s'accélérait au fur et à mesure que la chaleur augmentait; animal du dieu Seth, maître de l'orage et incarnation des excès de la nature, l'antilope aux longues cornes savait capter le moindre souffle d'air afin de rafraîchir sa circulation sanguine. De son sabot, le grand mâle dessina une sorte de croix dans le sable et s'éloigna, suivant une ligne de crête. Le couple emprunta le même chemin, à bonne distance.

L'oryx avait tracé un X, hiéroglyphe signifiant « passer »; leur indiquait-il un moyen de sortir de cette immensité stérile ? Le solitaire, d'un pas sûr, évitait les plaques de sable mou, et marchait vers le sud.

Souti admirait Panthère. Elle ne se plaignait pas, ne rechignait devant aucun effort, s'acharnait à survivre avec la même hargne qu'un fauve.

Peu avant le coucher du soleil, l'oryx pressa l'allure et disparut derrière une énorme dune. Souti aida Panthère à gravir la pente qui se dérobait sous leurs pieds. Elle tomba, il la releva, tomba à son tour. Les poumons en feu, les membres douloureux, ils rampèrent jusqu'au sommet.

Le désert se teintait d'ocre; la chaleur ne venait plus du ciel, mais du sable et des pierres. La tiédeur du vent n'apaisait pas la brûlure des lèvres et de la gorge.

L'oryx avait disparu.

— Il est infatigable, estima Panthère; nous n'avons aucune chance de le rejoindre. S'il a perçu la présence de verdure, il avancera sans trêve, plusieurs jours d'affilée.

Souti fixait un point précis, dans le lointain.

— Je crois voir... Non, c'est une illusion.

Panthère regarda dans la même direction; sa vue se brouilla.

— Viens, avançons.

Leurs jambes acceptèrent de repartir, malgré la souffrance; si Souti s'était trompé, ils devraient boire leur urine avant de mourir de soif.

— Les traces de l'oryx !

Après avoir procédé par une succession de bonds, l'antilope avait repris une marche lente en direction du mirage qui fascinait Souti. À son tour, Panthère se prit à espérer; ne discernait-elle pas une minuscule tache vert sombre ?

Ils oublièrent l'épuisement, mirent leurs pas dans ceux de l'oryx. Et le point vert grossit, grossit, jusqu'à devenir un bosquet d'acacias.

Sous l'arbre au panache le plus large, l'antilope se reposait. Le mâle aux longues cornes observa les arrivants; ils admirèrent son pelage fauve, sa face blanche et noire. Souti savait qu'il ne reculerait pas devant le danger; sûr de sa puissance, il les embrocherait s'il se croyait menacé.

— Les poils de sa barbiche... Ils sont mouillés!

L'oryx venait de boire; il mâchait des gousses d'acacia dont une bonne partie, non digérée, passerait dans ses excréments et replanterait de nouveaux arbres là où il irait.

— Le sol est meuble, nota Souti.

Ils passèrent très lentement devant l'animal et s'enfoncèrent au cœur du bosquet, plus étendu qu'il n'y paraissait; entre deux palmiers-dattiers, la bouche d'un puits bordée de pierres plates.

Souti et Panthère s'enlacèrent, avant de se désaltérer.

— Un vrai paradis, jugea Souti.

CHAPITRE 9

L'inquiétude régnait dans la ruelle de Memphis où habitait le vieux vizir Bagey, le prédécesseur de Pazair. Il passait pour un homme intransigeant et austère, inaccessible à la flatterie. Ancien géomètre, il ne supportait pas l'inexactitude ; froid, rigide, il avait régné sur ses subordonnés avec une poigne inflexible. Usé par la tâche, il avait prié Ramsès de le démettre de ses fonctions afin de goûter une retraite paisible dans sa petite maison citadine.

Pharaon, attentif à la carrière de Pazair et à ses démêlés avec certaines autorités, avait misé sur l'authenticité et le désir de vérité du jeune juge pour déjouer le complot dont l'Égypte serait la victime ; Bagey, qui ne se sentait plus la force de lutter, avait approuvé ce choix. Puisque Pazair s'était montré intègre en poursuivant son enquête et en remplissant ses fonctions de magistrat sans faiblir, il méritait son soutien.

L'épouse de Bagey, une brune au physique ingrat, avait alerté le voisinage dès que le malaise de son mari s'était aggravé. D'ordinaire, il se levait tôt, se promenait dans la grande ville, et rentrait peu avant le déjeuner. Ce matin-là, il s'était plaint d'une affreuse douleur aux reins. Malgré l'insistance de sa femme, Bagey refusait l'intervention d'un médecin, persuadé que la douleur disparaîtrait. En raison de sa persistance, il s'était rendu à la raison.

Attroupés, les habitants de la ruelle préconisaient mille et un remèdes, accusant autant de démons d'avoir provoqué la maladie de l'ancien vizir. Le silence s'établit lorsque apparut Néféret, le médecin-chef du royaume. D'une sublime beauté, dans sa longue robe de lin, elle n'était accompagnée que de Vent du Nord, chargé de porter sa trousse médicale; l'âne marchait droit, fendant la foule en direction du domicile de Bagey. Il s'arrêta devant la bonne porte, pendant que des mères de famille félicitaient Néféret, dont la popularité ne cessait de croître. La jeune femme, pressée, ne répondait que par des sourires.

L'épouse de Bagey sembla déçue. Elle avait espéré un médecin, non cette créature trop séduisante.

— Vous n'auriez pas dû vous déranger.

— Votre époux a aidé le mien pendant une période difficile; je lui en suis reconnaissante.

Néféret pénétra dans la petite maison blanche à deux étages; elle traversa un vestibule terne, sans aucun décor, et, guidée par la matrone, grimpa l'escalier étroit menant au second. Bagey reposait dans une chambre mal aérée, qui n'avait pas été repeinte depuis longtemps.

— Vous! s'exclama-t-il en découvrant Néféret. Votre temps est trop précieux pour...

— Ne vous ai-je pas guéri, naguère?

— Vous m'avez même sauvé la vie. Sans votre intervention, ma veine porte m'aurait tué *.

— Ne m'accordez-vous plus votre confiance?

— Bien sûr que si.

Bagey se redressa, s'adossa au mur, et regarda son épouse.

— Laisse-nous.

— Tu n'as besoin de rien?

— Le docteur va m'examiner.

La matrone se retira d'un pas lourd et hostile.

* Voir *La Pyramide assassinée*.

*

Néféret prit le pouls de son patient à divers endroits, et consulta l'horloge portative qu'elle portait au poignet, afin de calculer le temps de réaction des organes et leur rythme propre. Elle écouta la voix du cœur, vérifia la bonne circulation des courants chauds et froids. Bagey demeurait serein, presque indifférent.

– Votre diagnostic.

– Un instant.

Néféret utilisa une cordelette mince et solide au bout de laquelle oscillait un fragment de granit, et passa son pendule sur les différentes parties du corps du malade. A deux reprises, le granit décrivit de larges cercles.

– Soyez sincère, exigea l'ancien vizir.

– Une maladie que je connais et que je traiterai. Avez-vous toujours les pieds enflés ?

– Assez souvent ; je les trempe dans une eau tiède et salée.

– Un soulagement ?

– Guère durable, ces derniers temps.

– Votre foie est de nouveau engorgé ; le sang est épais. Cuisine trop grasse, n'est-ce pas ?

– Ma femme a ses habitudes ; trop tard pour en changer.

– Buvez davantage de chicorée et une potion composée de bryone, de jus de figue, de jus de raisin, de fruits du perséa et du sycomore. Il faut augmenter le volume de vos urines.

– J'avais oublié ce remède. Il existe un autre mal, j'en suis sûr.

– Essayez de vous lever.

Bagey y parvint ; Néféret lui avança un siège en bois formé de supports transversaux et d'un bâti concave sur lequel était placée une couverture faite de cordes tressées en arêtes de poisson. L'ancien vizir s'assit avec raideur, le siège gémit sous son poids. Néféret se servit à nouveau de son pendule.

– Vous souffrez d'un début de dégénérescence des

reins; il vous faudra absorber quatre fois par jour un mélange d'eau, de levure de bière et de jus de dattes fraîches; conservez-le dans un vase ordinaire en terre cuite, fermé par un bouchon de terre séchée recouvert d'une pièce d'étoffe. Ce remède est simple mais efficace; s'il n'agit pas rapidement et si vous éprouvez des difficultés à uriner, prévenez-moi sans délai.

— Je vous devrai ce nouveau rétablissement.

— Certes pas, si vous me cachez une partie de la vérité.

— Pourquoi cette suspicion ?

— Je ressens une angoisse profonde, dont je dois identifier la cause.

— Vous êtes un médecin extraordinaire, Néféret.

— Acceptez-vous de m'éclairer ?

Bagey hésita.

— Vous savez que j'ai deux enfants. Mon fils me donne du souci, mais il semble apprécier son travail de vérificateur de briques cuites. Ma fille...

L'ancien vizir baissa les yeux.

— Ma fille n'a effectué qu'un court séjour au temple; les rituels l'ont ennuyée. Elle est devenue comptable dans une ferme dont le propriétaire se satisfait de ses services.

— La jugez-vous avec sévérité ?

— Au contraire, le bonheur de mes enfants passe avant tout. Pourquoi ne pas respecter leur choix ? Elle souhaite fonder une famille, je l'y encourage.

— Qu'est-ce qui vous contrarie à ce point ?

— C'est stupide, déplorable! Mal conseillée, ma fille m'intente un procès afin d'obtenir son héritage avant l'heure. Que lui donner d'autre que cette maison ?

— Je ne possède aucun remède pour ce mal-là, mais je connais quelqu'un aux compétences certaines.

*

Brave quémanda une pâtisserie, Pazair céda. Bagey, assis sur un siège confortable, prenait soin de demeurer sous l'ombre d'un parasol. L'ancien vizir redoutait les rayons du soleil.

— Votre jardin est trop étendu ; même avec des jardiniers sérieux, que de soucis ! Je préfère une petite maison en ville.

— Le chien et l'âne apprécient l'espace.

— Comment se déroulent vos premières journées de vizir ?

— La tâche m'apparaît rude.

— Le rite d'intronisation vous mettait en garde : un travail plus amer que le fiel. Vous êtes jeune, ne brûlez pas les étapes ; vous avez le temps d'apprendre.

Pazair eût aimé lui confier qu'il se trompait lourdement.

— Moins je maîtrise la situation, plus l'équilibre du pays sera compromis.

— Ne sombrez-vous pas dans le pessimisme ?

— Plus de la moitié de nos réserves de métaux précieux a été dilapidée, révéla Pazair.

— Plus de la moitié... Impossible ! Mes derniers contrôles n'ont rien révélé de tel.

— Bel-Tran a utilisé toutes les ressources administratives, en parfaite légalité, et transféré une bonne partie du Trésor à l'étranger.

— Avec quelle justification ?

— Assurer la paix avec nos voisins et nos vassaux.

— L'argument ne manque pas d'habileté ; j'aurais dû me méfier davantage de ce parvenu.

— Il a abusé la hiérarchie entière : volonté de réussir, travail acharné, désir forcené de servir le pays... Qui n'aurait cru en sa sincérité ?

— Rude leçon.

Bagey était abattu.

— A présent, nous sommes conscients du danger.

— Vous avez raison, reconnut l'ancien vizir ; bien sûr, personne ne remplacera le sage Branir, votre maître assassiné, mais je pourrai peut-être vous aider.

— Ma vanité m'avait fait supposer que je prendrais

plus vite la mesure de ma fonction; mais Bel-Tran a verrouillé bien des portes. Je crains que mon pouvoir ne soit qu'apparent.

— Si vos subordonnés en sont persuadés, votre position deviendra vite intenable. Vous êtes le vizir, vous devez diriger.

— Les sbires de Bel-Tran bloqueront mes décisions.

— Contournez l'obstacle.

— Comment ?

— Dans chaque service officiel, il existe un homme important et expérimenté; ce n'est pas forcément le plus titré. Repérez-le, appuyez-vous sur lui; vous comprendrez les subtilités des différents rouages de l'administration.

L'ancien vizir donna des noms et des précisions.

— Soyez très scrupuleux lorsque vous témoignerez de votre action devant Pharaon; Ramsès le grand possède une intelligence aiguisée. Qui tente de le tromper échouera.

— En cas de difficulté, j'aimerais vous consulter.

— Vous serez toujours le bienvenu, même si mon hospitalité n'est pas aussi somptueuse que la vôtre.

— Le cœur compte plus que l'apparence; votre santé s'est-elle améliorée ?

— Votre épouse est un excellent médecin, mais je suis parfois un patient indiscipliné.

— Prenez soin de vous.

— Je suis un peu las; me permettez-vous de me retirer ?

— Avant de vous faire raccompagner, je dois vous avouer que j'ai rencontré votre fille.

— Alors, vous savez...

— Néféret m'a demandé d'intervenir; rien ne me l'interdisait.

Bagey semblait contrarié.

— Il ne s'agit pas d'un privilège, insista Pazair; un ancien vizir mérite des égards. Il m'appartenait de résoudre ce conflit.

– Comment ma fille a-t-elle réagi?

– Le procès n'aura pas lieu. Vous garderez votre maison, elle construira la sienne grâce à un prêt dont je me porte garant. Son plus cher désir étant exaucé, l'harmonie régnera de nouveau dans votre famille. Attendez-vous à être bientôt... grand-père.

La sévérité de Bagey s'estompa; il cacha mal son émotion.

– Vous m'offrez beaucoup de joies en même temps, vizir Pazair.

– C'est bien peu, en comparaison de votre aide.

CHAPITRE 10

Le grand marché de Memphis était une fête quotidienne où l'on échangeait autant de propos que de marchandises. Les commerçants, au nombre desquels figuraient des femmes au bagout inépuisable, bénéficiaient d'une place attitrée. On pratiquait le troc, avec force palabres et mimiques ; bien que le ton montât parfois, les transactions s'achevaient toujours dans la bonne humeur.

Le chef de la police, accompagné de son babouin, déambulait volontiers sur la grand-place ; la présence de Tueur évitait les vols, son maître tendait l'oreille afin de surprendre des bribes de conversation, reflétant l'état d'esprit de la population, et interrogeait discrètement des indicateurs en utilisant un code.

Kem s'attarda devant un vendeur de conserves ; il cherchait une oie troussée à rôtir, mise en jarre après avoir été séchée et salée. Le marchand, assis sur une natte, gardait la tête basse.

– Serais-tu malade ?

– C'est bien pis.

– On t'a volé.

– Regardez ma marchandise, vous comprendrez.

Fabriquées avec une argile de Moyenne-Égypte, décorées de guirlandes de fleurs et rehaussées d'un bleu lumineux, les jarres utilisées pour la conservation des aliments se révélaient d'une remarquable efficacité. Kem examina les inscriptions : de l'eau, du vin, mais pas de viande.

— On ne m'a pas livré, avoua le commerçant ; c'est un désastre.

— Des explications ?

— Aucune. Le transporteur a voyagé à vide ; jamais je n'ai subi une telle misère !

— D'autres cas semblables ?

— Tous mes collègues ! Certains ont écoulé un reste de stock, mais personne n'a été approvisionné.

— Peut-être un simple retard.

— Si nous ne sommes pas livrés demain, je vous promets une émeute.

Kem ne prit pas l'incident à la légère ; personne, riche ou modeste, n'accepterait une telle perturbation. Les gens aisés exigeaient de la viande pour leurs banquets, les plus humbles du poisson séché. Aussi le Nubien se rendit-il à l'entrepôt où étaient centralisées les jarres de viande.

Mains croisées derrière le dos, le responsable contemplait le Nil.

— Que se passe-t-il ?

— Aucun arrivage depuis huit jours.

— Et vous ne l'avez pas signalé !

— Bien sûr que si.

— À qui ?

— Au fonctionnaire dont je dépends : le préposé à la salaison.

— Où puis-je le trouver ?

— Dans son atelier, près des boucheries du temple de Ptah.

*

Les bouchers discutaient en buvant de la bière douce. D'ordinaire, ils plumaient les oies et les canards accrochés à une longue perche, les vidaient, les salaient, et les mettaient en conserve dans de grandes jarres étiquetées.

– Pourquoi êtes-vous désœuvrés ? demanda Kem.

– Nous avons les bêtes et les jarres, répondit l'un d'eux, mais pas de sel. Nous, on ne sait rien d'autre ; adressez-vous au responsable.

Le préposé à la salaison était un petit homme tout en rondeurs, presque chauve ; il jouait aux dés avec son assistant. L'apparition du chef de la police et de son redoutable babouin lui ôta l'envie de se distraire.

– Je ne suis pas coupable, déclara-t-il d'une voix tremblante.

– Vous aurais-je accusé ?

– Si vous êtes ici...

– Pourquoi ne distribuez-vous pas aux bouchers le sel dont ils ont besoin ?

– Parce que je n'en ai pas !

– Expliquez-vous.

– Je dispose de deux sources d'approvisionnement : la vallée du Nil et les oasis. Après les grandes chaleurs de l'été, l'écume du dieu Seth se solidifie à la surface du sol, près du fleuve. La terre est recouverte d'un drap blanc. Ce sel contient du feu dangereux pour les pierres des temples ; on le ramasse sans tarder et on le stocke. À Memphis, nous utilisons aussi le sel recueilli dans les oasis, car nous fabriquons beaucoup de conserves. Aujourd'hui, plus rien...

– Pourquoi ?

– Les dépôts de sel du Nil ont été placés sous scellés et les caravanes des oasis n'arrivent plus.

*

Kem se précipita chez le vizir, dont le bureau était envahi par une dizaine de hauts fonctionnaires en colère. Chacun tentait de parler plus fort que l'autre ; une déplorable cacophonie leur tenait lieu de discours. Enfin, sur la ferme injonction de Pazair, ils s'exprimèrent l'un après l'autre.

– On paye le même prix pour une peau non travaillée

et une peau travaillée! Les artisans menacent de cesser le travail si vous n'intervenez pas pour rétablir la différence.

— Non seulement les houes livrées aux cultivateurs du domaine de la déesse Hathor sont défectueuses ou fragiles, mais encore leur prix a doublé! Quatre *deben* * au lieu de deux!

— La paire de sandales la plus modeste vaut trois *deben*, le triple de son prix normal; et je ne parle pas des pièces luxueuses!

— Une brebis: dix *deben* au lieu de cinq; un gros bœuf: deux cents au lieu de cent! Si cette folie dure, nous ne pourrons plus nous nourrir.

— Le cuissot de taureau devient inabordable, même pour les riches.

— Et je ne parle pas des récipients en bronze et en cuivre! Demain, il faudra troquer une garde-robe entière pour en acquérir un seul.

Pazair se leva.

— Calmez-vous, je vous prie.

— Vizir d'Égypte, cette flambée des prix est insupportable!

— J'en conviens, mais qui l'a déclenchée?

Les hauts fonctionnaires se regardèrent les uns les autres; le plus énervé prit la parole.

— Mais... vous-même!

— Des directives allant dans ce sens ont-elles été revêtues de mon sceau?

— Non, mais de celui de la Double Maison blanche! A-t-on jamais vu un vizir en désaccord avec son ministre de l'Économie?

Pazair comprit le point de vue de ses interlocuteurs. Le piège tendu par Bel-Tran était habile: inflation artificielle, mécontentement de la population, le vizir en accusation.

— J'ai commis une erreur et la rectifierai; préparez

---

* Un *deben* équivalait à 91 grammes de cuivre; c'était une valeur de référence par rapport à laquelle on calculait la valeur des produits.

un barème de prix conforme à la normale, je le ratifierai. Les dépassements excessifs seront sanctionnés.

— Ne faudrait-il pas... modifier la valeur du *deben* ?

— Ce n'est pas nécessaire.

— Les commerçants se plaindront! Grâce à cette erreur, ils s'enrichissaient.

— Leur prospérité ne me semble pas compromise. Hâtez-vous, je vous prie; mes messagers iront dès demain dans les villes et dans les villages afin de proclamer mes décisions.

Les hauts fonctionnaires s'inclinèrent et se retirèrent. Kem contempla le grand bureau, encombré d'étagères croulant sous le poids des papyrus et des tablettes.

— Si je comprends bien, jugea le Nubien, nous l'échappons belle.

— Je suis au courant depuis hier soir, révéla Pazair, et j'ai travaillé la nuit durant afin d'endiguer ce flot dévastateur. Bel-Tran cherche à mécontenter tout le monde, à démontrer que je mène une politique désastreuse et que Pharaon ne dirige plus le pays. Nous éviterons la catastrophe, mais il recommencera, en favorisant certains métiers. Son but est de diviser, d'opposer les riches aux pauvres, de répandre la haine et d'utiliser cette énergie négative à son profit; il nous faudra une vigilance de chaque instant. M'apportez-vous une bonne nouvelle ?

— Je crains que non.

— Un nouveau drame ?

— Le sel n'est plus livré.

Pazair pâlit. La population risquait de manquer de conserves, de viande et de poisson séchés, aliments des plus courants.

— La récolte a pourtant été abondante.

— Des scellés ont été apposés sur les portes des dépôts.

— Allons les ôter.

*

Les scellés étaient au nom de la Double Maison blanche; en présence de Kem et de deux scribes, le vizir les brisa. Un acte fut aussitôt rédigé, daté et signé. Le préposé au sel ouvrit lui-même les portes.

— Quelle humidité!

— Ce sel a été mal récolté et mal entreposé, constata Kem; on l'a mouillé avec de l'eau croupie.

— Qu'on le filtre, ordonna Pazair.

— On ne sauvera presque rien.

Furieux, Pazair se tourna vers le préposé.

— Qui a gâté ce sel?

— Je l'ignore. Quand Bel-Tran l'a examiné, il l'a jugé impropre à la consommation et à la conservation des aliments; des procès-verbaux furent établis, en bonne et due forme.

L'homme tremblait sous le regard perçant du babouin; il ne savait vraiment rien d'autre.

*

Le service chargé du commerce avec les oasis était une annexe du département d'État s'occupant des relations avec les pays étrangers; bien qu'elles appartinssent au territoire égyptien depuis les premières dynasties, ces lointaines contrées demeuraient mystérieuses aux yeux des habitants de la Vallée. Mais elles produisaient du natron, indispensable pour l'hygiène et la momification, et un sel d'excellente qualité. Sans cesse, des caravanes de grisons parcouraient les pistes, chargés de lourds et précieux fardeaux.

Un ex-chasseur de bédouins pillards avait été placé à la tête de cette administration; le visage ridé par le soleil, la tête carrée, le torse puissant, il connaissait la valeur de l'effort et du danger.

La présence du babouin l'inquiéta.

— Mettez cette bête en laisse; ses colères sont redoutables.

— Tueur est assermenté, répondit Kem; il ne s'en prend qu'aux délinquants.

Le préposé aux oasis s'empourpra.

– Personne n'a jamais mis en doute mon honnêteté.

– N'auriez-vous pas oublié de saluer le vizir d'Égypte ?

L'échine raide, l'homme s'exécuta.

– Quelle quantité de sel dans tes entrepôts ?

– Très faible. Voilà plusieurs semaines que les ânes des oasis n'ont rien livré, ni ici ni à Thèbes.

– Tu ne t'en es pas étonné ?

– J'ai moi-même donné l'ordre d'interrompre tout commerce.

– De ta propre initiative ?

– J'avais reçu un ordre.

– Bel-Tran ?

– En effet.

– Ses raisons ?

– Faire baisser les prix. Les oasiens ont refusé net, persuadés que la Double Maison blanche reviendrait sur ses positions ; mais la situation s'enlise. Mes réclamations demeurent sans réponse ; par bonheur, nous disposons du sel de la Vallée.

– Par bonheur, répéta Pazair, atterré.

*

Rasé, coiffé d'une perruque lui couvrant la moitié du front, vêtu d'une tunique longue, l'avaleur d'ombres était méconnaissable. Tirant deux ânes par une longue corde, il se présenta à la porte du domaine de Pazair donnant sur les cuisines.

À l'intendant, il présenta des fromages frais, du yoghourt salé et crémeux conservé dans une jarre, et du lait caillé avec de l'alun. D'abord méfiant, l'intendant apprécia la qualité des produits. Alors qu'il se penchait sur le récipient, l'avaleur d'ombres l'assomma, et traîna son corps à l'intérieur de la propriété.

Enfin, il était à pied d'œuvre.

CHAPITRE 11

L'avaleur d'ombres disposait d'un plan de la villa du vizir. N'accordant aucune place au hasard, il savait qu'à cette heure-là les serviteurs étaient occupés à la cuisine où les jardiniers se restauraient. L'absence du singe et de Kem, accompagnant Pazair en ville, lui permettait d'agir en prenant un minimum de risques.

Insensible à la nature, l'assassin fut pourtant ébloui par la luxuriance du jardin. Cent coudées de long sur deux cents de large *, des cultures en gradins, des carrés coupés de rigoles, un potager, un puits, un bassin de plaisance, un kiosque à l'abri des vents, une rangée d'arbustes taillés en cônes du côté du Nil, une double rangée de palmiers, une allée ombragée, une tonnelle, des massifs de fleurs où dominaient bleuets et mandragores, une vigne, des figuiers, des sycomores, des tamaris, des palmiers-dattiers, des perséas et des essences rares importées d'Asie charmant l'œil et l'odorat. Mais l'homme des ténèbres ne s'attarda pas en ce lieu enchanteur; il longea le bassin où s'épanouissaient des lotus bleus et s'accroupit en s'approchant de la demeure.

Il s'immobilisa, guettant le moindre bruit; ni l'âne ni le chien, occupés à manger de l'autre côté du domaine, ne l'avaient repéré. D'après le plan, il se trouvait à la

---

* Environ 5 400 m².

hauteur des chambres d'ami. Enjambant une fenêtre basse, il se glissa à l'intérieur d'une pièce rectangulaire, meublée d'un lit et de coffres de rangement; dans la main gauche, il tenait serrée l'anse du panier où la vipère noire s'agitait.

Sortant de la chambre, il découvrit, comme prévu, une belle salle à quatre colonnes; le peintre avait représenté une dizaine d'espèces d'oiseaux aux couleurs vives, s'ébattant dans un jardin. L'assassin choisirait une ornementation de ce type-là pour sa future villa.

Il se figea.

Des bribes de conversation provenaient de sa droite, de la salle d'eau où une servante versait un liquide tiède et parfumé sur le corps nu de Néféret. La maîtresse de maison écoutait les doléances de sa domestique, concernant ses ennuis familiaux, et tentait de les apaiser. L'avaleur d'ombres eût aimé contempler la jeune femme, dont la beauté le fascinait, mais le plaisir passait après sa mission. Il revint sur ses pas, ouvrit la porte d'une grande chambre; sur des guéridons étaient posés des vases remplis de roses trémières, de bleuets et de lys. À la tête de deux lits, des chevets en bois doré; là dormaient Pazair et Néféret.

Sa besogne accomplie, l'avaleur d'ombres traversa la salle à quatre colonnes, dépassa la salle d'eau, et entra dans une pièce oblongue, remplie de fioles de tailles diverses.

Le laboratoire privé de Néféret.

Chaque remède était identifié par son nom, avec les indications thérapeutiques correspondantes. Il n'eut aucune peine à découvrir celui qu'il cherchait.

De nouveau, des voix féminines, et le chant de l'eau qui ruisselle; les sons provenaient de la pièce contiguë. À l'angle supérieur gauche du mur, il remarqua un trou que le plâtrier n'avait pas encore rebouché; n'y tenant plus, il monta sur un tabouret et tendit le cou.

Il la vit.

Debout, Néféret recevait l'eau délicieuse que versait

la servante, juchée sur un banc de brique nettement surélevé par rapport à sa maîtresse; la douche terminée, la jeune femme au corps sublime s'allongea sur une banquette en pierre. Se plaignant de son mari et de ses enfants, la servante lui massa doucement le dos avec un onguent. L'avaleur d'ombres se rassasia du spectacle; la dernière femme dont il avait abusé, Silkis, aux formes épaisses, était un laideron à côté de Néféret. Un instant, il songea à faire irruption dans la salle d'eau, à étrangler la servante et à violer la somptueuse épouse du vizir; mais le temps pressait.

Dans une boîte en forme de nageuse nue poussant devant elle un canard, la servante, du bout de l'index, recueillit un peu de pommade et l'étala sur le bas des reins de Néféret afin d'éliminer fatigue et contractures. L'avaleur d'ombres contint son désir et quitta la demeure.

*

Quand le vizir franchit la porte de son domaine, peu avant le coucher du soleil, l'intendant se précipita vers lui.

— Maître, on m'a agressé! Ce matin, à l'heure où passent les marchands ambulants... L'homme s'est présenté comme fromager. Je me suis méfié, car je ne le connaissais pas; mais la qualité de ses produits m'a inspiré confiance. Il m'a assommé.

— Néféret est-elle prévenue?

— J'ai préféré ne pas affoler votre épouse et mener ma propre enquête.

— Qu'as-tu découvert?

— Rien d'inquiétant. Personne n'a vu cet individu dans la propriété; il est parti après m'avoir estourbi. Sans doute comptait-il voler et s'est-il aperçu que son entreprise était vouée à l'échec.

— Comment te sens-tu?

— Un peu vacillant.

– Va te reposer.

Pazair ne partageait pas l'optimisme de son intendant. Si l'agresseur était le mystérieux assassin qui
avait tenté de le supprimer à plusieurs reprises *, il
s'était probablement introduit dans la maison. Avec
quelle intention ?

Épuisé par une dure journée au cours de laquelle il
n'avait pas repris son souffle, le vizir ne songeait qu'à
rejoindre Néféret. Il progressa vite dans l'allée principale du jardin, sous les feuillages des sycomores et des
palmiers, admira l'ondoiement des feuillages. Il appréciait le goût de l'eau de son puits, de ses dattes et de ses
figues. Le bruissement des sycomores n'évoquait-il pas
la suavité du miel, le fruit des perséas ne ressemblait-il
pas à un cœur ? Dieu lui accordait le privilège de jouir
de ces merveilles et, plus encore, de les partager avec la
femme qu'il avait aimée de tout son être dès le premier
instant où il l'avait vue.

Assise sous un grenadier, Néféret jouait d'une harpe
portative à sept cordes; comme elle, l'arbre gardait sa
beauté l'année durant car, dès qu'une fleur tombait,
l'autre s'ouvrait. La voix, bien posée dans un tendre
aigu, chantait une très ancienne mélopée narrant le
bonheur d'amants fidèles à jamais. Il s'approcha d'elle
et l'embrassa dans le cou, à l'endroit où ses lèvres la faisaient frissonner.

– Je t'aime, Pazair.

– Je t'aime davantage.

– Tu te trompes.

Ils s'embrassèrent avec la fougue de la jeunesse.

– Tu as mauvaise mine, remarqua-t-elle.

– Rhume et toux reviennent.

– Surmenage et anxiété.

– Ces dernières heures furent éprouvantes; nous
sommes passés à côté de deux catastrophes majeures.

– Bel-Tran ?

– Sans aucun doute. Il a organisé une hausse des

---

* Voir *La Loi du désert*.

prix afin de semer le trouble dans la population, et interrompu le commerce du sel.

— Voilà pourquoi notre intendant ne trouvait plus de conserves d'oie ; et le poisson séché ?

— Rupture de stock, à Memphis.

— Tu seras considéré comme responsable.

— C'est la règle.

— Que comptes-tu faire ?

— Revenir immédiatement à la normale.

— Pour les prix, un décret suffira... mais pour le sel ?

— Tous les dépôts n'ont pas été souillés par l'humidité ; bientôt, les caravanes partiront de nouveau des oasis. De plus, j'ai ouvert les réserves de Pharaon, dans le Delta, à Memphis, et à Thèbes. Nous ne manquerons pas longtemps de conserves ; afin d'apaiser les esprits, les greniers royaux distribueront des nourritures gratuites pendant quelques jours, comme en période de disette.

— Les marchands ?

— A titre d'indemnité, ils recevront des étoffes.

— L'harmonie est donc rétablie.

— Jusqu'à la prochaine attaque de Bel-Tran ; il ne cessera plus de me harceler.

— N'a-t-il pas commis des fautes ?

— Il peut prétendre avoir agi dans l'intérêt de la Double Maison blanche, donc dans celui de Pharaon ; augmenter le prix des denrées et obliger les vendeurs de sel à baisser les leurs aurait enrichi le Trésor.

— Et appauvri le peuple.

— Bel-Tran n'en a cure ; il préfère s'allier aux riches, dont le soutien lui sera indispensable lors de sa prise de pouvoir. À mon sens, il ne s'agissait que d'escarmouches destinées à tester ma capacité de réaction. Comme il maîtrise le système économique bien mieux que moi, ses prochains coups seront peut-être décisifs.

— Ne sois pas si pessimiste ; la fatigue est la cause de ce désespoir passager. Un bon médecin t'en guérira.

— Connaîtrais-tu un remède ?

– La salle d'onctions.

Pazair se laissa guider, comme s'il découvrait les lieux. Après s'être lavé les pieds et les mains, il ôta sa robe de fonction et son pagne, puis s'étendit sur un banc de pierre. Les mains du médecin-chef du royaume le massèrent avec douceur, dissipèrent les douleurs du dos et les raideurs de la nuque. Quand il se tourna sur le côté, Pazair contempla Néféret; sa robe de lin très fin dissimulait à peine ses formes, son corps était imprégné de parfum. Il l'attira contre lui.

– Je n'ai pas le droit de te mentir, même par omission. Notre intendant a été agressé, ce matin, par un faux fromager; il ne l'a pas identifié, et nul n'a aperçu cet homme après son forfait.

– Celui qui a déjà tenté de te supprimer et que Kem n'a pas encore identifié.

– Probable.

– Nous modifierons le menu prévu pour ce soir, décida Néféret, se souvenant que le mystérieux assassin avait tenté de tuer Pazair avec un poisson empoisonné *.

Le sang-froid de son épouse rendait Pazair admiratif; le désir qui montait en lui l'entraînait à oublier les angoisses et les dangers.

– As-tu renouvelé les fleurs, dans notre chambre?

– Souhaites-tu les admirer?

– C'est mon vœu le plus ardent.

Ils empruntèrent le passage entre la salle d'onctions et la chambre; Pazair dénuda Néféret, très lentement, la couvrant de baisers enfiévrés. À chaque fois qu'ils faisaient l'amour, il contemplait ses lèvres tendres, son cou élancé, ses seins fermes et ronds, ses hanches fines, ses jambes minces, et remerciait le ciel de lui offrir un bonheur aussi fou. Néféret répondit à son ardeur, et ils connurent ensemble la joie secrète que la déesse Hathor, souveraine de l'amour, dispensait à ses fidèles.

La vaste demeure était silencieuse. Pazair et Néféret

* Voir *La Loi du désert*.

reposaient côte à côte, main dans la main ; un bruit étrange intrigua le vizir.

– N'as-tu pas entendu une sorte de coup de bâton ?

Néféret tendit l'oreille ; le bruit se reproduisit, puis la quiétude revint. La jeune femme se concentra ; de lointains souvenirs remontaient peu à peu à la surface.

– Vers ma droite, indiqua Pazair.

Néféret alluma la mèche d'une lampe à huile. À l'endroit que désignait le vizir, un coffre à linge contenant ses pagnes.

Il s'apprêtait à soulever le couvercle, lorsque la scène surgit à la mémoire de Néféret. Elle l'agrippa par le bras droit et le força à reculer.

– Appelle un serviteur, demande-lui de venir avec un bâton et un couteau. Je sais ce qu'est venu faire le faux fromager.

Elle revivait chaque instant de l'épreuve au cours de laquelle elle avait dû attraper un serpent et en extraire le venin pour préparer un remède *. Quand il battait de la queue contre les parois du panier où il était enfermé, se produisait le son que Pazair et elle venaient d'entendre.

Pazair revint avec l'intendant et un jardinier.

– Prenez garde, recommanda-t-elle ; ce coffre contient un reptile en colère.

L'intendant souleva le couvercle avec l'extrémité d'un long bâton ; apparut la tête sifflante d'une vipère noire. Le jardinier, habitué à lutter contre ce genre d'hôte indésirable, la coupa en deux.

*

Pazair éternua à plusieurs reprises et fut pris d'une quinte de toux.

– Je vais chercher ton remède, dit Néféret.

Ni l'un ni l'autre n'avaient touché au succulent repas qu'avait préparé leur cuisinier ; Brave, en revanche,

---

* Voir *La Pyramide asssassinée.*

avait fait honneur aux côtes d'agneau grillées. Rassasié, le menton posé sur ses pattes croisées, il prenait un repos bien mérité aux pieds de son maître.

Dans son laboratoire, peuplé de fioles en bois, en ivoire, en verre multicolore et en albâtre, adoptant des formes aussi variées qu'une grenade, un lotus, un papyrus ou un canard, Néféret choisit la potion à base de bryone qui dissiperait la congestion presque chronique dont souffrait Pazair.

— Dès demain, annonça le vizir, j'ordonnerai à Kem de faire garder notre villa par des hommes sûrs. Ce genre d'incident ne se reproduira plus.

Néféret versa une dizaine de gouttes dans une coupe, et ajouta de l'eau.

— Bois ceci; dans une heure, tu en absorberas la même quantité.

Songeur, Pazair prit la coupe.

— Ce tueur doit être à la solde de Bel-Tran; était-il l'un des conjurés qui violèrent la grande pyramide? Je ne le crois pas. C'est un élément extérieur au complot proprement dit. Ce qui laisse supposer qu'il en existe d'autres...

Brave grogna, montrant les dents.

L'événement stupéfia le couple; jamais le chien ne s'était comporté envers eux de cette manière.

— Calme-toi, ordonna le vizir.

Brave se dressa sur ses pattes, et grogna de plus belle.

— Qu'est-ce qui te prend?

Le bâtard bondit et mordit le poignet de Pazair. Stupéfait, il lâcha la coupe et brandit le poing.

Néféret s'interposa, livide.

— Ne le frappe pas! Je crois que j'ai compris...

Les yeux remplis d'amour, Brave lécha les jambes de son maître.

La voix de Néféret trembla.

— Ce n'est pas l'odeur de la teinture de bryone. L'assassin a remplacé ta potion habituelle par un poison volé à l'hôpital. En te soignant, c'est moi qui devais te tuer.

CHAPITRE 12

Panthèse faisait rôtir un lièvre, Souti achevait de fabriquer un arc de fortune en bois d'acacia. Il ressemblait à son arme préférée, capable de lancer des flèches à soixante mètres en tir direct, et à plus de cent cinquante mètres en tir parabolique. Dès son adolescence, Souti avait fait preuve d'un don exceptionnel pour atteindre le cœur de cibles lointaines et minuscules.

Roi de sa modeste oasis, riche d'une eau pure, de dattes succulentes et de gibier venant se désaltérer, il se sentait heureux. Souti aimait le désert, sa puissance, son feu dévorant qui entraînait la pensée vers l'infini. Pendant de longues heures, il contemplait les levers et les couchers de soleil, les mouvements imperceptibles des dunes, la danse du sable rythmée par le vent. S'immergeant dans le silence, il communiait avec l'immensité brûlante où le soleil régnait sans partage. Souti avait la sensation de toucher à l'absolu, au-delà des dieux ; était-il nécessaire de quitter ce lopin de terre inconnu, oublié des hommes ?

– Quand partons-nous ? demanda Panthère, en se blottissant contre lui.

– Peut-être jamais.

– Compterais-tu t'enraciner ici ?

– Pourquoi pas ?

– C'est l'enfer, Souti !

78

— De quoi manquons-nous ?

— Et notre or ?

— N'es-tu pas heureuse ?

— Ce bonheur-là ne me suffit pas ; je veux être riche et commander à une armée de serviteurs, dans un immense domaine. Tu me serviras à boire un vin de qualité, tu m'oindras les jambes d'huile parfumée, et je te chanterai des chansons d'amour.

— Est-il domaine plus vaste que le désert ?

— Où sont les jardiniers, les lacs de plaisance, les orchestres, les salles de banquets, les...

— Que de choses dont nous n'avons pas besoin.

— Parle pour toi ! Vivre comme une pauvresse me répugne ; je ne t'ai pas arraché à ta prison pour croupir dans celle-ci !

— Jamais nous ne fûmes plus libres. Regarde autour de toi : aucun gêneur, aucun parasite, le monde dans sa beauté et sa vérité. Pourquoi s'éloigner d'une telle splendeur ?

— Ta détention t'a beaucoup affaibli, mon pauvre chéri.

— Ne dédaigne pas mes propos ; je suis tombé amoureux du désert.

— Et moi, je ne compte plus ?

— Toi, tu es une Libyenne en fuite, ennemie héréditaire de l'Égypte.

— Monstre, tyran !

Elle le frappa à coups de poing ; Souti lui saisit les avant-bras et la renversa sur le dos. Panthère se débattit, mais il fut le plus fort.

— Ou tu deviens mon esclave des sables, ou je te répudie.

— Tu n'as aucun droit sur moi ; plutôt mourir que de t'obéir.

Ils vivaient nus, se protégeant du soleil aux heures les plus chaudes et goûtant l'ombre des palmes et des feuillages ; quand le désir s'emparait d'eux, leurs corps s'unissaient avec une passion toujours renouvelée.

– Tu penses à cette traînée, à ton épouse légitime, à Tapéni !

– Parfois, je l'avoue.

– Tu m'es infidèle en pensée.

– Détrompe-toi ; si j'avais la dame Tapéni sous la main, je l'offrirais aux démons du désert.

Panthère, subitement inquiète, fronça les sourcils.

– Tu les as vus ?

– La nuit, pendant que tu dors, j'observe le sommet de la grande dune. C'est là qu'ils apparaissent. Un à corps de lion et à tête de serpent, un autre à corps de lion ailé et à tête de faucon, un troisième à museau pointu, à grandes oreilles et à queue fourchue *. Aucune flèche ne peut les atteindre, aucun lasso les capturer, aucun chien les poursuivre.

– Tu te moques de moi.

– Ces démons nous protègent ; toi et moi, nous sommes de leur race, indomptables et féroces.

– Tu as rêvé, ces créatures n'existent pas.

– Toi, tu existes bien.

– Délivre-moi ; tu es trop lourd.

– En es-tu certaine ?

Il se fit caressant.

– Non ! hurla-t-elle, le renversant de côté.

Le tranchant de la hache s'enfonça dans le sol, à quelques centimètres de l'endroit où ils se trouvaient une seconde auparavant, frôlant la tempe de Souti. Du coin de l'œil, il aperçut l'agresseur, un Nubien de grande taille qui reprenait le manche de son arme et, d'un bond de danseur, se plaçait face à sa proie.

Leurs regards se croisèrent, remplis de la mort de l'autre ; inutile de palabrer.

Le Nubien fit des moulinets avec sa hache ; il souriait, sûr de sa force et de son adresse, obligeant son adversaire à reculer.

* Les animaux fantastiques qui peuplent le désert sont représentés, notamment, dans les tombes des nobles de la nécropole de Béni-Hassan, en Moyenne-Égypte.

Le dos de Souti heurta le tronc d'un acacia. Le Nubien leva son arme au moment où Panthère l'agrippait par le cou ; sous-estimant la force de la jeune femme, il tenta de l'écarter d'un coup de coude dans la poitrine. Indifférente à la douleur, elle lui creva un œil. Hurlant de douleur, il abattit la hache, mais Panthère avait lâché prise et roulait sur le sol.

Tête en avant, Souti percuta le ventre du Noir et le renversa.

Panthère l'étrangla avec un bâton ; le Nubien battit des bras, mais ne parvint pas à se dégager. Souti laissa sa maîtresse parachever seule sa victoire. Leur ennemi mourut étouffé, le larynx écrasé.

— Un isolé ? demanda-t-elle, angoissée.

— Les Nubiens chassent en bande.

— Je crains que ta chère oasis ne devienne un champ de bataille.

— Tu es vraiment une démone ; c'est toi qui as brisé ma paix en les attirant ici.

— Ne faudrait-il pas décamper au plus vite ?

— Et s'il était venu seul ?

— Tu viens de dire le contraire ; abandonne tes illusions et partons.

— Vers où ?

— Vers le nord.

— Les soldats égyptiens nous arrêteront ; ils doivent être déployés dans toute la région.

— Si tu me suis, nous leur échapperons et nous retrouverons notre or.

Panthère manifestait son enthousiasme en étreignant son amant.

— On t'aura oublié, on te croit égaré, peut-être mort ; nous traverserons les lignes, éviterons les forteresses et deviendrons riches !

Le danger avait excité la Libyenne ; seuls les bras de Souti la calmeraient. Le jeune homme aurait volontiers répondu à son attente, si son œil n'avait perçu un mouvement insolite au sommet de la grande dune.

– Voici les autres, murmura-t-il.

– Combien ?

– Je ne sais pas ; ils avancent en rampant.

– Passons par le chemin de l'oryx.

Panthère déchanta en remarquant la présence de plusieurs Nubiens, tapis derrière des roches au sommet arrondi.

– Alors, vers le sud !

Cette direction-là leur était également interdite ; l'ennemi encerclait l'oasis.

– J'ai fabriqué vingt flèches, rappela Souti ; ça ne suffira pas.

Le visage de Panthère se ferma.

– Je ne veux pas mourir.

Il la serra contre lui.

– J'en abattrai le maximum, en me postant au sommet de l'arbre le plus haut. J'en laisserai entrer un dans l'oasis, tu l'élimineras à la hache, prendras son carquois et me l'apporteras.

– Nous n'avons aucune chance de réussir.

– J'ai confiance en toi.

De son promontoire, Souti les distingua.

Une cinquantaine d'hommes, les uns armés de gourdins, les autres d'arcs et de flèches. Leur échapper serait impossible. Il lutterait jusqu'au bout et tuerait Panthère avant qu'elle ne soit violée et torturée. Sa dernière flèche serait pour elle.

Loin derrière les Nubiens, sur la crête d'une dune, l'oryx qui les avait guidés luttait contre un vent de plus en plus violent ; des langues de sable se détachaient du monticule et volaient vers le ciel. Soudain, l'antilope disparut.

Trois guerriers noirs coururent en hurlant. Souti banda son arc, visa d'instinct et tira trois fois. Les hommes chutèrent, face en avant, la poitrine transpercée.

Trois autres leur succédèrent.

Le jeune homme en toucha deux ; le troisième, fou de

rage, pénétra dans l'oasis. Il tira une flèche vers le faîte
de l'arbre, manqua largement sa cible ; Panthère se jeta
sur lui, les deux corps entremêlés sortirent du champ de
vision de Souti. Pas un cri ne fut poussé.

Le tronc bougea ; quelqu'un grimpait. Souti brandit
son arc.

Du feuillage de l'acacia émergea une main tenant un
carquois rempli de flèches.

— Je l'ai ! cria Panthère, tremblante.

Souti la hissa auprès de lui.

— Tu n'es pas blessée ?

— J'ai été plus rapide que lui.

Ils n'eurent pas le loisir de se congratuler ; un autre
assaut fut lancé. Malgré le caractère rudimentaire de
son arc, Souti ne manqua pas de précision. Il dut pourtant s'y reprendre à deux fois pour toucher un archer
qui le visait.

— Le vent, expliqua-t-il.

Les branches commençaient à se tordre sous l'effet de
la tempête naissante ; le ciel se cuivra, l'air s'empous-
siéra. Un ibis, pris dans la tourmente, fut presque pla-
qué au sol.

— Descendons, exigea Souti.

Les arbres gémissaient, émettant de sinistres craque-
ments ; arrachées, des palmes furent aspirées par un
tourbillon jaune.

Quand Souti toucha terre, un Nubien, hache levée,
se rua sur lui.

Le souffle du désert était si puissant qu'il freina le
geste du nègre ; le tranchant entailla pourtant l'épaule
gauche de l'Égyptien qui, des deux poings soudés, fracassa le nez de son ennemi. La bourrasque les écarta
l'un de l'autre, le Nubien disparut.

La main de Souti saisit celle de Panthère ; s'ils
échappaient aux Nubiens, la terrifiante colère du désert
ne les épargnerait pas.

Le sable, par vagues d'une violence inouïe, leur brûla
les yeux et les cloua sur place. Panthère lâcha sa hache,

Souti son arc; ils s'accroupirent au pied d'un palmier dont ils distinguaient à peine le tronc. Ni eux ni leurs agresseurs n'étaient plus capables de se mouvoir.

Les vents hurlaient, le sol se dérobait sous les pieds, le ciel avait disparu. Soudés l'un à l'autre, déjà recouverts d'un linceul de grains mordorés qui leur fouettaient la peau, l'Égyptien et la Libyenne se sentaient perdus au milieu d'un océan déchaîné.

En fermant les paupières, Souti songea à Pazair, son frère en esprit. Pourquoi n'était-il pas venu à son secours ?

CHAPITRE 13

Kem se promenait sur les quais du port de Memphis où il assistait au déchargement des marchandises et à l'embarcation des denrées pour la Haute-Égypte, le Delta ou les pays étrangers. Les livraisons de sel avaient repris, la colère naissante de la population s'était apaisée. Le Nubien, néanmoins, demeurait inquiet ; d'étranges rumeurs persistaient, à propos de la santé déclinante de Ramsès et de la décadence du pays.

Le chef de la police était furieux contre lui-même ; pourquoi ne parvenait-il pas à identifier l'homme qui tentait de tuer Pazair ? Certes, il ne pourrait plus pénétrer à l'intérieur du domaine du vizir, en raison de l'imposant dispositif policier désormais présent jour et nuit ; mais Kem ne disposait pas de la moindre piste. Aucun de ses informateurs ne lui avait fourni une indication sérieuse. Le criminel travaillait seul, sans aide, sans se confier à personne ; jusqu'à présent, cette stratégie jouait en sa faveur. Quand commettrait-il enfin une erreur, quand laisserait-il derrière lui une trace significative ?

Le babouin policier, à la différence de son collègue, restait d'humeur égale. Calme, les yeux en éveil, le singe ne perdait pas un détail des scènes se déroulant autour de lui. Devant la Maison du pin, l'administration chargée du transport du bois, Tueur s'immobilisa.

Sensible aux plus infimes réactions du singe, Kem ne le bouscula pas.

Les yeux rouges de Tueur se braquaient sur un homme pressé, montant à bord d'un énorme bateau de charge dont la cargaison était protégée par des bâches. Grand, très nerveux, vêtu d'un manteau de laine rouge, il haranguait les marins et leur ordonnait de hâter l'allure. Attitude curieuse, en vérité, à l'orée d'un long voyage ; à quoi servait-il d'irriter les dockers au lieu de célébrer les rites du départ ?

Kem entra dans le bâtiment central de la Maison du pin où des scribes détaillaient les cargaisons et enregistraient les mouvements des bateaux sur des tablettes de bois. Le chef de la police s'adressa à l'un de ses amis, un bon vivant originaire du Delta.

– Où va ce bateau ?

– Au Liban.

– Que transporte-t-il ?

– Des jarres à eau et des outres.

– C'est le capitaine, qui est si pressé ?

– De qui parles-tu, Kem ?

– De l'homme vêtu d'un manteau de laine rouge.

– Lui, c'est l'armateur.

– Toujours aussi tendu ?

– C'est un personnage plutôt discret, d'ordinaire ; ton singe a dû lui faire peur.

– De qui dépend-il ?

– De la Double Maison blanche.

Kem sortit de la Maison du pin ; le babouin s'était campé au pied de la passerelle, empêchant l'armateur de quitter le navire. Il tenta de s'échapper en sautant sur le quai, au risque de se rompre le cou ; mais le singe l'agrippa par le col et le plaqua sur le pont.

– Pourquoi as-tu peur ? demanda Kem.

– Il va m'étrangler !

– Pas si tu réponds.

– Ce bateau ne m'appartient pas. Laissez-moi partir.

86

– Tu es responsable de la cargaison; pourquoi charger des jarres et des outres dans le secteur de la Maison du pin?

– Les autres quais sont encombrés.

– Inexact.

Le babouin tordit l'oreille de l'armateur.

– Tueur déteste les menteurs.

– Les bâches... Soulevez les bâches!

Pendant que le babouin surveillait le suspect, Kem suivit le conseil.

Trouvaille surprenante, en vérité.

Des troncs de pins et de cèdres, des planches d'acacia et de sycomore.

Kem éprouva une belle joie; cette fois, Bel-Tran avait commis un faux pas.

*

Néféret se reposait sur la terrasse de la villa; elle se remettait peu à peu du choc terrible qu'elle avait éprouvé et demeurait la proie de cauchemars. Elle avait vérifié le contenu des potions conservées dans son laboratoire particulier, craignant que l'assassin n'ait versé du poison dans d'autres fioles; mais il s'était contenté du seul remède destiné à Pazair.

Le vizir, rasé de près par un excellent barbier, embrassa tendrement son épouse.

– Comment te sens-tu, ce matin?

– Beaucoup mieux; je retourne à l'hôpital.

– Kem vient de me faire parvenir un message; il prétend détenir une bonne nouvelle.

Elle se suspendit à son cou.

– Je t'en prie, accepte d'être protégé pendant tes déplacements.

– Sois rassurée; Kem m'a envoyé son babouin.

*

Le chef de la police avait perdu son calme légendaire; il palpait son nez en bois avec une nervosité inhabituelle.

— Nous tenons Bel-Tran, annonça-t-il; j'ai pris la liberté de le convoquer séance tenante. Cinq policiers l'amènent à votre bureau.

— Un dossier solide?

— Voici mes constatations.

Pazair connaissait bien la législation régissant le commerce du bois. De fait, Bel-Tran avait commis une faute grave, passible de lourdes sanctions.

Son air goguenard ne trahissait pourtant aucune inquiétude.

— Pourquoi ce déploiement de forces? s'étonna-t-il. Je ne suis pas un bandit, que je sache!

— Asseyez-vous, proposa Pazair.

— Je n'en ai pas envie; mon travail m'attend.

— Kem vient de saisir un bateau de charge à destination du Liban, affrété par un armateur dépendant de la Double Maison blanche, donc de vous.

— Il n'est pas le seul.

— Selon la coutume, les chargements destinés au Liban contiennent des vases d'albâtre, de la vaisselle, des pièces de lin, des peaux de bœuf, des rouleaux de papyrus, des câbles, des lentilles et du poisson séché, en échange du bois dont nous manquons et que nous expédie ce pays.

— Vous ne m'apprenez rien.

— Ce bateau-là aurait transporté des troncs de cèdres et de pins, et même des planches taillées dans nos acacias et nos sycomores, dont l'exportation est interdite! Autrement dit, vous auriez réexpédié le matériau que nous avions payé, et manqué de bois pour nos bâtiments, pour les mâts érigés devant les portes de nos temples, et pour nos sarcophages!

Bel-Tran ne perdit pas contenance.

– Vous connaissez mal cette affaire. Les planches ont été commandées par le prince de Byblos pour les cercueils de ses courtisans ; il apprécie beaucoup la qualité de nos acacias et de nos sycomores. Un matériau égyptien n'est-il pas un gage d'éternité ? Lui refuser ce présent eût été une grave injure et une faute politique, lourde de conséquences néfastes pour notre économie.

– Et les troncs de cèdres et de pins ?

– Un jeune vizir n'est pas informé des subtilités techniques qui régissent nos échanges. Le Liban s'engage à nous fournir des essences résistantes aux champignons et aux insectes ; celles-là ne l'étaient pas. C'est pourquoi j'ai ordonné de réexpédier le chargement. Des experts ont confirmé les faits ; les documents sont à votre disposition.

– Des experts de la Double Maison blanche, je suppose ?

– De l'avis général, ce sont les meilleurs. Puis-je disposer ?

– Je ne suis pas dupe, Bel-Tran ; vous avez organisé un trafic avec le Liban avec l'intention de vous enrichir et de bénéficier de l'appui d'un de nos plus importants partenaires commerciaux. Cette branche-là, je la coupe ; désormais, l'importation du bois relèvera de ma seule compétence.

– À votre guise ; si vous continuez ainsi, vous croulerez bientôt sous le poids des responsabilités. Appelez-moi une chaise à porteurs, je vous prie ; je suis pressé.

*

Kem était atterré.

– Pardonnez-moi ; je vous ai ridiculisé.

– Grâce à vous, estima Pazair, nous supprimons l'un de ses pouvoirs.

– Le monstre dispose de tant de têtes... Combien faudra-t-il en trancher avant de l'affaiblir ?

– Autant que nécessaire. Je rédige un décret enjoignant aux chefs des provinces de faire planter des dizaines d'arbres afin que l'on puisse se reposer sous leurs ombrages. De plus, aucun arbre ne sera coupé sans mon autorisation.

— Qu'espérez-vous ?

— Redonner confiance aux Égyptiens accablés de rumeurs, leur prouver que l'avenir est riant comme un feuillage.

— Y croyez-vous vous-même ?

— En douteriez-vous ?

— Vous ne savez pas mentir, vizir d'Égypte. Bel-Tran convoite le trône, n'est-il pas vrai ?

Pazair demeura silencieux.

— Que votre langue demeure scellée, je le comprends ; mais vous ne m'empêcherez pas d'écouter mon intuition. Vous menez un combat à mort, et vous n'avez aucune chance d'être vainqueur. Depuis le début, cette affaire est pourrie, et nous sommes ligotés. J'ignore pourquoi, mais je resterai à vos côtés.

*

Bel-Tran se félicita de sa prudence ; par bonheur, il s'entourait de précautions efficaces et soudoyait assez de fonctionnaires pour demeurer hors d'atteinte, quelle que fussent la nature de l'attaque et son origine. Le vizir avait échoué, il échouerait encore. Même s'il perçait à jour certaines stratégies, Pazair ne remporterait que de dérisoires victoires.

Bel-Tran était suivi de trois serviteurs, portant des cadeaux destinés à Silkis : un onguent coûteux pour graisser et parfumer les cheveux de ses perruques ; un cosmétique composé de poudre d'albâtre, de miel et de natron rouge, qui rendrait sa peau très douce ; une belle quantité de cumin de premier choix, remède contre les indigestions et les coliques.

La femme de chambre de Silkis avait un air dépité. C'est l'épouse de Bel-Tran qui aurait dû l'accueillir et lui masser les pieds.

– Où est-elle?

– Votre épouse est alitée.

– De quoi souffre-t-elle encore?

– Des intestins.

– Que lui avez-vous donné?

– Ce qu'elle m'a demandé : une petite pyramide fourrée aux dattes et une infusion de coriandre. La médication n'agit guère.

La chambre avait été aérée et fumigée; Silkis, très pâle, se tordait de douleur. A la vue de son mari, elle minauda.

– Quels excès as-tu encore commis?

– Aucun, une simple pâtisserie... Mes maux s'aggravent, chéri.

– Demain soir, il faudra être debout et radieuse; j'ai invité ici plusieurs chefs de province, et tu devras me faire honneur.

– Néféret saurait me soigner.

– Oublie cette femme.

– Tu m'avais promis...

– Je ne t'ai rien promis. Pazair ne s'incline pas; il poursuit le combat avec acharnement, ce fantoche! Implorer son épouse serait une faiblesse de notre part, une faiblesse inacceptable.

– Même pour me sauver?

– Tu n'es pas si malade, il ne s'agit que d'une indisposition. Je mande sur-le-champ plusieurs médecins; ne songe qu'à être sur pied demain soir et à séduire des hommes importants.

*

Néféret conversait avec un vieil homme à la peau basanée et ridée; volubile, il lui présentait un récipient en terre cuite sur lequel elle se penchait avec intérêt.

En s'approchant, Pazair reconnut l'apiculteur, injustement condamné au bagne d'où il l'avait fait sortir.

Le vieil homme se leva et salua.

– Vizir d'Égypte! Quelle joie de vous revoir...
Entrer chez vous ne fut pas tâche facile. On m'a posé
mille questions, on a vérifié mon identité, et même ins-
pecté mes pots de miel!

– Comment se portent les abeilles du désert?

– Au mieux; c'est pourquoi je suis ici. Goûtez cette
nourriture céleste.

Les dieux, que la conduite des humains rendait
souvent amers, recouvraient la gaieté en mangeant du
miel, selon les conteurs. Lorsqu'elles étaient tombées
sur terre, les larmes de Rê s'étaient transformées en
abeilles, alchimistes chargées de transmuter la végéta-
tion en or comestible.

La saveur étonna Pazair.

– Jamais vu une récolte pareille, indiqua l'apiculteur. En quantité et en qualité.

– Les hôpitaux seront tous approvisionnés, intervint
Néféret, et nous préserverons d'abondantes réserves.

Excipient adoucissant, le miel était utilisé en théra-
peutique de l'œil, pour les soins des vaisseaux et des
poumons, servait en gynécologie et entrait dans la
composition de nombreux remèdes. Les infirmiers
l'incorporaient dans la plupart des pansements.

– J'espère que le médecin-chef du royaume ne sera
pas cruellement déçu, ajouta le vieil homme.

– Que redoutes-tu? demanda Pazair.

– Les nouvelles vont vite; depuis que l'ampleur de la
récolte est connue, la portion de désert où je travaille
avec mes assistants n'est plus aussi tranquille qu'auparavant. On nous observe, pendant que nous ôtons les
fragments des rayons et que nous introduisons le miel
dans des jarres scellées à la cire. Lorsque notre tâche
sera achevée, je crains que nous ne soyons attaqués et
dévalisés.

– La police ne vous surveille-t-elle pas?

– Effectifs insuffisants; ma récolte représente une
véritable fortune qu'ils seraient incapables de défendre.

Bel-Tran, bien sûr, devait être informé; priver les

hôpitaux de cette substance essentielle entraînerait une crise grave.

— Je préviens Kem ; le transport s'effectuera en toute sécurité.

— Sais-tu quel jour nous sommes ? interrogea Néféret.

Pazair demeura coi.

— L'avant-veille de la fête du jardin.

Le visage du vizir s'illumina.

— La déesse Hathor parle par ta voix ; nous allons donner du bonheur.

*

Le matin de la fête du jardin, les fiancées et les jeunes mariées plantèrent un sycomore dans les jardins. Sur les places des villes et des villages, au bord du fleuve, on s'offrit des gâteaux, des bouquets de fleurs, et l'on but de la bière. Après s'être frottées d'onguent, les belles dansèrent au son des flûtes, des harpes et des tambourins. Garçons et filles parlèrent d'amour, les anciens fermèrent les yeux.

Lorsque des scribes remirent aux maires des jarres de miel, les noms du vizir et du pharaon furent acclamés. L'abeille n'était-elle pas l'un des symboles du roi d'Égypte ? D'un prix trop élevé pour la plupart des familles, l'or comestible était un rêve presque inaccessible. Un rêve qui serait savouré en ce jour de fête, célébré sous la protection de Ramsès le grand.

De leur terrasse, Néféret et Pazair entendaient, ravis, les échos des chants et des danses. Les bandes armées, qui s'apprêtaient à attaquer les convois de miel, avaient été arrêtées par la police. Le vieil apiculteur banquetait avec ses amis, affirmant que le pays était bien gouverné et que le miel de fête dissiperait le malheur.

CHAPITRE 14

L'oasis était détruite.

Palmiers décapités, acacias déchiquetés, troncs fendus, branches arrachées, source bouchée, dunes éventrées, monticules de sable recouvrant les pistes... Les alentours n'étaient que désolation.

Quand Souti entrouvrit les yeux, il ne reconnut rien de son havre de paix et se demanda s'il était parvenu dans les régions ténébreuses où le soleil ne pénétrait pas. Tant de poussière jaune flottait dans l'air que la lumière ne perçait plus.

La souffrance s'éveilla dans son épaule gauche, à l'endroit où le tranchant de la hache l'avait touché; il étendit ses jambes, si douloureuses qu'il les crut brisées. Mais elles n'étaient qu'égratignées. À côté de lui, deux Nubiens écrasés sous le tronc d'un palmier. L'un d'eux, dans une rigidité dérisoire, brandissait encore son poignard.

Panthère... Où se trouvait-elle? Bien que ses pensées fussent embrouillées, Souti se souvint de l'assaut des Nubiens, du début de la tempête, de la violence du vent, de la folie soudaine du désert. Elle se tenait près de lui, lorsqu'une bourrasque les avait séparés. À quatre pattes, haletant, il creusa.

La Libyenne demeurait introuvable. Il ne renonça

pas; il ne quitterait pas ce lieu maudit sans la femme qui lui avait rendu la liberté.

Il fouilla chaque recoin, écarta d'autres cadavres de nègres, et souleva une énorme palme. Panthère ressemblait à une jeune fille endormie, rêvant d'un beau soupirant. Pas une trace de blessure sur son corps nu, mais une superbe bosse sur la nuque. Souti lui massa les globes oculaires et la ramena doucement au jour.

— Tu es... vivant?

— Rassure-toi, tu n'es que choquée.

— Mes bras, mes jambes!

— Endoloris, mais intacts.

Elle l'enlaça, enfantine.

— Partons d'ici, vite!

— Pas sans eau.

Pendant de longues heures, Souti et Panthère s'acharnèrent à dégager le puits. Ils se contentèrent d'une eau limoneuse et âcre dont ils emplirent leurs deux outres; puis il fabriqua un nouvel arc et une cinquantaine de flèches. Après un sommeil réparateur, vêtus des oripeaux prélevés sur les cadavres pour se préserver de la fraîcheur nocturne, ils partirent vers le nord, sous la protection de la nuit étoilée.

*

La résistance de Panthère stupéfia Souti. Avoir échappé au néant lui donnait une énergie nouvelle, un acharnement à reconquérir son or, et à devenir une femme aisée, respectable et respectée, capable de satisfaire tous ses caprices. Elle ne croyait pas à d'autre destin qu'à celui qu'elle se fabriquait, instant après instant, et déchirait le tissu de son existence à belles dents, en proclamant la nudité de son âme avec une parfaite impudeur. Elle ne craignait rien, sinon sa propre peur, qu'elle étouffait sans pitié.

Elle ne leur accordait que de courtes haltes, veillait sur les rations d'eau, choisissait la direction et le chemin, dans un chaos de roches et de dunes. Souti se laissait guider, absorbé par le paysage bouleversé; il agissait sur lui comme un envoûtement et l'emplissait de sa magie. Lui résister était inutile; vent, soleil et chaleur créaient une patrie dont il appréciait chaque contour.

Panthère restait en permanence sur le qui-vive; à l'approche des lignes égyptiennes, elle redoubla de vigilance. Souti devint nerveux; ne s'éloignait-il pas de sa vraie liberté, de l'immensité où il aimerait vivre avec la noblesse de l'oryx?

Alors qu'ils remplissaient leurs outres à un point d'eau, signalé par un cercle de pierre, ils surgirent, formant un cercle. Plus de cinquante guerriers nubiens, armés de gourdins, d'épées courtes, d'arcs et de frondes; ni Panthère ni Souti ne les avaient entendus s'approcher.

La Libyenne serra les poings; échouer ainsi la révulsait.

— Battons-nous, marmonna-t-elle.

— Sans espoir.

— Que préconises-tu?

Souti tourna lentement la tête : aucune possibilité de fuite. Il n'aurait même pas le temps de tendre son arc.

— Les dieux interdisent le suicide; si tu le désires, je t'étrangle avant qu'ils ne me défoncent le crâne. Ils te violeront à plusieurs, de la manière la plus abominable.

— Je les exterminerai.

Le cercle se resserra.

Souti décida de se ruer sur deux colosses qui avançaient côte à côte; au moins, il périrait en combattant. Un Nubien âgé l'interpella.

— C'est toi qui as exterminé nos frères?

— Moi et le désert.

— Ils étaient des braves.

— J'en suis un.

— Comment as-tu procédé?

— Mon arc m'a sauvé.

— Tu mens.

– Laisse-moi m'en servir.

– Qui es-tu ?

– Souti.

– Égyptien ?

– Oui.

– Que cherchais-tu dans notre pays ?

– Je me suis enfui de la forteresse de Tjarou.

– Enfui ?

– J'étais prisonnier.

– Tu mens encore.

– On m'avait enchaîné sur un rocher, au milieu du Nil, afin de servir d'appât à tes semblables.

– Tu es un espion.

– Je me cachais, dans l'oasis, quand les tiens l'ont prise d'assaut.

– Si la grande tempête n'avait pas eu lieu, ils t'auraient vaincu.

– Ils sont morts, je vis.

– Tu es orgueilleux.

– Si je pouvais vous affronter, un par un, je te prouverais que mon orgueil est justifié.

Le Nubien regarda ses compatriotes.

– Ton défi est méprisable ; tu as tué notre chef, dans l'oasis, et tu m'as contraint de prendre la tête de notre clan, moi, un vieil homme.

– Permets-moi de me battre contre ton meilleur guerrier, et rends-moi la liberté si je suis vainqueur.

– Bats-toi contre eux tous.

– Tu es un lâche.

La pierre jaillit d'une fronde et toucha Souti à la tempe ; à demi assommé, il s'effondra. Les deux colosses s'approchèrent de Panthère ; elle les défia du regard et ne bougea pas d'un pouce. Ils lui arrachèrent ses vêtements et le lambeau de tissu qui cachait ses cheveux.

Abasourdis, ils reculèrent.

Les bras le long du corps, Panthère ne dissimula ni ses seins, ni les boucles blondes de son sexe ; elle avança, royale.

Les Nubiens s'inclinèrent.

*

Les rites en l'honneur de la déesse blonde durèrent la nuit entière ; les guerriers avaient reconnu la terrifiante créature dont les ancêtres vantaient la puissance. Venue de la lointaine Libye, elle répandait, au gré de ses colères, les épidémies, les cataclysmes et la famine. Afin de l'apaiser, les Nubiens lui offrirent de l'alcool de datte, du serpent cuit sur la braise et de l'ail frais, efficace contre les morsures de reptiles et de scorpions. Ils dansèrent autour de Panthère, couronnée de palmes et ointe d'huile odorante ; vers elle montèrent des prières transmises depuis le fond des âges.

On oublia Souti ; comme les autres, il était le serviteur de la déesse blonde. Panthère joua son rôle à la perfection ; la fête achevée, elle prit le commandement de la petite troupe, ordonna aux éclaireurs de contourner la forteresse de Tjarou et de suivre une piste vers le nord. À leur grande surprise, les soldats égyptiens se terraient derrière leurs murs et ne patrouillaient plus depuis plusieurs jours.

Ils firent halte au pied d'un piton rocheux, à l'abri du soleil et du vent ; Souti s'approcha de Panthère. Elle était descendue de sa chaise à porteurs, soutenue par quatre gaillards enthousiastes.

— Je n'ose pas lever les yeux vers toi.

— Tu fais bien, ils t'étriperaient.

— Je ne supporte pas cette situation.

— Nous sommes sur la bonne route.

— Pas de la bonne manière.

— Sois patient.

— Ce n'est pas dans mon caractère.

— Un peu d'esclavage l'améliorera.

— N'y compte pas.

— Nul ne saurait échapper au pouvoir de la déesse blonde.

Furibond, Souti s'entraîna à la fronde avec ses nouveaux compagnons; comme il se montra plutôt adroit, il attira leur estime. Quelques séances de lutte à main nue, dont il sortit vainqueur, les confortèrent dans leur opinion favorable, qu'assit définitivement une démonstration de tir à l'arc. Entre guerriers, une amitié naquit.

Après le repas du soir, les Nubiens parlaient de la déesse d'or, venue leur enseigner la musique, la danse et les jeux de l'amour. Pendant que les conteurs enjolivaient le mythe, deux hommes, à l'écart du groupe, allumèrent un feu afin de chauffer un pot contenant de la colle fabriquée avec de la graisse d'antilope. Lorsque la température fut suffisante, la substance devint liquide; le premier y trempa un pinceau, le second lui présenta une plaque de ceinture en bois d'ébène. Méticuleux, son compagnon étala la colle. Souti bâilla; au moment où il s'éloignait, une lueur brilla dans les ténèbres. Intrigué, il revint vers les deux hommes; le manieur de pinceau, très concentré, appliquait une feuille métallique sur la boucle.

L'Égyptien se pencha; son œil ne l'avait pas trompé. Il s'agissait bien d'une feuille d'or.

— Où as-tu déniché ça?

— Un cadeau de notre chef.

— Et lui, de qui le tenait-il?

— Quand il revenait de la cité perdue, il rapportait des bijoux et des plaques, comme elle-ci.

— Connais-tu son emplacement?

— Moi, non; le vieux guerrier, oui.

Souti le réveilla et lui fit dessiner un plan sur le sable; puis il rassembla la petite troupe autour du feu.

— Écoutez-moi, tous! J'ai été lieutenant de charrerie dans l'armée, je sais manier le grand arc, j'ai tué des dizaines de bédouins et rendu la justice en supprimant un général félon. Mon pays ne m'en fut pas reconnaissant; aujourd'hui, je veux devenir riche et puissant. Ce clan a besoin d'un chef, d'un homme aguerri et conquérant. Je suis celui-là ; si vous me suivez, le destin vous sera favorable.

Le visage enflammé de Souti, ses cheveux longs, sa carrure et sa prestance impressionnèrent les Nubiens ; mais le vieux guerrier intervint.

— Tu as tué notre chef.

— J'étais plus fort que lui ; la loi du désert n'épargne pas les faibles.

— C'est à nous de désigner notre prochain maître.

— Je vous mènerai à la cité perdue, et nous exterminerons ceux qui s'opposent à nous. Tu n'as pas le droit de garder ce secret pour toi ; demain, notre clan sera le plus respecté de Nubie.

— Notre chef partait seul pour la cité.

— Nous irons ensemble, et vous aurez de l'or.

Partisans et adversaires de Souti commencèrent à palabrer ; l'influence de l'ancien était telle que la défaite de l'Égyptien s'annonçait certaine. Aussi s'empara-t-il de Panthère ; d'un geste brutal, il lui arracha ses vêtements. Les flammes éclairèrent sa nudité blonde.

— Voyez, elle ne se révolte pas contre moi ! Moi seul peux être son amant. Si vous ne m'acceptez pas comme chef, elle déclenchera une nouvelle tempête de sable, et vous mourrez tous.

La Libyenne avait le sort de Souti entre ses mains ; si elle le repoussait, les Nubiens sauraient qu'il se vantait et le massacreraient. Élevée au rang de déesse, n'était-elle pas ivre de vanité ?

Elle se dégagea ; les guerriers noirs pointèrent leurs flèches et leurs poignards vers Souti.

Il avait eu tort d'accorder sa confiance à une Libyenne. Au moins, il succomberait en admirant un sublime corps de femme.

Avec une souplesse de fauve, elle s'allongea près du feu et tendit les bras vers lui.

— Viens, dit-elle en souriant.

CHAPITRE 15

Pazair se réveilla en sursaut. Il avait rêvé d'un monstre à cent têtes, aux innombrables pattes griffues qui lacéraient les pierres de la grande pyramide et tentaient de la renverser. Son ventre était un visage humain, celui de Bel-Tran. En sueur, malgré la fraîcheur de cette nuit de février, le vizir tâta le cadre de bois de son lit, au sommier fait de cordes végétales tressées, et les pieds en forme de tête de lion.

Il se tourna vers le lit de Néféret.

Vide.

Repoussant le filet aux mailles très fines qui servait de moustiquaire, il se leva, enfila un manteau et ouvrit la fenêtre donnant sur le jardin. Un tendre soleil d'hiver éveillait arbres et fleurs, des mésanges chantaient. Il la vit, drapée dans une couverture épaisse, les pieds nus dans la rosée.

Elle se confondait avec l'aube, nimbée de sa lumière. Deux faucons, jaillissant de la barque de Rê, volèrent autour de Néféret lorsqu'elle déposa sur l'autel des ancêtres une offrande de lotus, à la mémoire de Branir. Fécondant l'espace, reliant l'Égypte au navire céleste, les rapaces regagnèrent sa proue, hors du regard des hommes.

Le rite achevé, Pazair enlaça son épouse.

— Tu es l'étoile du matin, à l'aube d'un jour heureux, sans égale, rayonnante ; tes yeux sont doux comme tes lèvres. Pourquoi es-tu si belle ? Tes cheveux ont capté la clarté de la déesse Hathor. Je t'aime, Néféret, comme personne n'a jamais aimé.

Dans l'aube amoureuse, ils s'unirent.

*

Debout à la proue du bateau voguant vers Karnak, Pazair admirait son pays où se célébraient, avec tant de splendeur, les noces du soleil et de l'eau. Sur les rives, les paysans entretenaient les rigoles d'irrigation tandis qu'un corps de spécialistes curait les canaux, artères vitales de l'Égypte. Les couronnes des palmiers offraient une ombre généreuse aux hommes penchés avec amour vers la terre noire et fertile. En voyant passer le bateau du vizir, les enfants coururent sur les berges et sur les chemins de halage ; ils poussèrent des cris de joie et saluèrent avec des gestes enthousiastes.

Le babouin policier se tenait sur le toit de la cabine centrale, d'où il veillait sur Pazair. Kem proposa au vizir des oignons frais.

— Rien de nouveau sur l'assassin ?

— Rien, répondit le chef de la police.

— La dame Tapéni a-t-elle réagi ?

— Elle a rencontré Bel-Tran.

— Une nouvelle alliée...

— Méfions-nous d'elle ; sa capacité de nuisance n'èst pas négligeable.

— Une ennemie de plus.

— En seriez-vous effrayé ?

— Grâce aux dieux, l'inconscience me sert de courage.

— Il serait plus juste de dire que vous n'avez pas le choix.

— Aucun incident, à l'hôpital ?

— Votre épouse peut travailler en paix.

— Il lui revient de réformer au plus vite le programme de santé publique ; son prédécesseur ne s'en souciait guère, de graves lacunes sont apparues. La fonction de Néféret et la mienne sont parfois bien pesantes ; nous n'y étions pas préparés.

— Comment croire que je deviendrais le chef d'une police qui m'a coupé le nez ?

Le vent soufflait fort, contrariant l'action du courant ; parfois, les marins avançaient à la rame, sans démonter le mât et ramener la voile rectangulaire, haute et étroite. Le capitaine, habitué à naviguer sur le Nil l'année durant, en connaissait les pièges et savait utiliser la plus faible brise, afin d'acheminer rapidement ses illustres voyageurs. Le profil de l'embarcation, à la coque sans quille et aux extrémités relevées, avait été étudié par les menuisiers de Pharaon pour glisser au mieux sur les ondes.

— Quand l'assassin frappera-t-il de nouveau ?

— Ne vous en préoccupez pas, Kem.

— Au contraire, j'en fais une affaire personnelle ; ce démon souille mon honneur.

— Avez-vous des nouvelles de Souti ?

— L'ordre de mise en alerte est bien parvenu à Tjarou ; les soldats se terrent dans la forteresse, jusqu'aux prochaines consignes.

— A-t-il pu s'échapper ?

— D'après les rapports officiels, personne ne manque à l'appel ; mais je dispose d'une information bizarre. Une forte tête aurait été enchaînée sur un rocher, au milieu du Nil, pour servir d'appât aux pillards nubiens.

— Ce ne peut être que lui.

— En ce cas, ne soyez pas optimiste.

— Il se tirera de ce mauvais pas ; Souti s'évaderait du royaume des ombres.

La pensée du vizir vola vers son frère en esprit, puis communia avec l'admirable paysage thébain. La bande cultivée, de part et d'autre du Nil, était la plus large et la plus luxuriante de la Vallée. Près de soixante-dix villages travaillaient pour l'immense temple de Karnak, qui n'employait pas moins de quatre-vingt mille personnes, prêtres, artisans et paysans. Ces richesses s'estompaient devant la majesté de l'aire consacrée au dieu Amon, entourée d'une enceinte en brique, ondulant comme une vague.

Le directeur de la maison du grand prêtre, son majordome et son chambellan accueillirent le vizir au débarcadère; les formules de politesse échangées, ils proposèrent à Pazair de le conduire auprès de son ami Kani, ancien jardinier élevé à la dignité de pontife suprême de la plus vaste cité-temple d'Égypte. Le vizir les pria de le laisser seul, lorsqu'il s'engagea dans l'allée centrale de l'immense salle à colonnes où ne pénétraient que les initiés aux mystères. Kem et son babouin restèrent devant la double grande porte dorée, ouverte lors des grandes fêtes, quand la barque d'Amon sortait du sanctuaire pour inonder la terre de sa lumière.

Pazair se recueillit longuement face à une sublime représentation du dieu Thot, dont les bras allongés donnaient la mesure de base qu'avait utilisée le maître d'œuvre. Il lut les colonnes de hiéroglyphes, déchiffra le message du dieu de la connaissance, incitant ses disciples à respecter les proportions qui présidaient à la naissance de toute vie.

C'était cette harmonie-là que le vizir devait maintenir dans le quotidien, afin que l'Égypte fût le miroir du ciel; c'était cette harmonie-là que les comploteurs voulaient détruire, pour la remplacer par un monstre froid, prêt à torturer les hommes afin de mieux se gaver de biens matériels. Bel-Tran et ses alliés n'étaient-ils pas une race nouvelle, plus redoutable que les plus cruels des envahisseurs?

Le vizir sortit de la salle à colonnes, et goûta le bleu très pur du ciel de Karnak, dans la petite cour à ciel ouvert, au centre de laquelle un autel en granit marquait la naissance du temple, bien des années auparavant. Sacré entre tous, il était constamment couvert de fleurs. Pourquoi fallait-il s'arracher à cette paix profonde, hors du temps ?

— Je suis heureux de te revoir, vizir d'Égypte.

Kani, le crâne rasé, une canne dorée à la main, s'inclina devant Pazair.

— C'est à moi de vous saluer.

— Je te dois le respect ; le vizir n'est-il pas les yeux et les oreilles de Pharaon ?

— Qu'ils voient et qu'elles entendent avec acuité.

— Tu parais soucieux.

— Je viens demander de l'aide au grand prêtre de Karnak.

— J'allais implorer la tienne.

— Que se passe-t-il ?

— De graves ennuis, je le crains. J'aimerais te montrer le temple qui vient d'être restauré.

Kani et Pazair franchirent l'une des portes de l'enceinte d'Amon, longèrent un mur d'enceinte, saluèrent des peintres et des sculpteurs au travail, et se dirigèrent vers un petit sanctuaire de la déesse Maât.

À l'intérieur du modeste édifice, bâti en grès, deux banquettes de pierre. Ici siégeait le vizir lorsqu'il jugeait un grand personnage de la hiérarchie sacrée.

— Je suis un homme simple, dit Kani ; je n'oublie pas que c'est ton maître Branir qui aurait dû régner sur Karnak.

— Branir est mort assassiné, Pharaon vous a désigné.

— Il a peut-être fait un mauvais choix.

Jamais Pazair n'avait vu Kani aussi déprimé ; habitué aux caprices de la nature et aux impitoyables réalités de la terre, il s'était pourtant imposé à ses subordonnés et aux collèges de prêtres, et jouissait de l'estime générale.

— Je suis indigne de ma fonction, mais je ne fuirai pas mes responsabilités ; bientôt, je comparaîtrai ici même devant ton tribunal, et tu me condamneras.

— Voici un procès trop vite mené ! M'autorisez-vous à enquêter ?

Kani s'assit sur une banquette.

— Tu n'éprouveras pas grand-peine ; il te suffira de consulter les récentes archives comptables. En quelques mois, j'ai presque ruiné Karnak.

— De quelle manière ?

— Il suffit d'examiner les rentrées de céréales, de produits laitiers, de fruits... Quelle que soit la denrée concernée, ma gestion est un épouvantable échec.

Pazair fut troublé.

— Vous aurait-on abusé ?

— Non, les rapports sont sérieux.

— Les conditions climatiques ?

— La crue fut abondante, les insectes n'ont pas dévoré les cultures.

— Quelle est la cause de ce désastre ?

— Mon incompétence. Je souhaitais te prévenir afin que tu alertes le roi.

— Rien ne presse.

— La vérité éclatera. Comme tu le constates, mon aide ne te sera d'aucun secours ; demain, je ne serai plus qu'un vieil homme méprisé.

*

Le vizir s'enferma dans la salle des archives du temple de Karnak et compara le bilan de Kani avec celui de ses prédécesseurs. La différence l'accablait.

Une certitude s'imposa à son esprit : on essayait de ruiner la réputation de Kani et de le contraindre à démissionner. Qui le remplacerait, sinon un dignitaire hostile à Ramsès ? Sans l'appui de Karnak, impossible de contrôler l'Égypte ; mais comment imaginer que Bel-Tran et ses séides eussent osé s'attaquer à un grand prêtre aussi intègre ? Un reproche décisif lui serait adressé : Karnak, Louxor et les temples de la rive ouest manqueraient bientôt d'offrandes. Le culte serait mal célébré, et l'on clamerait partout le nom du responsable, Kani l'incapable !

Le désespoir envahit Pazair. Il venait quérir l'aide d'un ami, et serait contraint de l'inculper.

— Cessez de vous acharner sur vos papyrus, recommanda Kem, et allons sur le terrain.

Les premiers villages qu'ils inspectèrent, proches du grand temple, vivaient paisibles, au rythme éternel des saisons; l'interrogatoire des maires et des scribes des champs ne révéla rien d'anormal. Après trois jours d'investigations infructueuses, le vizir se rendit à l'évidence. Il lui fallait retourner à Memphis et dépeindre la situation au roi, avant d'ouvrir le procès du grand prêtre Kani.

Comme un vent violent rendait le voyage difficile, Kem obtint une journée d'enquête supplémentaire; cette fois, les deux hommes, le singe et leur escorte inspectèrent un village éloigné du temple, à la limite de la province de Coptos. Là comme ailleurs, les paysans vaquaient à leurs occupations, tandis que leurs épouses s'occupaient des enfants et préparaient les repas. Au bord du Nil, un blanchisseur lavait le linge; un médecin de campagne consultait, à l'ombre d'un sycomore.

Le babouin devint nerveux; ses narines frémirent, il gratta le sol.

— Qu'a-t-il perçu? demanda Pazair.

— Des ondes négatives; nous n'avons pas fait le voyage pour rien.

CHAPITRE 16

Le maire du village, âgé d'une cinquantaine d'années, était un homme ventripotent, affable et courtois. Père de cinq enfants, notable héréditaire, il fut vite prévenu de l'arrivée d'un petit groupe d'inconnus. À regret, il interrompit sa sieste ; accompagné d'un porteur de parasol, indispensable pour préserver son crâne chauve des rayons du soleil, il alla à la rencontre des visiteurs inattendus.

Lorsque son regard croisa celui de l'énorme babouin aux yeux rouges, il s'arrêta net.

– Je vous salue, mes amis.

– Nous de même, répondit Kem.

– Ce singe est-il apprivoisé ?

– C'est un policier assermenté.

– Ah... et vous-même ?

– Je suis Kem, chef de la police ; voici Pazair, vizir d'Égypte.

Abasourdi, le maire rentra le ventre et se cassa en deux, les mains tendues devant lui en signe de vénération.

– Quel honneur, quel honneur ! Un si modeste village, accueillir le vizir... Quel honneur !

En se redressant, le gros homme débita un flot de compliments sucrés ; quand le babouin grogna, il s'interrompit.

– Êtes-vous certain de bien le contrôler ?

– Sauf lorsqu'il renifle un malfaiteur.

– Par bonheur, il n'y en a pas dans ma petite communauté.

À la réflexion, le grand nubien à la voix grave semblait aussi redoutable que son singe ; le maire avait entendu parler de cet étrange chef de la police, fort peu préoccupé de tâches administratives, mais si proche du peuple qu'aucun délinquant ne lui échappait bien longtemps. Le voir ici, sur son territoire, était une désagréable surprise. Et le vizir ! Trop jeune, trop sérieux, trop inquisiteur... La noblesse naturelle de Pazair, la profondeur et l'acuité de ses yeux, la rigueur de son maintien, ne présageaient rien de bon.

– Permettez-moi de m'étonner : de si éminents personnages, dans ce village perdu !

– Tes champs s'étendent à perte de vue, constata Kem, et ils sont irrigués à la perfection.

– Ne vous fiez pas à l'apparence ; dans cette région, la terre est difficile à travailler. Mes pauvres laboureurs s'y cassent les reins.

– L'inondation fut pourtant excellente, l'été dernier.

– Nous n'avons pas eu de chance ; ici, elle fut trop forte, et nos bassins d'irrigation étaient en mauvais état.

– Superbe récolte, à ce qu'on dit.

– Détrompez-vous : bien inférieure à celle de l'an dernier.

– Et la vigne ?

– Quelle déception ! Des nuées d'insectes ont déchiqueté les feuilles et les grains de raisin.

– Les autres villages n'ont pas subi ce désagrément, remarqua Pazair.

La voix du vizir était lourde de suspicion ; le maire ne s'attendait pas à un ton aussi incisif.

– Peut-être mes collègues se sont-ils vantés, peut-être mon pauvre village fut-il victime d'une fatalité ?

– L'élevage ?

– Nombre de bêtes sont mortes, victimes de maladies; un vétérinaire est venu, mais trop tard. Cet endroit est vraiment reculé, et...

– La route de terre est excellente, objecta Kem; les responsables nommés par Karnak l'entretiennent avec grand soin.

– Malgré nos maigres ressources, c'est un immense privilège de vous inviter à déjeuner; vous pardonnerez la frugalité des mets, mais le cœur y sera.

Nul ne pouvait violer les lois de l'hospitalité; Kem accepta au nom du vizir, le maire envoya son serviteur prévenir la cuisinière.

Pazair constata que le village était florissant; de nombreuses maisons venaient d'être repeintes en blanc, vaches et ânes avaient un poil brillant et des ventres bien nourris, les enfants portaient des vêtements neufs. Aux angles des ruelles, d'une agréable propreté, des statuettes de divinités; sur la grand-place, en face de la mairie, un beau four à pain et une meule de grande taille, récemment étrennée.

– Félicitations pour votre gestion, jugea Pazair; vos concitoyens ne manquent de rien. C'est le plus joli village qu'il m'ait été donné de voir.

– C'est trop d'honneur, beaucoup trop! Entrez, je vous prie.

La demeure du maire, en raison de sa taille, du nombre de ses pièces et de sa décoration, aurait convenu à un noble de Memphis. Les cinq enfants saluèrent les hôtes illustres; l'épouse du maire, qui inclina la tête en posant la main droite sur la poitrine, avait eu le temps de se maquiller et de revêtir une robe élégante.

On s'assit sur des nattes de première qualité et l'on dégusta des oignons doux, des concombres, des fèves, des poireaux, du poisson séché, des côtes de bœuf grillées, du fromage de chèvre, du melon d'eau et des gâteaux nappés de jus de caroube. Un vin rouge, au bouquet parfumé, accompagna les plats. L'appétit du maire paraissait inextinguible.

– Votre accueil est digne d'éloges, estima le vizir.

– Que d'honneur!

– Pourrions-nous consulter le scribe des champs?

– Il séjourne dans sa famille, au nord de Memphis, et ne reviendra que dans une semaine.

– Ses archives doivent être accessibles.

– Malheureusement, non. Il ferme son bureau, et je ne me permettrai pas de...

– Moi, si.

– Vous êtes le vizir, bien sûr, mais ne serait-ce pas un...

Le maire s'interrompit, craignant de formuler une énormité.

– La route est longue, jusqu'à Thèbes, et le soleil se couche vite, à cette saison; consulter ces documents ennuyeux risque de vous retarder.

Après avoir mangé du bœuf grillé, Tueur brisa l'os; le craquement fit sursauter le maire.

– Où se trouvent ces archives? insista Pazair.

– Eh bien... Je ne sais plus. Le scribe a dû les emporter avec lui.

Le babouin se leva. Debout, il ressemblait à un athlète de grande taille; ses yeux rouges fixèrent le personnage ventripotent, aux mains tremblantes.

– Attachez-le, je vous prie!

– Les archives, ordonna Kem, ou je ne réponds pas des réactions de mon collègue.

La femme du maire s'agenouilla devant son mari.

– Dis-leur la vérité, supplia-t-elle.

– C'est moi... c'est moi qui possède les documents. Je vais les chercher.

– Tueur et moi vous accompagnons; nous vous aiderons à les porter.

L'attente du vizir fut de courte durée; le maire déroula lui-même les papyrus.

– Tout est en règle, marmonna-t-il; les observations furent effectuées à la bonne date. Ces rapports sont d'une parfaite banalité.

– Laissez-moi lire en paix, exigea Pazair.

111

Fébrile, le maire s'éloigna ; sa femme sortit de la salle à manger.

Tatillon, le scribe des champs était revenu à plusieurs reprises sur le comptage des têtes de bétail et des sacs de céréales. Il avait précisé le nom des propriétaires, celui des animaux, leur poids, leur état de santé. Les lignes consacrées aux jardins potagers et aux arbres fruitiers n'étaient pas moins détaillées. Conclusions générales, écrites en rouge : dans les différents secteurs de production, résultats excellents, supérieurs à la moyenne.

Perplexe, le vizir fit un calcul simple. La superficie des exploitations agricoles était telle que leurs richesses comblaient presque le déficit dont Kani serait accusé ; pourquoi ne figuraient-elles pas dans son bilan ?

— J'attache la plus grande importance au respect d'autrui, affirma-t-il.

Le maire hocha la tête.

— Mais si autrui persiste à dissimuler la vérité, il n'est plus respectable. N'est-ce pas votre cas ?

— Je vous ai tout dit !

— Je déteste les méthodes brutales mais, dans certaines circonstances où l'urgence s'impose, un juge ne doit-il pas se faire violence ?

Comme s'il avait suivi la pensée du vizir, Tueur sauta au cou du maire et lui tira la tête en arrière.

— Arrêtez-le, il va me briser la nuque !

— Le reste des documents, demanda Kem avec calme.

— Je n'ai plus rien, plus rien !

Kem se tourna vers Pazair.

— Je vous propose une promenade pendant que Tueur conduit l'interrogatoire à son gré.

— Ne m'abandonnez pas !

— Le reste des documents, répéta Kem.

— Qu'il ôte ses pattes d'abord !

Le babouin relâcha sa pression, le maire tâta sa nuque douloureuse.

— Vous vous comportez comme des sauvages ! Je

refuse cet arbitraire, je condamne cet acte inqualifiable, cette torture exercée sur un édile!

— Je vous inculpe pour dissimulation de documents administratifs.

La menace fit blêmir le maire.

— Si je vous donne le complément, j'exige que vous reconnaissiez mon innocence.

— Quelle faute avez-vous commise?

— J'ai agi dans l'intérêt du bien commun.

D'un coffre à vaisselle, le maire sortit un papyrus scellé. L'expression de son visage avait changé; au peureux succédait un individu féroce et froid.

— Eh bien, regardez!

Le texte indiquait que les richesses du village avaient été livrées à la capitale de la province de Coptos. Le scribe des champs avait signé et daté.

— Ce village fait partie du domaine de Karnak, rappela Pazair.

— Vous êtes mal renseigné, vizir d'Égypte.

— Votre agglomération figure sur la liste des propriétés du grand prêtre.

— Le vieux Kani est aussi mal informé que vous; ce n'est pas sa liste qui traduit la réalité, mais le cadastre. Consultez-le, à Thèbes, et vous vous apercevrez que mon village relève de la juridiction économique de Coptos, et non du temple de Karnak. Les bornes en font foi. Je porte plainte contre vous, pour coups et blessures volontaires; mon acte d'accusation vous condamnera à instruire votre propre procès, vizir Pazair.

CHAPITRE 17

Le garde du bureau du cadastre de Thèbes fut réveillé en sursaut par un bruit inhabituel; il crut d'abord à un mauvais rêve, puis perçut les coups frappés à la porte.

– Qui est là ?

– Le chef de la police, accompagné du vizir.

– Je déteste les plaisanteries, surtout au milieu de la nuit; passez votre chemin, ou il vous en cuira.

– Tu ferais mieux d'ouvrir sans tarder.

– Déguerpissez, ou j'appelle mes collègues!

– N'hésite pas; ils nous aideront à défoncer cette porte.

Le garde s'interrogea; il regarda par une fenêtre à croisillons de pierre et, grâce à la lumière de la pleine lune, distingua le profil d'un colosse nubien et celui d'un énorme babouin. Kem et son singe! Leur réputation se répandait dans l'Égypte entière.

Il poussa le verrou.

– Pardonnez-moi, mais c'est si inattendu...

– Allume les lampes; le vizir désire examiner les cartes.

– Il serait bon de prévenir le directeur.

– Fais-le venir.

La colère du haut fonctionnaire au visage fripé s'estompa en présence du vizir; le garde ne lui avait pas raconté de sornettes. Le premier ministre du pays se trouvait bien dans ses locaux, à une heure inattendue! Brusquement obséquieux, il facilita la tâche du vizir.

— Quels plans souhaitez-vous consulter ?

— Ceux des propriétés du temple de Karnak.

— Mais... c'est énorme !

— Commençons par les villages les plus éloignés.

— Vers le nord ou vers le sud ?

— Vers le nord.

— Petits ou gros ?

— Les plus importants.

Le fonctionnaire déploya les cartes sur de longues tables en bois. Les employés du cadastre avaient indiqué les limites de chaque parcelle de terrain, les canaux, les agglomérations.

Le vizir chercha en vain le village qu'il venait de visiter.

— Ces plans sont-ils à jour ?

— Bien entendu.

— N'ont-ils pas été modifiés récemment ?

— Si, à la demande de trois maires.

— Pour quelle raison ?

Les eaux avaient emporté les bornes; un nouvel arpentage était nécessaire. Un spécialiste a effectué le travail, et mes services ont tenu compte de ses observations.

— Il a amputé le domaine de Karnak !

— Ce n'est pas au cadastre de juger; je me borne à enregistrer.

— Auriez-vous omis de prévenir le grand prêtre Kani ?

Le fonctionnaire s'éloigna de la flamme de la lampe, afin de dissimuler son visage dans l'ombre.

— Je m'apprêtais à lui adresser un rapport complet.

— Déplorable retard.

— Il est dû à un manque de personnel, et...

— Le nom de cet arpenteur ?

— Souménou.

115

– Son adresse ?

Le directeur du cadastre hésita.

– Il n'est pas d'ici.

– Pas de Thèbes ?

– Non, il venait de Memphis...

– Qui l'avait envoyé ?

– Qui d'autre que le palais royal ?

*

Sur la voie processionnelle menant au temple de Karnak, des lauriers rose et blanc offraient aux promeneurs une vision enchanteresse, dont la douceur atténuait l'austérité de l'enceinte monumentale clôturant l'aire sacrée. Le grand prêtre Kani avait accepté de sortir de sa retraite pour converser avec Pazair ; les deux hommes les plus puissants d'Égypte après Pharaon marchaient avec lenteur entre les deux rangées de sphinx protecteurs.

– Mon enquête a progressé.

– A quoi servira-t-elle ?

– A démontrer que vous êtes innocent.

– Je ne le suis pas.

– On vous a abusé.

– Je me suis abusé moi-même sur mes capacités.

– Détrompez-vous ; les trois villages les plus éloignés du temple ont livré leur production à Coptos. Voilà pourquoi elle manque à votre bilan.

– Dépendaient-ils de Karnak ?

– Le cadastre a été modifié après la dernière crue.

– Sans me consulter ?

– Intervention d'un arpenteur de Memphis.

– C'est inconcevable !

– Un messager vient de partir pour Memphis avec l'ordre de ramener le responsable, un dénommé Souménou.

– Que faire, si c'est Ramsès en personne qui m'a retiré ces villages ?

116

Méditer sur les rives du lac sacré, participer aux rites de l'aube, de midi et du couchant, assister au travail des astrologues sur le toit du temple, lire les vieux mythes et les guides de l'au-delà, converser avec de grands dignitaires suivant une retraite à l'intérieur de l'enceinte du dieu Amon, telles furent les principales occupations de Pazair pendant sa retraite. Il vécut l'éternité lumineuse gravée sur la pierre, écouta la voix des divinités et des pharaons qui avaient embelli l'édifice au cours des dynasties, et s'imprégna de la vie inaltérable animant les bas-reliefs et les sculptures.

A plusieurs reprises, il se recueillit devant la statue de son maître Branir, représenté sous la forme d'un scribe âgé, déroulant sur ses genoux un papyrus où était inscrit un hymne à la création.

Lorsque Kem lui apporta l'information désirée, le vizir se rendit aussitôt au bureau du cadastre, dont le directeur manifesta sa satisfaction ; recevoir une nouvelle visite du premier ministre lui conférait une importance inespérée.

— Rappelez-moi le nom de l'arpenteur de Memphis, demanda Pazair.

— Souménou.

— En êtes-vous bien sûr ?

— Oui... c'est celui qu'il m'a donné.

— J'ai vérifié.

— Ce n'était pas nécessaire, puisque tout est en règle !

— De l'époque où j'étais petit juge de province, j'ai gardé la manie de tout vérifier ; c'est souvent fort long, mais parfois utile. Souménou, disiez-vous ?

— J'ai pu me tromper, je...

— L'arpenteur Souménou, attaché au palais royal, est mort depuis deux ans. Vous vous êtes substitué à lui.

Les lèvres du fonctionnaire s'entrouvrirent, mais il fut incapable d'émettre un son.

– Modifier le cadastre est un crime; auriez-vous oublié que l'attribution des villages et des terres à telle ou telle juridiction dépendait du vizir? Celui qui vous a soudoyé a misé sur l'inexpérience du grand prêtre de Karnak et sur la mienne. Il a eu tort.

– Vous vous égarez.

– Nous ne tarderons pas à le savoir : contre-expertise immédiate de l'aveugle.

*

Le supérieur de la corporation des aveugles de Thèbes était un personnage imposant, au large front et à la mâchoire lourde. Après l'inondation, lorsque le fleuve avait emporté les bornes et effacé les marques de propriété, l'administration faisait appel à lui et à ses collègues, en cas de contestation. Le chef des aveugles était la mémoire de la terre; à force de parcourir les champs et les cultures, ses pieds en connaissaient les dimensions exactes.

Il mangeait des figues sèches, sous sa vigne, lorsqu'il entendit les pas.

– Vous êtes trois : un colosse, un homme de taille moyenne, et un babouin. S'agirait-il du chef de la police et de son fameux collègue, Tueur? Et le troisième serait-il...

– Le vizir Pazair.

– Affaire d'État, par conséquent. Quelles terres a-t-on tenté de voler? Non, ne dites rien! Mon diagnostic doit être tout à fait objectif. Quel est le secteur concerné?

– Les riches villages du nord, en bordure de la province de Coptos.

– Les marins se plaignent beaucoup, dans la région; les vers mangent leurs récoltes, les hippopotames la piétinent, souris, sauterelles et moineaux dévorent ce qui reste! De fieffés menteurs. Leurs terres sont excellentes, et l'année fut faste.

– Quel est le spécialiste de ces domaines ?

– Moi-même. Je suis né là-bas, et j'y ai grandi ; les bornes n'ont pas varié depuis vingt ans. Je ne vous propose ni figues, ni bière, car je suppose que vous êtes pressés.

*

À la main, l'aveugle tenait une canne, dont le sommet avait la forme d'une tête d'animal, au museau pointu et aux longues oreilles * ; à ses côtés, un arpenteur déroulait une corde, selon ses indications.

Pas une seule fois, l'aveugle n'hésita ; il précisa les quatre coins de chaque champ, retrouva l'emplacement des bornes et des statues de divinités, notamment du cobra protecteur des moissons, et des stèles de donation royales délimitant les domaines de Karnak. Des scribes notaient, dessinaient et inventoriaient.

L'expertise achevée, aucun doute ne subsista : on avait modifié le cadastre à tort, et attribué à Coptos de riches terres appartenant à Karnak.

*

« C'est au vizir de fixer les limites de chaque province, de veiller sur les offrandes, et de faire comparaître devant lui quiconque se serait emparé illégalement d'une terre » : est-ce bien l'ordre que m'a donné Pharaon, comme chaque pharaon le donne à chaque vizir lors de son intronisation ?

Le chef de la province de Coptos, un quinquagénaire héritier d'une riche famille de notables, blêmit.

– Répondez, ordonna Pazair ; vous étiez présent à cette cérémonie.

– Oui... le roi a bien prononcé ces paroles.

---

* Ce bâton rituel était identique au sceptre *ouas* que seules les divinités, à cette exception près, peuvent tenir, car sa tête est celle de l'animal du dieu Seth, maître de l'orage, de la foudre et du feu céleste.

– Pourquoi avez-vous accepté des richesses qui ne vous appartenaient pas ?

– Le cadastre avait modifié...

– Un faux, dépourvu de mon cachet et de celui du grand prêtre de Karnak ! Vous auriez dû m'alerter. Qu'espériez-vous ? Que les mois s'écouleraient vite, que Kani démissionnerait, que je serais destitué, et que la place serait attribuée à l'un de vos complices ?

– Je ne vous permets pas d'insinuer que...

– Vous avez prêté main-forte à des comploteurs et à des assassins. Bel-Tran aura été assez astucieux pour ne laisser subsister aucun lien entre vous et la Double Maison blanche ; je ne pourrai donc prouver vos attaches. Mais votre malversation me suffira ; vous êtes indigne de gouverner une province. Considérez votre destitution comme définitive.

*

Le vizir tint son tribunal à Thèbes, devant la grande porte du temple de Karnak, où l'on avait édifié un pavillon en bois. En dépit des conseils de prudence de Kem, Pazair avait refusé l'audience à huis clos qu'imploraient les inculpés ; une foule nombreuse se pressait autour de la cour de justice.

Le vizir lut les actes d'accusation, après avoir résumé les épisodes principaux de son enquête ; les témoins comparurent, les greffiers notèrent les dépositions. Le jury, composé de deux prêtres de Karnak, du maire de Thèbes, de l'épouse d'un noble, d'une sage-femme et d'un officier supérieur, rendit un verdict que Pazair jugea conforme à l'esprit et à la lettre des lois.

Le chef de la province de Coptos, démis de ses fonctions, fut condamné à quinze ans de prison et au versement d'énormes indemnités au temple ; les trois maires coupables de mensonges et de détournements de denrées, travailleraient désormais comme ouvriers agricoles, leurs diverses propriétés seraient partagées entre les plus humbles; le directeur du cadastre de Thèbes subirait dix ans de bagne.

Le vizir ne réclama pas d'aggravation des peines; aucun des condamnés ne fit appel.

L'un des réseaux de Bel-Tran était anéanti.

CHAPITRE 18

— Regarde le ciel du désert, recommanda le vieux guerrier à Souti; c'est là que naissent les pierres précieuses. Il met les étoiles au monde, et des étoiles naissent les métaux. Si tu sais leur parler et si tu parviens à entendre leur voix, tu connaîtras le secret de l'or et de l'argent.

— Et toi, connais-tu leur langage?

— J'étais éleveur, avant de partir avec le clan sur le chemin de nulle part. Mes enfants et ma femme sont morts, une année de grande sécheresse; c'est pourquoi j'ai quitté mon village et confié mes pas aux lendemains sans visage. Que m'importe la rive d'où personne ne revient?

— La cité perdue n'est-elle qu'un rêve?

— Notre ancien chef s'y est rendu à plusieurs reprises et en a rapporté de l'or : telle est la vérité.

— Est-ce la bonne route?

— Si tu es un guerrier, tu le sais.

Le vieil homme, de son pas égal et implacable, reprit la tête du clan, dans une région si aride et si désolée qu'il n'avait pas croisé une antilope depuis plusieurs heures. Souti recula à la hauteur de Panthère, allongée sur une chaise à porteurs rudimentaire que soutenaient six Nubiens, ravis de véhiculer la déesse d'or.

— Posez-moi, je veux marcher.

Les guerriers obéirent, puis entonnèrent un chant martial, promettant à leurs ennemis de les découper en fines lanières et de dévorer leur puissance magique.

Panthère boudait.

— Pourquoi es-tu fâchée ?

— Cette aventure est stupide.

— Ne désirais-tu pas devenir riche ?

— Nous savons où se trouve notre or ; pourquoi convoiter un mirage en risquant de mourir de soif ?

— Un Nubien ne meurt pas de soif, et je ne convoite pas un mirage ; ces promesses te suffisent-elles ?

— Jure que nous irons chercher notre or là où nous l'avons caché.

— Pourquoi tant d'obstination ?

— Tu as failli mourir pour cet or, je t'ai sauvé, tu as tué un général félon pour l'obtenir. Il ne faut pas défier davantage le destin.

L'Égyptien sourit ; Panthère exprimait une vision très personnelle de ces événements. Souti n'avait pas convoité l'or du traître, mais appliqué la loi du désert en supprimant un parjure et un assassin qui tentait de s'enfuir et d'échapper au tribunal du vizir. Que la fortune lui ait souri prouvait la justesse de son acte.

— Suppose que la cité perdue soit remplie d'or et que...

— Je me moque de tes projets insensés ! Jure-moi que nous retournerons à la grotte.

— Tu as ma parole.

Satisfaite, la déesse blonde remonta sur la chaise à porteurs.

*

La piste s'interrompit au pied d'une montagne dont la pente était parsemée de roches noirâtres. Le vent balayait le désert ; ni faucon ni vautour ne tournoyaient dans un ciel étouffant.

Le vieux guerrier s'assit ; ses compagnons l'imitèrent.

– Nous n'irons pas plus loin, dit-il à Souti.

– De quoi avez-vous peur ?

– Notre chef parlait aux étoiles, pas nous; au-delà de cette montagne, il n'existe pas un seul point d'eau. Ceux qui défièrent la cité perdue ont disparu, mangés par les sables.

– Pas votre chef.

– Les étoiles le guidaient, mais son secret est perdu. Nous n'irons pas plus loin.

– Ne recherchais-tu pas la mort ?

– Pas celle-là.

– Le chef n'a-t-il donné aucune indication ?

– Un chef ne bavarde pas, il agit.

– Combien de temps durait son expédition ?

– La lune se levait trois fois.

– La déesse d'or me protégera.

– Elle restera avec nous.

– Irais-tu contre mon autorité ?

– Si tu veux périr dans le désert, libre à toi; nous resterons assis jusqu'au cinquième lever de la lune, puis nous partirons vers les oasis.

Souti se dirigea vers la Libyenne, plus envoûtante que jamais; le vent et le soleil rendaient sa peau ambre, doraient ses cheveux, soulignaient son caractère sauvage et indomptable.

– Je pars, Panthère.

– Ta cité n'existe pas.

– Elle est remplie d'or. Je ne vais pas vers la mort, mais vers une autre vie, vers celle dont je rêvais lorsque j'étais enfermé dans l'école de scribes de Memphis. Non seulement cette cité existe, mais encore elle nous appartiendra.

– Notre or me suffit.

– Je vois plus grand, beaucoup plus grand ! Suppose que l'âme du chef nubien que j'ai tué soit passée en moi et qu'elle me guide vers un fabuleux trésor... Qui serait assez fou pour refuser l'aventure ?

– Qui serait assez fou pour la tenter ?

– Embrasse-moi, déesse d'or ; tu me porteras chance.

Ses lèvres étaient chaudes comme le vent du sud.

– Puisque tu oses me quitter, réussis.

*

Souti emporta deux outres d'eau saumâtre, du poisson séché, un arc, des flèches, et un poignard. Il n'avait pas menti à Panthère : l'âme de son ennemi vaincu lui tracerait le chemin à suivre.

Du sommet de la montagne, il contempla un paysage d'une rare puissance. Une gorge au sol rougeâtre serpentait entre deux falaises abruptes, et rejoignait un autre désert, aussi large que l'horizon. Souti s'y engagea, à la manière d'un nageur se glissant dans une vague. Il ressentait l'appel d'un pays inconnu, dont les fibres lumineuses l'attiraient de manière irrésistible.

Le marcheur franchit la gorge sans difficultés ; ni oiseau, ni mammifère, ni reptile, comme si toute vie était absente. Se désaltérant à petites gorgées, il se reposa à l'ombre d'un bloc jusqu'à la tombée de la nuit.

Quand les étoiles apparurent, il leva les yeux vers le ciel et tenta de déchiffrer leur message. Elles dessinaient d'étranges figures ; en pensée, il les relia par des lignes. Soudain, une étoile filante traversa l'espace et traça une voie que Souti grava dans sa mémoire. C'est cette direction-là qu'il suivrait.

Malgré sa connivence instinctive avec le désert, la chaleur devint pesante, chaque pas une souffrance ; mais le pèlerin suivait l'étoile invisible, comme s'il avait quitté son corps douloureux. La soif l'obligea à vider ses outres.

Souti tomba à genoux. Loin, hors d'atteinte, une montagne rouge ; il n'aurait pas la force d'explorer la roche, en quête d'un point d'eau. Pourtant, il ne s'était pas trompé ; il regretta de ne pas être un oryx, capable de bondir vers le soleil et d'oublier la fatigue.

Il se releva, pour prouver au désert que sa force le

nourrissait. Ses jambes avancèrent, mues par le feu qui courait dans le sable. Lorsqu'il retomba, ses genoux firent éclater un fragment de poterie. Incrédule, il ramassa les morceaux d'une jarre.

Ici, des hommes avaient vécu; sans doute un campement de nomades. En avançant, il constata que le sol craquait sous ses pieds; partout, des restes de pots, de vases et de jarres, formant des monticules. Bien que son corps fût de plus en plus pesant, il gravit l'une des collines de débris qui lui barrait la vue.

En contrebas, la cité perdue.

Un poste de garde en brique, à moitié effondré, des maisons éventrées, un temple sans toit dont les murs menaçaient ruine... Et la montagne rouge percée de galeries, des citernes pour recueillir l'eau des pluies d'hiver, des tables de pierre inclinées, destinées au lavage de l'or, des cabanes de pierre où les mineurs entreposaient leurs outils! Partout, du sable rougeâtre.

Souti courut vers une citerne, exigeant un ultime effort de ses jambes flageolantes; il s'agrippa au rebord de pierre, et se laissa tomber à l'intérieur. L'eau était tiède, divine; chaque pore de sa peau s'en imprégna, avant qu'il ne s'en abreuve.

Désaltéré, animé d'une ivresse inconnue, il explora la cité.

Pas le moindre ossement humain ou animal; la population entière avait brusquement abandonné le site, laissant derrière elle une énorme exploitation minière. Dans chaque demeure, des bijoux, des coupes, des vases, des amulettes en or et en argent massif; à eux seuls, ces objets constituaient une fortune colossale.

Souti voulut s'assurer que les filons étaient exploitables; aussi s'engagea-t-il dans les galeries profondes, allant au cœur de la montagne. À l'œil et à la main, il identifia de longues veines, faciles à travailler. La quantité de métal dépassait les espoirs les plus insensés.

Il apprendrait aux Nubiens à extraire l'incroyable trésor. Avec un peu de discipline, ils seraient d'excellents mineurs.

En cette matinée où le soleil de Nubie parait la montagne rouge de lueurs magiques, Souti devenait le maître du monde. Confident du désert, aussi riche qu'un roi, il parcourut les ruelles de la ville de l'or, de sa ville, jusqu'au moment où il aperçut son gardien.

À l'entrée de la cité, un lion à la crinière flamboyante ; assis, il observait l'explorateur. D'un seul coup de patte, il lui déchirerait la poitrine ou le ventre. La légende affirmait que le fauve gardait toujours les yeux ouverts et ne dormait jamais ; si elle disait vrai, comment tromper sa vigilance ?

Souti tendit son arc.

Le lion se leva. Lent et majestueux, il pénétra dans un bâtiment en ruine. Souti aurait dû passer au large, mais la curiosité fut la plus forte.

Prêt à tirer une flèche, il le suivit.

L'animal avait disparu. Dans la pénombre, des lingots d'or. Une réserve oubliée, un trésor que lui offrait le génie du lieu, apparu sous la forme d'un fauve avant de regagner l'invisible.

*

Panthère était ébahie.

Tant de merveilles, tant de richesses... Souti avait réussi. La ville de l'or leur appartenait. Pendant qu'elle découvrait les trésors, son amant dirigeait une équipe de Nubiens, habiles à extraire les métaux de leur gangue. Ils attaquaient le quartz au marteau et à la pioche, brisaient la roche, puis la lavaient avant d'en séparer le métal ; jaune brillant, jaune sombre, teinté de rouge, l'or nubien se parait de teintes admirables. Dans plusieurs galeries, l'argent aurifère méritait son nom de pierre lumineuse, capable d'éclairer les ténèbres ; il ne valait pas moins que l'or.

Selon la coutume, les Nubiens le transporteraient sous la forme de pépites ou d'anneaux.

Souti rejoignit Panthère dans le vieux temple dont les

127

murs menaçaient ruine ; la Libyenne n'en avait cure, occupée à essayer colliers, boucles d'oreilles et bracelets.

— Nous restaurerons cet endroit, affirma-t-il ; imagines-tu des portes d'or, un sol d'argent, des statues en pierres précieuses ?

— Je ne vivrai pas ici ; cette cité est maudite, Souti. Elle a chassé ses habitants.

— Je ne redoute pas cette malédiction.

— Ne défie pas ta chance.

— Que proposes-tu ?

— Emportons le maximum, récupérons notre or, et installons-nous dans un endroit paisible.

— Tu t'y ennuierais vite.

Panthère fit la moue ; Souti sut qu'il avait touché juste.

— C'est d'un empire dont tu rêves, pas d'une villégiature ; ne désirais-tu pas devenir une grande dame, régnant sur une armée de servantes ?

Elle se détourna.

— Où porter des colliers comme ceux-là, sinon dans un palais, devant un parterre de nobles admiratifs et jaloux ? Mais je peux te rendre plus belle encore.

Avec un fragment d'or parfaitement poli, il lui frotta les bras et le cou.

— Comme c'est doux... Continue.

Il descendit sur les seins, puis parcourut le dos, avant d'explorer des régions plus intimes.

— Vais-je me transformer en or ?

Panthère ondula au rythme de Souti ; au contact du métal précieux, de cette chair des dieux que si peu de mortels avaient eu l'occasion de toucher, ne devenait-elle pas la déesse d'or que vénéraient les Nubiens ?

Souti n'oublia aucune parcelle du corps de sa maîtresse ; l'or agissait comme un baume onctueux et provoquait des frissons d'une délectable langueur.

Elle s'allongea sur le sol du temple abandonné, où brillaient des paillettes ; il s'étendit sur elle.

— Tant que Tapéni vivra, tu ne m'appartiendras pas.

– Oublie-la.

– Je la réduirai en cendres.

– Une future reine s'abaissera-t-elle à des tâches aussi vulgaires ?

– Tenterais-tu de la défendre ?

– Elle est bien trop raisonnable pour moi.

– Combattras-tu l'Égypte à mes côtés ?

– Je suis capable de t'étrangler.

– Les Nubiens te massacreraient.

– Je suis leur chef.

– Et moi, leur déesse ! L'Égypte t'a rejeté, Pazair t'a trahi. Vengeons-nous.

Souti poussa un cri de douleur, et se jeta sur le côté. Panthère vit l'agresseur : un scorpion noir qui se réfugiait sous une pierre.

Piqué au poignet gauche, le jeune homme se mordit au sang, aspira le venin, et cracha.

– Tu seras la plus riche des veuves illégitimes.

CHAPITRE 19

Pazair serra Néféret contre lui; sa tendresse effaça les fatigues du voyage et lui redonna le goût de la lutte. Il lui expliqua comment il avait sauvé Kani et contrecarré l'un des plans de Bel-Tran. Malgré sa joie, il la sentit soucieuse.

— Des nouvelles de la forteresse de Tjarou, avoua-t-elle.

— Souti!

— Porté disparu.

— Dans quelles circonstances?

— D'après le rapport du commandant de la forteresse, il s'est enfui; comme la garnison avait reçu l'ordre de s'enfermer dans ses murs, aucune patrouille ne s'est lancée à sa recherche.

Pazair leva les yeux vers le ciel.

— Il reviendra, Néféret, et il nous aidera; mais pourquoi cette inquiétude, dans ton regard?

— Une simple lassitude.

— Parle, je t'en prie; ne porte pas seule le fardeau.

— Bel-Tran a entamé une campagne de diffamation contre toi. Il déjeune et dîne avec de grands dignitaires, de hauts fonctionnaires et des chefs de province; Silkis sourit et se tait. Ton inexpérience, ta fougue mal contrôlée, tes exigences insensées, ton incompétence, ton manque de connaissance des subtilités de la hiérarchie, ton ignorance des réalités du temps présent, ton attachement à des valeurs révolues... Voilà ses thèmes favoris.

— Trop parler lui nuira.

— C'est à toi qu'il nuit, jour après jour.

— Ne t'en préoccupe pas.

— Je ne supporte pas de te voir calomnié.

— C'est plutôt bon signe. Si Bel-Tran agit ainsi, c'est qu'il doute encore du succès final. Les coups que je viens de lui porter furent peut-être plus douloureux que je ne l'imaginais. Intéressante réaction, en vérité ; elle m'encourage à continuer.

— Le surintendant des écrits t'a réclamé à plusieurs reprises.

— Motif ?

— Il ne se confiera qu'à toi.

— D'autres visiteurs de marque ?

— Le directeur des missions secrètes et le surintendant des champs ; ils souhaitent également un entretien et ont déploré ton absence.

Les trois hommes appartenaient à la confrérie des neuf amis de Pharaon, les personnages les plus influents du royaume, habitués à faire et à défaire les réputations. C'était la première fois qu'ils intervenaient depuis la nomination de Pazair.

— Si je les invitais à déjeuner ? proposa-t-il.

*

Le surintendant des écrits, le surintendant des champs et le directeur des missions secrètes se ressemblaient ; hommes d'âge mûr, pondérés, la voix grave, l'allure solennelle, ils avaient franchi les échelons de la hiérarchie des scribes et donné pleine satisfaction au roi. Perruqués, vêtus d'une tunique de lin sur une chemise à manches longues et plissées, ils arrivèrent ensemble à la porte du domaine du vizir où Kem et son babouin les identifièrent.

131

Néféret les accueillit et les guida dans le jardin; ils admirèrent le bassin de plaisance, la vigne, les essences rares importées d'Asie, et félicitèrent la jeune femme pour les parterres de fleurs. Les mondanités achevées, elle les conduisit auprès de son mari, dans la salle à manger d'hiver, où il conversait avec Bagey, l'ancien vizir, que les trois hauts dignitaires furent surpris de trouver là.

Néféret s'éclipsa.

— Nous aimerions vous voir seul, déclara le surintendant des écrits.

— Je suppose que votre intervention concerne la manière dont je remplis ma fonction; pourquoi mon prédécesseur ne m'assisterait-il pas pendant cette épreuve? Ses conseils pourraient m'être précieux.

Froid, distant, un peu voûté, Bagey dévisagea ses interlocuteurs avec sévérité.

— Hier, nous travaillions ensemble; aujourd'hui, me considérez-vous comme un étranger?

— Bien sûr que non, répondit le superintendant des champs.

— En ce cas, considéra Pazair, l'incident est clos; nous déjeunerons tous les cinq.

Ils prirent place sur des sièges incurvés; devant chacun d'eux, une table basse sur laquelle des serviteurs déposèrent des plateaux chargés de victuailles. Le cuisinier avait préparé de succulents morceaux de bœuf, cuits dans une marmite en terre au fond arrondi, et des volailles rôties à la broche. À côté du pain frais, du beurre fabriqué avec du fenugrec et du carvi, sans eau ni sel, et conservé dans une cave fraîche, de manière à éviter le brunissement; petits pois et courgettes en sauce accompagnaient les viandes.

Un échanson remplit les coupes de vin rouge du Delta, plaça la jarre dans un support en bois, et sortit de la pièce dont il ferma la porte.

— Nous nous exprimons au nom des autorités supérieures de ce pays, avança le directeur des missions secrètes.

– À l'exception de Pharaon et de moi-même, intervint Pazair.

La remarque blessa le dignitaire.

– De telles objections me semblent inutiles.

– Ce ton est des plus désagréable, estima Bagey ; quels que soient votre âge et votre rang, vous devez respect au vizir que Pharaon a désigné.

– Notre conscience nous interdit de lui épargner critiques et réprimandes justifiées.

Bagey se leva, irrité.

– Je n'accepte pas cette démarche.

– Elle n'est ni inconvenante ni illégale.

– Tel n'est pas mon avis ; votre rôle est de servir le vizir et de lui obéir.

– Pas lorsque son action est contraire au bonheur de l'Égypte.

– Je n'entendrai pas un mot de plus ; vous déjeunerez sans moi.

Bagey sortit de la salle à manger.

Étonné par la violence de l'attaque et la réaction brutale de l'ancien vizir, Pazair se sentit très seul. La viande et les légumes refroidirent, le grand cru demeura dans les coupes.

– Nous avons longuement conversé avec le directeur de la Double Maison blanche, avoua le surintendant des champs ; ses inquiétudes nous paraissent fondées.

– Pourquoi Bel-Tran ne vous a-t-il pas accompagnés ?

– Nous ne l'avons pas prévenu de notre démarche ; c'est un homme jeune, impulsif, qui pourrait manquer de sérénité dans une affaire aussi grave. Cette même jeunesse risque de vous entraîner dans une impasse, à moins que la raison ne l'emporte.

– Vous occupez des postes importants où les paroles oiseuses ne sont pas de mise ; comme mon temps est aussi précieux que le vôtre, vous m'obligeriez en allant droit au but.

– Voilà une belle preuve de votre comportement

erroné! Gouverner l'Égypte réclame davantage de souplesse.

— Pharaon gouverne, je veille au respect de Maât.

— Le quotidien est parfois éloigné de l'idéal.

— Avec de telles pensées, estima Pazair, l'Égypte court à la ruine.

— Parce que vous manquez d'expérience, jugea le surintendant des champs, vous prenez à la lettre de vieux idéaux vidés de leur substance.

— Ce n'est pas mon avis.

— Est-ce au nom de l'idéal que vous avez condamné le chef de la province de Coptos, l'héritier d'une famille noble et renommée ?

— La loi fut appliquée, sans tenir compte de son rang.

— Comptez-vous démettre ainsi quantité de dirigeants estimés et qualifiés ?

— S'ils complotent contre leur pays, ils seront inculpés et jugés.

— Vous confondez les fautes graves avec les nécessités du pouvoir.

— Truquer le cadastre : serait-ce une faute légère ?

— Nous reconnaissons votre probité, admit le surintendant des écrits ; depuis le début de votre carrière, vous avez démontré votre sens de la justice et votre amour de la vérité. Personne ne songe à le contester ; le peuple vous respecte et vous admire. Mais est-ce suffisant pour éviter un désastre ?

— Que me reprochez-vous ?

— Peut-être rien, si vous savez nous rassurer.

Les premières passes d'armes étaient terminées ; le véritable combat commençait.

Ces trois hommes savaient tout du pouvoir, de la hiérarchie et des mécanismes sociaux ; si Bel-Tran était parvenu à les convaincre de la justesse de ses vues, Pazair n'aurait guère de chances de franchir l'obstacle. Isolé, désavoué, ne serait-il pas un jouet facile à briser ?

— Mes services, déclara le surintendant des champs,

ont dressé la liste des propriétaires et des fermiers, recensé les têtes de bétail, évalué les récoltes; mes experts ont fixé les taxes, en tenant compte de l'avis des paysans, mais cet énorme travail se traduira par une trop faible rentrée d'impôts. Il faudrait doubler les taxes sur le fourrage et les bovins.

— Je refuse.

— Vos raisons?

— En cas de difficulté, l'alourdissement des impôts est la pire des solutions. Il me paraît plus urgent de supprimer les injustices; nos réserves de nourritures sont suffisantes pour faire face à plusieurs mauvaises crues.

— Réformez les dispositions trop favorables aux campagnards; en cas d'imposition injuste, qui habite une grande ville n'a que trois jours pour faire appel, alors qu'un provincial dispose de trois mois!

— Je fus moi-même victime de ce règlement, rappela Pazair; j'allongerai le délai des citadins.

— Augmentez au moins les impôts des riches!

— Le personnage le plus imposé d'Égypte, le gouverneur d'Éléphantine, verse au Trésor l'équivalent de quatre lingots d'or; le gouverneur d'une province de taille moyenne, mille pains, des veaux, des bœufs, du miel, et des sacs de céréales. Il n'est pas nécessaire d'exiger davantage, puisqu'ils entretiennent une maisonnée étendue et veillent au bien-être des villages.

— Votre intention serait-elle de vous attaquer aux artisans?

— Certes pas. Leurs demeures resteront exemptées d'impôts, et je maintiendrai l'interdiction de saisir leurs outils.

— Céderez-vous sur l'impôt-bois? Il faudrait l'étendre à toutes les provinces.

— J'ai étudié de près les centres de bois et la manière dont ils reçoivent broussailles, fibres de palmiers et petit bois; lors de la saison froide, la distribution fut assurée de manière correcte. Pourquoi modifier le travail d'équipes dont la rotation est satisfaisante?

— Vous appréciez mal la situation, estima le directeur des missions secrètes ; la manière dont notre économie est organisée ne correspond plus aux exigences de l'heure. La production doit être augmentée, la rentabilité...

— Voilà des termes chers à Bel-Tran.

— Il est le directeur de la Double Maison blanche ! Si vous êtes en désaccord avec votre ministre de l'économie, comment mener une politique cohérente ? Chassez-le, et chassez-nous aussi !

— Nous continuerons à œuvrer ensemble, selon les lois traditionnelles ; l'Égypte est riche, le Nil nous offre l'abondance, et la prospérité durera à condition que nous luttions chaque jour contre l'injustice.

— Votre passé ne vous déforme-t-il pas ? L'économie...

— Le jour où l'économie primera sur la justice, le malheur déferlera sur cette terre.

— Le rôle des temples devrait être minimisé, suggéra le surintendant des écrits.

— Que leur reprochez-vous ?

— Ils recueillent la quasi-totalité des denrées, des produits et des objets avant de les distribuer, en fonction des besoins de la population ; un circuit plus direct ne serait-il pas souhaitable ?

— Il serait contraire à la règle de Maât et détruirait l'Égypte en peu d'années. Les temples sont nos régulateurs d'énergie ; les spécialistes, reclus à l'intérieur de leurs murs, n'ont d'autre souci que l'harmonie. Grâce aux temples, nous sommes reliés à l'invisible et aux forces vitales de l'univers ; de leurs écoles, de leurs ateliers sortent les êtres qui façonnent notre pays depuis des siècles. Désirez-vous le décapiter ?

— Vous déformez mes propos.

— Je crains que votre pensée ne ressemble à un bâton tordu.

— Vous m'insultez !

— Ne tournez-vous pas le dos à nos valeurs fondatrices ?

— Vous êtes un homme trop entier, Pazair, un fanatique !

— Si telle est votre conviction, n'hésitez plus : demandez ma tête au roi.

— Vous bénéficiez du soutien de Kani, le grand prêtre de Karnak, dont Ramsès apprécie les avis. Mais cette faveur ne durera pas davantage que votre popularité. Démissionnez, Pazair. Ce serait la meilleure solution, pour vous et pour l'Égypte.

CHAPITRE 20

Le jardinier-chef du temple d'Héliopolis était atterré ; assis au pied d'un olivier, il pleurait. Pazair, appelé d'urgence, frissonnait ; un vent froid soufflait en rafales, retournant les feuilles au dos argenté. Alerté par Kem, le vizir avait jugé bon de se déplacer.

– Racontez-moi, demanda-t-il au jardinier.

– J'avais surveillé moi-même la récolte... Les plus vieux oliviers d'Égypte ! Quelle misère... Pourquoi ce vandalisme, pourquoi ?

Le jardinier-chef était incapable d'en dire davantage. Pazair l'abandonna à sa tristesse, après lui avoir affirmé qu'il ne le considérait pas comme responsable, et suivit Kem dans les réserves du temple de Rê, où l'on conservait la meilleure huile d'éclairage du pays.

Le sol était une mare visqueuse.

Pas une jarre n'avait été épargnée ; bouchon ôté, contenu déversé.

– Résultat de votre enquête ?

– Un homme seul, répondit le Nubien ; il s'est introduit dans le local par le toit.

– Même procédé qu'à l'hôpital.

– L'homme qui tente de vous assassiner, c'est certain. Pourquoi ce saccage ?

– Le rôle économique des temples gêne Bel-Tran ; supprimer la source d'éclairage ralentira le travail des scribes et des prêtres. Faites partir des messages sur-le-champ ; que la police surveille toutes les réserves d'huile. En ce qui concerne la région de Memphis, nous utiliserons celles du palais. Aucune lampe ne restera vide.

La réplique de Bel-Tran à la fermeté du vizir n'avait guère tardé.

*

Pas un serviteur qui ne maniât un balai, fait de longues fibres rigides assemblées en écheveaux, pas une servante qui ne fût armée d'une brosse de roseaux tenus par un large anneau : la maisonnée du vizir nettoyait les sols avec une belle ardeur. Flottait une délicieuse odeur d'encens, de cannelle et de cinnamome ; la fumigation purifierait la grande demeure et la débarrasserait des insectes et autres hôtes indésirables.

— Où se trouve mon épouse ?

— Dans la réserve de blé, répondit l'intendant.

À genoux, Néféret enfonçait dans un angle des gousses d'ail, du poisson séché * et du natron.

— Qui est caché là ?

— Peut-être un serpent ; ces ingrédients l'asphyxieront.

— Pourquoi ce grand nettoyage ?

— Je redoute que l'assassin n'ait laissé d'autres traces de son passage.

— De mauvaises surprises ?

— Jusqu'à présent, non ; aucun endroit suspect n'a été négligé. Qu'a dit Pharaon ?

Pazair l'aida à se relever.

— L'attitude de ses conseillers l'a surpris ; elle lui a prouvé que la maladie dont souffre le pays est profonde. Je crains de n'être pas un thérapeute aussi efficace que toi.

— Que répondra-t-il aux courtisans ?

* Très précisément le poisson nommé *bulti (tilapia nilotica).*

– A moi de m'occuper de leurs requêtes.

– Ont-ils réclamé ton départ ?

– Simple suggestion de leur part.

– Bel-Tran continue à répandre ses médisances.

– Il n'est pas exempt de faiblesses; à nous de les déceler.

Le vizir ne put contenir un éternuement, suivi d'un frisson.

– Je vais avoir besoin d'un médecin.

*

Le coryza brisait les os, fracassait le crâne et creusait le cerveau. Pazair buvait du jus d'oignon *, se désinfectait les narines avec du jus de palme, se décongestionnait avec des inhalations et absorbait de la teinture-mère de bryone, afin d'éviter des complications pulmonaires. Heureux d'avoir son maître à la maison, Brave dormait au pied de son lit, profitant d'une couverture moelleuse et, au passage, d'une cuillerée de miel.

Malgré la fièvre, le vizir consultait les papyrus que lui apportait Kem, seul habilité à servir d'intermédiaire entre Pazair et son bureau. Plus les jours passaient, plus le vizir maîtrisait son métier; ce moment de recul lui était bénéfique, dans la mesure où il constatait que les grands temples, du nord au sud, échappaient au contrôle de Bel-Tran. Ils régulaient l'économie selon l'enseignement des anciens et veillaient à la répartition des richesses engrangées; grâce à Kani et aux autres grands prêtres, en plein accord avec le supérieur de Karnak, le vizir préserverait la stabilité du navire de l'État, au moins jusqu'à la date fatidique où Ramsès devrait abdiquer.

Une inhalation au sulfure d'arsenic, que les médecins appelaient « celui qui épanouit le cœur », soulagea Pazair; afin d'éviter la toux, il absorba une décoction de

* Remède considéré comme très efficace contre les refroidissements.

racines de guimauve et de coloquinte fraîche. L'eau cuivrée achèverait de guérir l'infection.

Quand le Nubien tâta son nez en bois, le vizir comprit qu'il détenait des informations importantes.

— D'abord, une nouvelle inquiétante : Mentmosé, mon prédécesseur de triste mémoire, a quitté le Liban où il subissait une peine d'exil.

— Un énorme risque... Quand vous le reprendrez, il sera condamné au bagne.

— Mentmosé le sait ; c'est pourquoi sa disparition ne présage rien de bon.

— Une intervention de Bel-Tran ?

— Possible.

— Une simple fuite ?

— J'aimerais y croire ; mais Mentmosé vous hait autant que Bel-Tran. Vous les fascinez, l'un et l'autre, parce qu'ils ne comprennent ni votre rectitude, ni votre amour de la justice. Tant que vous étiez un petit juge, quelle importance ? Mais vizir... Inacceptable ! Mentmosé ne désire pas une fin de vie paisible ; il veut se venger.

— Toujours rien sur le meurtre de Branir ?

— Pas directement, mais...

— Mais ?

— A mon avis, l'homme qui a tenté de vous tuer, à plusieurs reprises, est celui qui a supprimé Branir ; il surgit du néant et s'y réfugie, plus rapide qu'un lévrier.

— Tentez-vous de me faire admettre qu'il s'agirait d'un revenant ?

— Un revenant, non... Mais un avaleur d'ombres comme je n'en avais jamais croisé. Un monstre amoureux de la mort.

— Aurait-il enfin commis l'erreur que vous attendiez ?

— Il a peut-être eu tort de s'attaquer à mon babouin * en lançant contre lui un autre singe. C'est l'unique occasion où il a dû faire appel à un allié, donc

* Voir *La Loi du désert*.

prendre des contacts. Je craignais que cette piste ne fût coupée, mais l'un de mes meilleurs indicateurs, un nommé Courtes-cuisses, connaît quelques soucis. Un juge vient d'aggraver le montant de la pension alimentaire qu'il doit verser à sa précédente épouse. C'est pourquoi il a retrouvé la mémoire.

– Connaîtrait-il l'identité de l'avaleur d'ombres ?

– Si c'est le cas, il exigera une énorme récompense.

– Accordée. Quand le voyez-vous ?

– Ce soir, derrière les docks.

– Je viens avec vous.

– Votre état vous l'interdit.

*

Néféret avait convoqué les principaux fournisseurs de substances rares et coûteuses qu'utilisaient les laboratoires. Bien que les stocks ne fussent pas épuisés, elle jugeait prudent de les reconstituer au plus vite, en raison des difficultés de récolte et de livraison.

– Commençons par la myrrhe ; à quelle date est prévue la prochaine expédition pour le pays de Pount ?

Le responsable toussota.

– Je l'ignore.

– Que signifie votre réponse ?

– Aucune date n'a été fixée.

– A vous de décider, me semble-t-il.

– Je ne dispose ni des bateaux, ni des équipages.

– Pourquoi ?

– J'attends le bon vouloir des pays étrangers.

– Avez-vous consulté le vizir ?

– J'ai préféré suivre la voie hiérarchique.

– Vous auriez dû me prévenir de ce contre-temps.

– Rien ne pressait...

– A présent, il s'agit d'une urgence.

– Il me faudrait un ordre écrit.

– Vous l'aurez dès aujourd'hui.

Néféret se tourna vers un autre négociant.

— Avez-vous commandé de la gomme résine verte de galbanum * ?

— Commandé, oui ; mais elle n'arrivera pas de sitôt.

— Pourquoi ?

— Elle vient d'Asie, selon l'humeur des récoltants et des vendeurs. L'administration m'a fortement recommandé de ne pas les importuner ; nos relations seraient plutôt tendues, en raison d'incidents qui m'échappent. Dès que possible...

— Et la résine sombre de ladanum ? demanda Néféret au troisième fournisseur. Je sais qu'elle vient de Grèce et de Crète ; ces pays n'hésitent jamais à commercer.

— Hélas ! si. La récolte fut pauvre ; aussi ont-ils décidé de ne pas exporter.

Néféret n'interrogea même pas les autres marchands ; leur gêne signifiait qu'ils répondraient, eux aussi, de manière négative.

— Qui réceptionne ces produits rares, sur le sol égyptien ? demanda-t-elle au fournisseur de myrrhe.

— Des douaniers.

— De quelle administration dépendent-ils ?

L'homme bredouilla.

— De... de la Double Maison blanche.

Le regard de la jeune femme, d'ordinaire si tendre, exprima révolte et indignation.

— En devenant les séides de Bel-Tran, déclara-t-elle avec fermeté, c'est l'Égypte que vous trahissez. En tant que médecin-chef du royaume, je demanderai votre inculpation pour atteinte à la santé publique.

— Telle n'est pas notre intention, mais les circonstances... Vous devriez admettre que le monde évolue et que l'Égypte doit s'adapter. Notre manière de commercer se modifie, Bel-Tran détient les clés de

* Ces gommes résines (galbanum et ladanum), extraites d'arbres ou d'arbustes, toujours utilisées de nos jours en parfumerie, étaient considérées comme des substances médicinales.

notre avenir. Si vous acceptez d'augmenter nos bénéfices, et de revoir nos marges, les livraisons pourraient reprendre assez vite.

– Du chantage... Du chantage qui compromet la santé de vos compatriotes!

– Les termes sont excessifs. Nous avons l'esprit ouvert, et des négociations bien menées...

– Étant donné qu'il s'agit d'un cas d'urgence, je demande au vizir un ordre de réquisition et traiterai moi-même avec nos partenaires étrangers.

– Vous n'oseriez pas!

– La cupidité est une maladie incurable, que je ne sais pas soigner. Demandez un autre emploi à Bel-Tran; vous ne dépendez plus des services médicaux.

CHAPITRE 21

La fièvre n'avait pas empêché Pazair de signer l'ordre de réquisition permettant au médecin-chef du royaume d'assurer la libre circulation des gommes résines indispensables aux thérapeutes. Munie du document, Néféret s'était aussitôt rendue au service des pays étrangers, afin de veiller elle-même sur la rédaction des documents administratifs qui ordonneraient le départ des expéditions commerciales.

L'état de son malade favori ne lui inspirait aucune inquiétude, mais il devrait garder la chambre deux ou trois jours afin d'éviter tout risque de rechute.

Le vizir ne s'accordait aucun repos; environné de papyrus et de tablettes de bois, transmis par les scribes des diverses administrations, il recherchait les points faibles que Bel-Tran ne manquerait pas d'exploiter. Il imaginait ses stratégies et prenait des mesures pour parer les coups, sans s'illusionner; le directeur de la Double Maison blanche et ses alliés sauraient trouver d'autres angles d'attaque.

Lorsque l'intendant lui annonça le nom du visiteur qui tenait à être reçu, Pazair n'en crut pas ses oreilles. En dépit de son étonnement, il accepta.

Sûr de lui, vêtu à la dernière mode d'une luxueuse robe de lin qui le serrait trop à la taille, Bel-Tran salua le vizir avec chaleur.

– Je vous ai apporté une jarre de vin blanc de l'an deux de Séthi, le père de notre illustre souverain. Un cru introuvable! Vous l'apprécierez.

Sans y avoir été invité, Bel-Tran prit un siège et s'assit en face de Pazair.

– J'ai appris que vous étiez souffrant; rien de grave?

– Je serai bientôt debout.

– Il est vrai que vous bénéficiez des soins du meilleur médecin du royaume; cet accès de fatigue, néanmoins, me semble significatif. La charge de vizir est presque impossible à supporter.

– Sauf pour des épaules aussi larges que les vôtres.

– De nombreuses rumeurs circulent, à la cour; chacun sait que vous éprouvez de grandes difficultés à remplir correctement votre fonction.

– C'est exact.

Bel-Tran sourit.

– Je suis même sûr que je n'y parviendrai jamais, précisa Pazair.

– Mon ami, cette maladie vous est des plus bénéfique.

– Éclairez-moi; puisque vous détenez l'arme décisive, puisque vous êtes certain d'obtenir le pouvoir suprême, comment mon action peut-elle vous gêner?

– Elle n'est qu'une piqûre de moustique, donc désagréable. Si vous acceptez de m'obéir et de suivre enfin le chemin du progrès, vous resterez vizir. Votre popularité n'est pas négligeable; on vante votre capacité de travail, votre rectitude, votre clairvoyance... Vous me seriez utile, en appliquant ma politique.

– Kani, le grand prêtre de Karnak, me désapprouvera.

– A vous de le duper! Comme vous avez fait échouer ma tentative de conquête d'une bonne partie des terres du temple, vous me devez bien ça. Cette économie sacrée est archaïque, Pazair; il ne faut pas freiner et réguler la production des richesses, mais favoriser une croissance continue.

– Assurera-t-elle le bonheur des hommes et l'équilibre des peuples ?

– Peu importe ; elle donne la puissance à qui la contrôle.

– Je ne cesse de songer à mon maître Branir.

– Un homme du passé.

– D'après les annales, aucun crime n'est demeuré impuni.

– Oubliez cette histoire déplorable et préoccupez-vous de l'avenir.

– Kem ne cesse d'enquêter ; il croit avoir identifié l'assassin.

Bel-Tran garda son sang-froid, mais son regard se troubla.

– Mon hypothèse est différente de celle du chef de la police ; à plusieurs reprises, j'ai hésité à inculper votre épouse.

– Silkis ? Mais...

– C'est elle, la femme qui attira l'attention du gardien-chef du sphinx, afin de lui faire perdre sa vigilance. Depuis le début du complot, elle vous obéit ; excellente tisserande, elle manie l'aiguille mieux que quiconque. Nulle n'est plus redoutable que la femme-enfant, affirment les vieux sages ; je la sens capable d'avoir assassiné Branir en lui enfonçant dans la nuque une aiguille en nacre.

– Votre fièvre est pernicieuse.

– Silkis a besoin de votre fortune, mais vous êtes son esclave, bien plus que vous ne l'imaginez. C'est le mal qui vous lie.

– Trêve de vos misérables pensées ! Vous soumettrez-vous enfin ?

– L'avoir supposé démontre un manque certain de lucidité.

Bel-Tran se leva.

– N'intervenez ni contre Silkis, ni contre moi. Pour vous et votre roi, tout est perdu ; le testament des dieux est à jamais hors de votre portée.

Le vent du soir annonçait le printemps; chaud, parfumé, il portait au loin l'âme du désert. On se couchait plus tard, on parlait de maison à maison, on s'informait des événements de la journée. Kem attendit que les dernières lampes fussent éteintes avant de s'aventurer dans les ruelles menant aux docks.

Le babouin avançait d'un pas lent, tournait la tête à droite et à gauche, regardait au-dessus de lui, comme s'il pressentait un danger. Nerveux, il revenait parfois sur ses pas, puis pressait brusquement l'allure. Le Nubien respectait la moindre des réactions du singe; dans les ténèbres, il le guidait.

La zone des docks était silencieuse; des gardiens veillaient devant les entrepôts. Kem et Courtes-cuisses s'étaient donné rendez-vous derrière un bâtiment abandonné, avant réfection. L'indicateur avait coutume de traiter là un certain nombre d'affaires illicites sur lesquelles le Nubien acceptait de fermer les yeux, en échange de renseignements que les policiers sédentaires ne pouvaient obtenir.

Courtes-cuisses était sorti du chemin de la vérité dès sa naissance; trafiquant spontané, il n'avait d'autre plaisir que de voler son prochain. Le petit peuple de Memphis ne gardait aucun secret pour lui; depuis le début de son enquête, Kem pensait qu'il serait le seul à lui procurer une information sérieuse sur l'assassin, mais il ne devait pas le brusquer, sous peine de se heurter à un mutisme définitif.

Le babouin s'immobilisa, aux aguets. Son ouïe était bien plus fine que celle d'un homme et son métier de policier avait développé ses facultés de perception. Des nuages masquèrent le premier quartier de la lune; l'obscurité s'étendit sur l'entrepôt abandonné, dépourvu de portes. Le singe reprit sa progression.

La bonne volonté de Courtes-cuisses découlait d'un ennui juridique; son ex-épouse, bien conseillée, le dépouillait de la petite fortune qu'il avait amassée. Il devait se résoudre à vendre son bien le plus précieux : l'identité de l'avaleur d'ombres. Que réclamerait-il en échange ? De l'or, le silence du chef de la police sur un trafic plus important qu'à l'ordinaire, une cargaison de jarres de vin... Kem aviserait.

Le babouin émit une plainte déchirante. Kem crut qu'il s'était blessé ; un examen rapide lui suffit pour constater qu'il se trompait. Tueur accepta de continuer et contourna l'entrepôt.

A l'endroit du rendez-vous, personne.

Kem s'assit à côté du babouin, paisible. Courtes-cuisses avait-il renoncé ? Le Nubien n'y croyait pas. L'indicateur avait besoin d'une aide matérielle urgente.

La nuit s'écoula.

Peu avant l'aube, Tueur prit son collègue par la main et l'entraîna à l'intérieur de l'entrepôt. Paniers abandonnés, caisses éventrées, débris d'outils... Le singe se fraya un passage dans ce chaos, s'arrêta devant un empilement de sacs de grains et émit la même plainte que quelques heures auparavant.

Le chef de la police ôta les sacs avec hargne.

Calé contre un pilier de bois, Courtes-cuisses était bien venu au rendez-vous ; la nuque brisée par l'avaleur d'ombres, il ne livrerait pas son nom.

*

Pazair rasséréna Kem.

— Je suis responsable de la mort de Courtes-cuisses.
— Bien sûr que non ; c'est lui qui vous a contacté.
— J'aurais dû le faire protéger.
— De quelle manière ?
— Je ne sais pas, je...
— Cessez de vous tourmenter.
— L'avaleur d'ombres a eu vent des intentions de Courtes-cuisses, il l'a suivi et supprimé.
— Ou bien il a tenté d'exercer sur lui un chantage.

– Il était assez vénal pour commettre pareille folie...
Et la piste est de nouveau coupée. Bien entendu, je
maintiens la protection autour de vous.

– Prenez des dispositions ; nous partons demain pour
la Moyenne-Égypte.

La voix de Pazair s'était assombrie.

– Un incident ?

– Plusieurs rapports inquiétants, dus à des administrateurs provinciaux.

– A quel sujet ?

– L'eau.

– Redouteriez-vous...

– Le pire.

*

Néféret avait réussi une opération délicate : un jeune
artisan, blessé au crâne, vertèbres cervicales lésées,
tempe droite enfoncée. L'homme était tombé du toit
d'une demeure ; transporté très vite à l'hôpital, il survivrait.

Épuisée, la jeune femme s'était endormie dans l'une
des salles de repos. L'un de ses assistants la réveilla.

– Je suis désolé, mais j'ai besoin de vous.

– Faites appel à un autre chirurgien ; je n'ai plus la
force d'opérer.

– Il s'agit d'un cas étrange ; votre diagnostic est
indispensable.

Néféret se leva et suivit l'assistant.

La patiente avait les yeux ouverts, mais fixes. Agée
d'une quarantaine d'années, elle portait une robe
luxueuse ; mains et pieds soignés prouvaient son appar-
tenance à une famille aisée.

– Elle était allongée dans une ruelle du quartier
nord, expliqua l'assistant ; les habitants ne la connaissaient pas. Elle ressemble à une malade que l'on vient
d'anesthésier...

Néféret écouta la voix du cœur dans les artères, puis
examina les yeux.

– Cette femme est droguée, conclut-elle; elle a absorbé de l'extrait de pavot rose, une substance qui ne doit être utilisée qu'à l'hôpital *. Je demande l'ouverture immédiate d'une enquête.

*

Pazair, devant l'insistance de son épouse, avait retardé son départ pour la Moyenne-Égypte et demandé à Kem d'enquêter sur le terrain. La femme était morte de son abus de drogue, sans sortir du coma.

Grâce au singe, les langues se délièrent. La malheureuse était venue trois fois dans la ruelle où un homme l'attendait. Un Grec, installé dans une belle demeure, marchand de vases précieux. Lorsque Kem se présenta chez lui, le suspect était absent; une servante pria le chef de la police de s'installer dans la salle d'hôte et lui apporta une bière fraîche. Parti traiter une affaire sur les quais, le négociant ne tarderait pas à rentrer.

Grand, maigre, barbu, le Grec prit ses jambes à son cou dès qu'il aperçut le chef de la police. Kem ne bougea pas, confiant dans la vigilance de son collègue. De fait, le singe fit un croche-pied au fuyard, qui s'étala de tout son long sur le dallage.

Kem le releva en le tirant par sa tunique.

– Je suis innocent !

– Tu as tué une femme.

– Je vends des vases, rien de plus.

Un instant, le Nubien se demanda s'il ne tenait pas l'avaleur d'ombres; mais le personnage lui parut trop facile à piéger.

– Si tu ne parles pas, tu seras condamné à mort.

La voix du Grec larmoya.

– Ayez pitié ! Je ne suis qu'un intermédiaire.

– A qui achètes-tu la drogue ?

* De la plante *shepen*, le pavot rose ou le coquelicot, on extrayait l'opium et la morphine, utilisés comme sédatifs et analgésiques.

— À des compatriotes, qui font pousser les plantes en Grèce.

— Eux sont hors d'atteinte, pas toi.

Le regard rouge du babouin cautionnait l'affirmation de son collègue.

— Je vous donnerai leurs noms.

— Donne-moi ceux de tes clients.

— Non, pas ça!

La main velue de Tueur se posa sur l'épaule du Grec. Terrorisé, il parla d'abondance, citant des fonctionnaires, des marchands et quelques nobles personnages.

Parmi ceux-ci figurait la dame Silkis.

CHAPITRE 22

Le matin du départ, Pazair reçut une invitation de Bel-Tran à un grand banquet où seraient présents les principaux dignitaires de la cour, les hauts fonctionnaires, et plusieurs chefs de province. Le directeur de la Double Maison blanche se devait de donner, à la fin de l'hiver, une somptueuse réception que le vizir honorait de sa présence.

— Il se moque de nous, estima Néféret.

— Bel-Tran se plie à la tradition lorsqu'elle le sert.

— Sommes-nous obligés de figurer dans cette mascarade ?

— Je le crains.

— L'inculpation de la dame Silkis provoquerait un beau scandale.

— Je tâcherai d'être discret.

— Le trafic de drogue est-il interrompu ?

— Kem s'est montré d'une parfaite efficacité ; les complices du Grec ont été arrêtés sur les quais, de même que la totalité de leurs clients... À l'exception de Silkis.

— Impossible de s'attaquer à elle, n'est-ce pas ?

— Les menaces de Bel-Tran ne m'arrêteront pas.

— L'important est d'avoir mis fin à cette horreur ; à quoi te servirait-il, aujourd'hui, d'emprisonner l'épouse de Bel-Tran ?

Sous le perséa où ils devisaient, Pazair enlaça Néféret.

— À rendre justice.

— Le moment où s'accomplit un acte n'est-il pas aussi important que l'acte lui-même?

— Me recommanderais-tu d'attendre? Les jours et les semaines s'écoulent, l'abdication de Pharaon approche.

— Jusqu'à la dernière seconde, nous devrons lutter avec lucidité.

— Les ténèbres sont si épaisses! Parfois, je...

Elle posa l'index sur ses lèvres.

— Un vizir d'Égypte ne renonce jamais.

*

Pazair aimait le paysage de Moyenne-Égypte, les falaises blanches bordant le Nil, les vastes plaines verdoyantes et les collines claires où les nobles avaient fait creuser leurs demeures d'éternité. La région ne possédait ni le caractère altier de Memphis, ni la splendeur solaire de Thèbes, mais conservait les secrets d'une âme campagnarde, repliée sur des exploitations moyennes que géraient des familles jalouses de leurs traditions.

Le babouin policier, au cours du voyage, n'avait signalé aucun danger; de plus en plus doux, l'air printanier semblait le ravir, sans que s'atténue la vivacité de son regard.

La province de l'Oryx était fière de sa gestion de l'eau; depuis des siècles, elle assurait la subsistance de ses habitants, écartait le spectre de la famine et n'établissait aucune distinction entre le grand et le petit. Les années de faibles crues, des bassins de retenue, aménagés avec un art remarquable, suffisaient pour irriguer les domaines. Canaux, écluses et digues étaient surveillés en permanence par des spécialistes pointilleux, surtout pendant la période cruciale suivant le retrait des eaux de la crue; bien des champs demeuraient noyés, absorbant le précieux limon qui justifiait le qualificatif de « terre noire » attribué à l'Égypte. Perchés sur des buttes, les villages s'animaient de chants en l'honneur de l'énergie fécondante cachée dans le fleuve.

Tous les dix jours, le vizir recevait un rapport détaillé sur les réserves d'eau du pays, et il n'était pas rare qu'il se déplaçât, sans avertir les autorités locales, afin de vérifier leur travail. En se dirigeant vers la capitale de la province de l'Oryx, Pazair fut tranquillisé ; digues en excellent état, réservoirs jalonnant le chemin et cureurs de canaux au travail offraient un spectacle rassurant.

L'arrivée du vizir provoqua une joyeuse animation ; chacun voulait voir l'illustre personnage, lui adresser sa requête, exiger davantage de justice. Nulle agressivité dans les propos ; l'estime et la confiance de la population émurent Pazair au tréfond de lui-même et l'emplirent d'une force nouvelle. Pour ces êtres-là, il devait sauvegarder le pays et empêcher la décomposition du royaume. Il pria le ciel, le Nil, et la terre fécondée, il implora les puissances créatrices de lui ouvrir l'esprit afin qu'il parvienne à sauver Pharaon.

Le chef de la province avait réuni, dans sa belle demeure blanche, ses principaux collaborateurs : le surveillant des digues, celui des canaux, le distributeur des eaux de réserve, le géomètre public et le recruteur de travailleurs saisonniers ; tous arboraient une mine sombre. Ils s'inclinèrent devant Pazair, auquel le chef de la province, un sexagénaire bon vivant au ventre confortable, céda sa place et la présidence de l'assemblée ; héritier d'une longue lignée, il portait le nom de Iaou, « le bœuf gras ».

— Cette visite m'honore, déclara-t-il, et honore ma province.

— Des rapports m'ont alerté ; les cautionnez-vous ?

La brutalité de la question surprit le notable, mais ne le choqua pas ; les vizirs, accablés de travail, ne se répandaient guère en mondanités.

– Je les ai suscités.

– Plusieurs provinces sont en proie aux mêmes anxiétés; si j'ai choisi la vôtre, c'est en raison de son comportement exemplaire depuis plusieurs dynasties.

– Je serai direct, moi aussi! Nous ne comprenons plus les directives du pouvoir central, déplora Ioua; d'ordinaire, on me laisse libre de gérer ma province, tout en exigeant des résultats qui n'ont jamais déçu Pharaon. Or, depuis la fin des hautes eaux, on nous ordonne d'agir contre la raison!

– Expliquez-vous.

– Notre géomètre public, comme chaque année, a calculé les cubages de terre à déplacer et à tasser pour rendre les digues imperméables; ses chiffres ont été revus à la baisse! Si nous acceptons la rectification, elles manqueront de solidité et seront détruites par la poussée des flots.

– D'où émane cette volonté de correction?

– Du service général d'arpentage de Memphis. Mais ce n'est pas tout! Notre recruteur de travailleurs saisonniers connaît bien le nombre d'hommes dont il a besoin pour effectuer les travaux d'entretien, lors de la réparation des digues et de leur colmatage. Le service de l'emploi lui en refuse la moitié, sans justification. Plus grave encore : l'utilisation des bassins de submersion. Qui respecte, mieux que nous, le temps de passage de l'eau d'un bassin en amont à un bassin en aval, selon le rythme propre aux diverses espèces à cultiver? Les services techniques de la Double Maison blanche veulent nous imposer des dates incompatibles avec les exigences de la nature. Et je ne parle pas de l'augmentation des impôts qui résultera de celle de la production! Que se passe-t-il dans les cerveaux des fonctionnaires de Memphis?

– Montrez-moi ces documents, exigea Pazair.

Le chef de province fit apporter les papyrus. Les signataires appartenaient soit à la Double Maison blanche, soit à des services que Bel-Tran contrôlait plus ou moins directement.

— Donnez-moi de quoi écrire.

Un scribe présenta au vizir une palette, avec de l'encre fraîche et un calame. De son écriture rapide et précise, Pazair annula les directives et apposa son sceau.

— Ces erreurs administratives sont corrigées, annonça-t-il ; ne tenez aucun compte de ces ordres périmés et suivez la procédure habituelle.

Ébahis, les administrateurs de la province se consultèrent du regard ; c'était à Ioua d'intervenir.

— Devons-nous comprendre...

— Seules les directives recouvertes de mon sceau seront désormais exécutoires.

Ravis de la rapidité de cette intervention inattendue, les administrateurs saluèrent le vizir et, d'un cœur allègre, vaquèrent à leurs occupations. Seul le chef de la province avait conservé un air soucieux.

— Auriez-vous d'autres sujets de préoccupation ?

— Votre attitude n'implique-t-elle pas une sorte de guerre ouverte contre Bel-Tran ?

— L'un de mes ministres peut se tromper.

— En ce cas, pourquoi le garder ?

Pazair redoutait cette question. Jusqu'à présent, les passes d'armes étaient restées plutôt discrètes ; mais l'affaire de l'eau étalait au grand jour de graves dissensions entre le vizir et le directeur de la Double Maison blanche.

— Bel-Tran possède une grande capacité de travail.

— Savez-vous qu'il entreprend des démarches auprès des chefs de province, afin de les convaincre de l'excellence de sa politique ? Moi, comme mes collègues, je me pose la question : qui est le vizir, lui ou vous ?

— Vous venez d'obtenir la réponse.

— Elle me rassure... Je n'ai pas apprécié ses propositions.

— Quelles furent-elles ?

— Un poste important à Memphis, des avantages matériels alléchants, moins de soucis...

— Pourquoi avoir refusé?

— Parce que je suis satisfait de ce que je possède; Bel-Tran n'admet pas que l'ambition soit limitée. J'aime cette région et je déteste les grandes villes. Ici, on me respecte; à Memphis, je suis un inconnu.

— Vous lui avez donc opposé un refus.

— Le personnage m'effraie, je l'avoue : aussi ai-je préféré jouer les hésitants. D'autres chefs de province ont accepté de lui prêter main-forte, comme si vous n'existiez plus. N'auriez-vous pas nourri un serpent dans votre sein?

— Si tel est le cas, à moi de réparer mon erreur.

Ioua ne cacha pas son trouble.

— A vous entendre, je crois que le pays risque de connaître des heures difficiles. Puisque vous avez préservé l'intégrité de ma province, je vous soutiendrai.

Kem et son singe étaient assis sur le seuil de la belle demeure; le babouin mangeait des dattes, le policier observait les scènes de la rue, obsédé par l'avaleur d'ombres et persuadé que l'homme des ténèbres pensait à lui avec la même intensité.

Dès que le vizir réapparut, le Nubien se leva.

— Tout va bien?

— Encore une catastrophe évitée de justesse; nous devons inspecter plusieurs autres provinces.

Iaou rattrapa Pazair et Kem sur le chemin de l'embarcadère.

— Un détail que j'omettais... Est-ce bien vous qui m'avez envoyé un vérificateur d'eau potable?

— Certes pas. Décrivez-le-moi.

— La soixantaine, taille moyenne, un crâne chauve et rouge qu'il gratte souvent, très irritable, une voix nasillarde, un ton cassant.

— Mentmosé, murmura le Nubien.

— Comment s'est-il comporté?

— Une banale tournée d'inspection.

— Conduisez-moi aux réserves.

La meilleure eau potable était recueillie quelques

jours après le début de la crue ; chargée de sels minéraux, elle régulait l'activité intestinale et favorisait la fécondité des femmes. Trouble et fangeuse, elle était filtrée, puis stockée dans de grandes jarres qui la conservaient à merveille pendant quatre ou cinq ans. La province de l'Oryx l'exportait parfois vers le sud, les années de forte chaleur.

Iaou fit ouvrir la réserve principale, fermée par de lourds verrous en bois. Le souffle lui manqua lorsqu'il découvrit le désastre : les bouchons des jarres avaient été ôtés, et l'eau s'était répandue sur le sol.

CHAPITRE 23

Comment une femme pouvait-elle être aussi belle ? s'interrogea Pazair en contemplant Néféret, parée pour le banquet qu'organisait Bel-Tran. Le médecin-chef du royaume portait le collier de sept rangées de perles de cornaline, agrémentées d'or de Nubie, que lui avait offert la reine mère ; il masquait la turquoise, cadeau de son maître Branir, destinée à écarter les forces nocives. Sa perruque aux fines nattes et aux mèches torsadées mettait en valeur son visage très pur, au teint clair et rayonnant ; des bandes de petites perles ornaient ses poignets et ses chevilles ; une ceinture d'améthyste, présent de Pazair, soulignait la finesse de sa taille.

– Il serait temps de t'habiller, remarqua-t-elle.

– Un dernier rapport à lire.

– Les réserves d'eau potable ?

– Mentmosé en a détruit une dizaine ; les autres sont protégées, à présent. Les hérauts clament le signalement de ce bandit ; ou bien il tombera entre les mains de la police, ou bien il sera contraint de se terrer.

– Combien de chefs de province se sont vendus à Bel-Tran ?

– Un tiers, peut-être ; mais les travaux d'entretien des digues seront correctement effectués. J'ai donné des ordres dans ce sens, avec l'interdiction de réduire les effectifs.

Elle s'assit sur ses genoux, légère, pour l'empêcher de travailler.

– Il est vraiment temps de te vêtir d'un pagne de fête, d'une perruque classique et d'un collier digne de ton rang.

*

Kem, en tant que chef de la police, avait reçu une invitation. Très mal à l'aise dans ce genre de réception, le Nubien ne portait d'autre bijou que son poignard au manche en électrum, décoré d'une marqueterie de rosettes de lapis-lazuli et de feldspath vert. Réfugié dans un angle de la grande salle à colonnes où Bel-Tran et Silkis recevaient leurs hôtes, il surveillait le vizir, entouré de nombreuses personnalités. Le singe avait pris place sur le toit de la demeure, d'où il observait les environs.

Des guirlandes de fleurs couraient sur les colonnes; la noblesse de Memphis portait d'éblouissantes toilettes; oies rôties et grillades de bœufs étaient servies sur des plats d'argent, les meilleurs crus versés dans des coupes importées de Grèce. Certains convives s'asseyaient sur des coussins, d'autres choisissaient des chaises. Un ballet de serviteurs changeait fréquemment les assiettes en albâtre.

Le vizir et son épouse trônaient derrière une table d'offrandes bien garnie; des servantes leur lavèrent les mains avec de l'eau parfumée et leur passèrent un collier de bleuets autour du cou. Chaque invitée reçut une fleur de lotus qu'elle ficha dans sa perruque.

Harpistes, luthistes, joueuses de tambourin enchantèrent l'assistance; Bel-Tran avait payé les meilleures professionnelles de la ville, exigeant d'elles des mélodies inédites que les amateurs apprécieraient à leur juste valeur.

Un très vieux courtisan, incapable de se déplacer, bénéficiait d'une confortable chaise percée qui lui permettait de participer à la soirée. Un serviteur ôtait le récipient en terre cuite, placé sous le siège, après utilisation, et le remplaçait par un autre, rempli de sable parfumé.

Le cuisinier de Bel-Tran était un virtuose des fines herbes ; il avait uni les goûts du romarin, du cumin, de la sauge, de l'aneth et de la cannelle, que l'on qualifiait de « vraiment noble ». Les gastronomes se confondirent en félicitations, tandis que les conversations allaient bon train, à propos de la générosité du directeur de la Double Maison blanche et de son épouse.

Bel-Tran se leva et demanda le silence.

— Mes amis, en cette magnifique soirée que votre présence rend plus belle encore, je voudrais rendre hommage à celui dont nous respectons tous l'autorité bienveillante, le vizir Pazair. Le vizirat est une institution sacrée ; par elle s'exprime la volonté de Pharaon. Malgré son jeune âge, notre cher Pazair témoigne d'une remarquable et surprenante maturité ; il a su se faire aimer de la population, prendre des décisions rapides, et travaille chaque jour à préserver la grandeur de notre pays. En votre nom, et à titre d'hommage, que ce modeste objet lui soit offert.

L'intendant déposa devant Pazair une coupe bleue en terre, enduite d'une glaçure, dont le fond était décoré d'un lotus à quatre pétales.

— Soyez remercié, dit Pazair, et permettez-moi de donner ce chef-d'œuvre au temple de Ptah, le dieu des artisans. Qui pourrait oublier que les temples ont le devoir de rassembler les richesses, et de les redistribuer en fonction des besoins de la population ? Qui oserait amoindrir leur rôle sans porter atteinte à l'harmonie et détruire l'équilibre créé depuis la première de nos dynasties ? Si ces nourritures sont succulentes, si cette terre est fertile, si notre hiérarchie repose sur les devoirs de l'homme et non sur ses droits, c'est parce que Maât, l'éternelle règle de vie, est notre guide. Qui la trahit, qui lui porte atteinte, est un criminel auquel nulle indulgence ne doit être accordée. Tant que le sens de la justice sera notre valeur première, l'Égypte vivra en paix et célébrera des fêtes.

Les paroles du vizir enthousiasmèrent une partie de l'assistance et réfrigérèrent l'autre. Lorsque les discussions reprirent, les clans s'affrontèrent à mots feutrés, soit pour vanter l'intervention du vizir, soit pour la critiquer. Une réception était-elle un cadre approprié à ce genre de déclaration? Pendant le bref discours du vizir, le visage de Bel-Tran s'était contracté, et son sourire crispé n'avait abusé personne. Ne parlait-on pas d'une profonde divergence de vues entre le chef du gouvernement et son ministre de l'économie? En raison de rumeurs contradictoires, il n'était pas facile de démêler le vrai du faux.

Le repas terminé, les convives prirent le frais dans les jardins. Kem redoubla d'attention, secondé par Tueur; le vizir écoutait les doléances de quelques hauts fonctionnaires qui se plaignaient, à juste titre, des lenteurs de l'administration. Bel-Tran, à l'inépuisable bavardage, circonvenait un groupe de courtisans attentifs.

Silkis s'approcha de Néféret.

— Voilà bien longtemps que je désirais vous parler; cette soirée m'en procure l'occasion.

— Auriez-vous décidé de divorcer?

— J'aime tant Bel-Tran! C'est un mari merveilleux. Si j'interviens en votre faveur, le pire sera évité.

— Qu'entendez-vous par ce terme?

— Bel-Tran éprouve une réelle estime pour Pazair; pourquoi votre époux ne se montre-t-il pas plus raisonnable? A eux deux, ils feraient un excellent travail.

— Le vizir n'en est pas convaincu.

— Il a tort; persuadez-le de changer d'avis, Néféret!

Silkis parlait avec la voix naïve et sucrée d'une femme-enfant.

— Pazair ne se berce pas d'illusions.

— Il reste si peu de temps... Bientôt, il sera trop tard.

163

L'obstination du vizir n'est-elle pas mauvaise conseillère ?

— La compromission le serait bien davantage.

— Accéder au poste de médecin-chef ne fut pas facile ; pourquoi gâcher votre carrière ?

— Guérir des malades n'est pas une carrière.

— En ce cas, vous ne refuserez pas de me soigner.

— Je n'en ai pas l'intention.

— Un médecin ne peut choisir ses malades !

— Dans les circonstances présentes, si.

— Que me reprochez-vous ?

— Oseriez-vous affirmer que vous n'êtes pas une criminelle ?

La dame Silkis se détourna.

— Je ne comprends pas... M'accuser, moi...

— Soulagez votre conscience, passez aux aveux ; il n'existe pas de meilleur remède.

— De quoi serais-je responsable ?

— Au moins d'avoir consommé de la drogue.

Silkis ferma les yeux et se cacha le visage dans les mains.

— Cessez de proférer des horreurs !

— Le vizir possède la preuve de votre culpabilité.

En proie à une crise de nerfs, Silkis courut se réfugier dans ses appartements ; Néféret rejoignit Pazair.

— Je crains d'avoir été maladroite.

— D'après la réaction de ton interlocutrice, je suis persuadé du contraire.

Bel-Tran intervint, irrité.

— Que s'est-il passé ? Vous...

Le regard de Néféret pétrifia le directeur de la Double Maison blanche. Nulle haine, nulle violence, mais une lumière qui perçait l'être. Bel-Tran se sentit mis à nu, dépouillé de ses mensonges, de ses artifices, et de ses ruses ; son âme brûlait, un spasme lui tarauda la poitrine. Au bord du malaise, il rompit le combat et quitta la grande salle à piliers.

La réception était terminée.

– Ne serais-tu pas magicienne? demanda Pazair à son épouse.

– Sans magie, comment lutter contre la maladie? En réalité, Bel-Tran s'est contemplé lui-même; ce qu'il a découvert ne semble pas l'avoir réjoui.

La douceur de la nuit les ravit; quelques instants, ils oublièrent que l'écoulement du temps jouait en leur défaveur. Ils se prirent à rêver que l'Égypte ne changerait jamais, que le parfum du jasmin embaumerait toujour ses jardins, que la crue du Nil nourrirait, pour l'éternité, un peuple uni dans l'amour de son roi.

Une forme gracile jaillit d'un bosquet et leur coupa le chemin. La femme poussa un cri de frayeur; d'un bond prodigieux, Tueur avait sauté du toit et atterri entre elle et le couple, la clouant sur place. Gueule ouverte, narines dilatées, il était prêt à attaquer.

– Empêchez-le, je vous en supplie!

– Dame Tapéni! s'étonna Pazair, en posant la main droite sur l'épaule de Tueur, que rejoignit Kem. Quelle étrange manière de m'aborder... Vous prenez des risques.

La jolie petite brune trembla pendant de longues secondes.

– Je dois vous fouiller, déclara le Nubien.

– Reculez!

– Si vous refusez, je demande à Tueur d'agir à ma place.

Tapéni céda. Pazair estima que le prêtre qui lui avait donné son nom, « la souris », avait bien décelé sa vraie nature : vivacité, nervosité, ruse.

Kem espérait trouver une aiguille en nacre, preuve de sa volonté d'agresser le vizir, et de sa culpabilité dans le meurtre de Branir; mais la tisserande ne portait sur elle ni arme ni outil.

– Désiriez-vous me parler?

– Bientôt, vous n'interrogerez plus personne.

– Sur quoi repose cette prophétie?

La jolie brune se mordit les lèvres.

– Une fois de plus, dame Tapéni, vous en avez trop dit, ou pas assez.

– Personne n'approuve votre rigueur, dans ce pays; le roi sera contraint de vous chasser.

– À Sa Majesté de juger, en effet; cet entretien est-il terminé?

– J'ai entendu dire que Souti s'était échappé de la forteresse où il purgeait sa peine d'exil.

– Vous êtes bien informée.

– N'espérez pas qu'il revienne!

– Je le reverrai vivant... Et vous aussi.

– Personne n'échappe aux solitudes de la Nubie; il y mourra de soif.

– La loi du désert lui fut déjà favorable; Souti survivra et il réglera ses comptes.

– C'est contraire à la justice!

– Je le déplore, mais comment le contrôler?

– Vous devez assurer ma sécurité.

– Comme celle de tous les habitants de ce pays.

– Faites rechercher Souti et arrêtez-le.

– Dans le désert de Nubie? Impossible. Patientons, et attendons qu'il se manifeste. Que la nuit vous soit douce, dame Tapéni.

Caché derrière l'énorme tronc d'un sycomore, l'avaleur d'ombres vit passer le vizir, son épouse, Kem, et son maudit babouin, l'oreille aux aguets.

Après son récent échec, l'assassin avait eu envie de tenter un coup de force pendant la réception. Mais le Nubien veillait à l'intérieur, et le singe à l'extérieur. N'aurait-il pas gâché plusieurs années de succès, sur un simple accès de vanité, pour prouver que personne, pas même un vizir, ne pouvait lui échapper?

Il devait garder son sang-froid. Après avoir brisé la nuque de Courtes-cuisses, médiocre maître-chanteur qui avait eu le tort de le soupçonner, l'avaleur d'ombres avait senti ses mains trembler pour la première fois. Tuer ne l'impressionnait pas davantage qu'auparavant, mais ne pas réussir à supprimer Pazair l'horripilait.

Une force étrange protégeait-elle le vizir? Non, il ne s'agissait que d'un policier nubien et d'un babouin à l'intelligence aiguisée.

L'avaleur d'ombres gagnerait le combat le plus acharné de sa carrière.

CHAPITRE 24

Souti tâta ses lèvres, ses joues, son front, mais ne reconnut pas les lignes de son visage. Il n'était plus qu'une masse boursouflée et douloureuse ; gonflées, ses paupières l'empêchaient de voir. Allongé sur un brancard que portaient six solides Nubiens, il ne parvint pas à remuer les jambes.

— Tu es là ?

— Bien sûr, répondit Panthère.

— Alors, tue-moi.

— Tu survivras ; encore quelques jours, et le venin se dissipera. Puisque tu parviens à parler, ton sang circule de nouveau. Le vieux guerrier noir ne comprend pas comment ton organisme a résisté.

— Mes jambes... Je suis paralysé !

— Non, ligoté. Tes convulsions gênaient les porteurs ; sans doute des cauchemars. Rêvais-tu de la dame Tapéni ?

— J'étais plongé dans un océan de lumière où personne ne m'importunait.

— Tu mériterais d'être abandonné sur le bord de la piste.

— Depuis combien de temps suis-je inconscient ?

— Le soleil s'est déjà levé trois fois.

— Avons-nous avancé ?

— Nous marchons vers notre or.

– Pas de soldats égyptiens ?

– Personne en vue, mais nous approchons de la frontière ; les Nubiens deviennent nerveux.

– Je reprends le commandement.

– Dans ton état ?

– Détache-moi.

– Sais-tu que tu es affreux ?

Panthère aida Souti à se mettre sur pied.

– Comme c'est bon, de sentir la terre ! Un bâton, vite.

S'appuyant sur une canne grossière, Souti marcha en tête du clan. Sa fierté fascina Panthère.

*

La troupe passa à l'ouest d'Éléphantine et du poste frontière de la première province du sud. Quelques guerriers isolés s'étaient joints à elle pendant sa lente remontée vers le nord. Souti avait confiance en ces combattants valeureux et expérimentés ; s'ils rencontraient des policiers du désert, ils n'hésiteraient pas à les affronter.

Les Nubiens suivaient la déesse blonde ; chargés d'or, ils rêvaient de conquêtes et de victoires, sous la conduite de l'Égyptien, plus fort que le scorpion. Ils franchirent une barrière de granit en empruntant des sentiers étroits, marchèrent dans le lit d'un oued desséché, tuèrent du gibier pour se nourrir, burent avec parcimonie et cheminèrent sans aucune plainte.

Le visage de Souti avait retrouvé sa beauté, et le héros son allant. Premier levé, dernier couché, il se gavait de l'air du désert et devenait infatigable. Panthère ne l'en aima que davantage ; le jeune homme prenait la stature d'un authentique chef de guerre, dont la parole s'imposait et dont les décisions ne se discutaient pas.

Les Nubiens lui avaient fabriqué plusieurs arcs de tailles diverses, qu'il utilisa pour abattre des antilopes et un lion. Avec un instinct très sûr, comme s'il avait toujours parcouru les pistes inexplorées, il mena sa petite armée aux points d'eau.

– Une escouade de policiers vient vers nous, l'avertit un guerrier noir.

Souti les identifia aussitôt : « ceux à la vue perçante » parcouraient le désert afin d'assurer la sécurité des caravanes et d'arrêter les bédouins pillards. D'ordinaire, ils ne s'aventuraient pas dans ces parages.

– Attaquons-les, préconisa Panthère.

– Non, répliqua Souti ; cachons-nous, et laissons-les s'éloigner.

Les Nubiens se dissimulèrent dans un amas rocheux que longèrent les policiers ; les chiens, assoiffés et fatigués, ne sentirent pas leur présence. En fin de mission, l'escouade se dirigeait vers la vallée.

– Nous les aurions exterminés sans difficulté, marmonna Panthère, couchée à côté de Souti.

– S'ils n'étaient pas revenus, le poste d'Éléphantine aurait donné l'alerte.

– Tu ne veux pas tuer des Égyptiens... Moi, j'en rêve ! Toi, le paria, tu es à la tête de Nubiens dissidents dont le seul métier est la guerre. Bientôt, tu devras te battre ; c'est ta nature, Souti, et tu n'y échapperas pas.

La main de Panthère caressa le torse de son amant ; dissimulés par deux blocs de granit, oublieux du danger, ils s'étreignirent dans la chaleur du zénith. Couverte de bijoux d'or provenant de la cité perdue, la peau mordorée et brûlante, la Libyenne joua de son corps comme d'une lyre et chanta une mélodie enflammée dont Souti apprécia chaque note.

*

– C'est là, dit Panthère ; je reconnais le paysage.

La Libyenne serra le poignet droit de Souti à le briser.

– Notre or est là, dans cette caverne ; à mes yeux, il est plus précieux que tout autre. Tu as tué un général égyptien pour t'en emparer.

– Nous n'en avons plus besoin.

– Au contraire ! Avec lui, tu seras le maître de l'or.

Souti ne put détacher son regard de la grotte où il avait caché le trésor d'un général félon, que la loi du désert avait condamné à mort. Panthère avait eu raison de l'entraîner jusque-là ; refuser cet épisode de sa vie et l'enfouir dans l'oubli eussent été lâcheté. Comme son ami Pazair, Souti était épris de justice ; si son bras n'avait pas frappé le fuyard, elle n'eût pas été rendue. Le ciel lui avait accordé l'or du traître, destiné à acheter sa tranquillité au Libyen Adafi.

– Viens, exigea-t-elle. Viens admirer notre avenir.

Elle s'avança, superbe. De son collier et de ses bracelets jaillirent des reflets aveuglants ; les Nubiens s'agenouillèrent, fascinés par la marche lente de leur déesse d'or, en direction du sanctuaire connu d'elle seule. Si elle les avait conduits si loin en territoire égyptien, c'était pour accroître leur puissance magique et les rendre invincibles ; quand elle pénétra dans la grotte en compagnie de Souti, les noirs chantèrent la mélopée immémoriale saluant le retour de la fiancée lointaine, prête à célébrer ses noces avec l'âme de son peuple.

Panthère était persuadée que cette prise de possession scellerait son destin en l'unissant à celui de Souti ; l'instant présent serait porteur de mille lendemains aux couleurs chatoyantes.

Souti revivait l'exécution du général Asher, ce vil assassin certain d'échapper au tribunal du vizir et de couler une vieillesse heureuse en Libye, où il aurait fomenté des troubles contre l'Égypte. Le jeune homme ne regrettait pas son geste ; en lui s'était inscrite la rectitude des étendues arides, où le mensonge ne fleurissait pas.

La grotte leur parut fraîche ; des chauves-souris, importunées, voletèrent en tous sens avant de s'agripper de nouveau aux parois, la tête en bas.

– C'était bien ici, déplora Panthère ; mais où se trouve le chariot ?

— Avançons.

— Inutile, je me souviens de l'endroit précis où nous l'avions dissimulé.

Souti explora en vain le moindre recoin; la grotte était vide.

— Qui a pu savoir... qui a osé...

Folle de rage, Panthère arracha son collier d'or et le fracassa contre la roche.

— Éventrons cette caverne de malheur!

Souti ramassa un morceau de tissu.

— Regarde ceci.

Elle se pencha sur la trouvaille.

— De la laine colorée, indiqua-t-il; nos voleurs ne sont pas des démons de la nuit, mais des coureurs des sables. Quand ils ont sorti le chariot, l'un d'eux a déchiré sa robe sur une aspérité de la paroi.

Panthère reprit espoir.

— Lançons-nous à leur poursuite.

— Inutile.

— Je ne renoncerai pas.

— Moi non plus.

— Que préconises-tu?

— Rester ici et patienter; ils reviendront.

— Pourquoi cette certitude?

— Dans notre hâte d'explorer les lieux, nous avons oublié le cadavre.

— Asher est bien mort.

— Il devrait subsister des ossements à l'endroit où je l'ai abattu.

— Le vent...

— Non, ses amis l'ont emporté. Ils nous attendent, avec l'intention de se venger.

— Sommes-nous tombés dans un traquenard?

— Des guetteurs ont observé notre arrivée.

— Et si nous n'étions pas revenus?

— Peu probable; pendant plusieurs années, ils seraient restés à leur poste, tant que la certitude de notre décès n'aurait pas été acquise. Aurais-tu pris d'autres dispositions si tu avais été l'alliée du général ? Nous identifier est essentiel ; nous supprimer, un plaisir.

— Nous nous battrons.

— À condition qu'ils nous laissent du temps pour préparer notre défense. Ils ont même pris mon arc... Me transpercer avec mes propres flèches les ravira.

La poitrine nue, ses seins splendides et fermes offerts au soleil, Panthère harangua ses fidèles. Elle leur expliqua que des coureurs des sables avaient pillé le sanctuaire de la déesse d'or et dérobé ses biens ; l'affrontement s'annonçait inévitable, et elle confiait à Souti le soin de les conduire à la victoire.

Personne ne protesta, pas même le vieux guerrier. À l'idée de faire boire par le sable le sang des bédouins, il se sentit rajeuni ; les Nubiens prouveraient leur valeur. Au corps à corps, personne ne les égalerait.

Bien qu'il en fût persuadé, l'ex-lieutenant de charrerie Souti organisa un véritable camp retranché en utilisant des blocs derrière lesquels les archers nubiens seraient à l'abri. Dans la grotte, ils entreposèrent les outres remplies d'eau, la nourriture et les armes. À quelque distance de leur position, ils creusèrent des trous, répartis de manière inégale.

Puis l'attente commença.

Souti goûta ce temps interrompu, attentif aux chants secrets du désert, à ses mouvements invisibles et aux paroles du vent ; assis en scribe, faisant un avec la roche, il ressentait à peine la chaleur. Il redoutait moins le fracas des armes que le bruit et l'agitation de la ville ; ici, le moindre acte devait être en harmonie avec le silence, porteur des pas des nomades.

Bien que Pazair l'eût abandonné, il aurait aimé l'avoir à ses côtés, partager ce moment où l'errance prenait fin. Sans mot dire, ils se seraient nourris du même feu, le regard perdu dans l'horizon ocre, dévoreur d'éphémère.

Féline, Panthère l'enlaça par-derrière; douce comme un parfum de printemps, elle caressa sa nuque.

– Et si tu t'étais trompé?

– Aucun risque.

– Avoir volé notre or suffit peut-être à ces pillards.

– Nous avons interrompu un trafic; récupérer la marchandise ne suffit pas: ils doivent nous identifier.

En raison de la chaleur, selon la coutume que partageaient Nubiens et Égyptiens, hors des villes, ils vivaient nus. Panthère ne se lassait pas d'admirer le corps splendide de son amant, qui le lui rendait bien; leur peau brunie ne redoutait pas le soleil, leur désir s'en vivifiait. Chaque jour, la déesse blonde changeait de bijoux; l'or embellissait ses courbes et ses vallons, et la rendait inaccessible à d'autres qu'à Souti.

– Si des Libyens sont alliés aux coureurs des sables, les combattras-tu?

– J'abattrai les voleurs.

Leur baiser fut digne de l'immensité, leurs corps réunis roulèrent dans un sable tendre que faisait frissonner une brise du nord.

*

Le vieux guerrier signala à Souti que l'homme chargé de la corvée d'eau n'était pas revenu.

– Quand est-il parti?

– Lorsque le soleil a bondi au-dessus de la grotte; d'après sa position dans le ciel, il devrait être rentré depuis longtemps.

– Le point d'eau était peut-être à sec.

– Non, il nous aurait abreuvés plusieurs semaines.

– Avais-tu confiance en lui?

– C'était mon cousin.

– L'attaque d'un lion...

– Les fauves boivent la nuit; il savait parer leurs assauts.

– Partons-nous à sa recherche ?

– S'il n'est pas de retour avant le couchant, c'est qu'on l'aura tué.

Les heures s'écoulèrent. Les Nubiens ne chantaient plus ; immobiles, ils regardaient dans la direction du point d'eau, vers l'endroit où leur camarade aurait dû apparaître.

L'astre du jour déclina, entra dans la montagne d'Occident, et descendit dans la barque de la nuit, afin de parcourir les espaces souterrains où il affronterait l'énorme dragon qui tenterait d'absorber l'eau de l'univers et d'assécher le Nil.

La piste demeura vide.

– On l'a tué, affirma le vieux guerrier.

Souti fit doubler la garde ; peut-être les agresseurs approchaient-ils de la grotte. S'il s'agissait des coureurs des sables, ils n'hésiteraient pas à violer les lois de la guerre et à lancer un assaut pendant la nuit.

Assis face au désert, il se demanda, sans angoisse, s'il vivait ses dernières heures ; seraient-elles empreintes de la gravité paisible des roches oubliées, ou de la fureur d'un ultime affrontement ?

Panthère se lova contre lui.

– Te sens-tu prêt ?

– Autant que toi.

– N'essaie pas de mourir sans moi ; nous franchirons ensemble la porte de l'au-delà. Mais auparavant, nous serons riches et vivrons comme des rois ; si tu le veux vraiment, nous y parviendrons. Sois un chef, Souti, ne gaspille pas ton énergie.

Comme il ne répondait pas, elle respecta son silence et se joignit à son sommeil.

*

L'air froid réveilla Souti ; le désert était gris, la lumière du matin engluée dans une brume épaisse. Panthère ouvrit les yeux.

– Réchauffe-moi.

Il la serra contre lui, mais s'écarta brusquement, les yeux rivés sur le lointain.

– À vos postes, ordonna-t-il aux Nubiens.

De la brume émergeaient des dizaines d'hommes armés et des chars.

CHAPITRE 25

Les cheveux longs, la barbe mal taillée, un tissu enroulé autour de la tête, de longues robes aux rayures colorées, les coureurs des sables se tenaient serrés les uns contre les autres. Certains, affamés, avaient les clavicules saillantes, les épaules creusées et les côtes apparentes ; sur leur dos voûté, des nattes roulées.

Ensemble, ils brandirent leurs arcs et lancèrent une première volée de flèches qui n'atteignit aucun Nubien. Comme Souti avait donné l'ordre de ne pas riposter, les Bédouins s'enhardirent ; vociférant, ils s'approchèrent.

Les archers nubiens se montrèrent à la hauteur de leur réputation ; pas un ne manqua sa cible. De plus, leur cadence de tir fut rapide et soutenue ; à un contre dix, ils rétablirent vite l'équilibre. Les survivants reculèrent, laissant la place à des chars légers, au plancher fait de lanières de cuir entrecroisées et recouvertes de peaux de hyènes ; sur les panneaux extérieurs, la figure agressive d'une divinité à cheval. Un homme tenait les rênes, un second brandissait un javelot. L'un et l'autre portaient une barbiche et avaient la peau cuivrée.

— Des Libyens, observa Souti.

— Impossible, objecta Panthère, ulcérée.

— Des Libyens associés aux coureurs des sables ; souviens-toi de ta promesse.

– Je leur parlerai, ils ne m'attaqueront pas.
– Tu t'illusionnes.
– Laisse-moi essayer.
– Ne cours pas ce risque.

Les chevaux piaffaient. Chaque manieur de javelot éleva un bouclier à la hauteur de sa poitrine; parvenu à proximité de l'adversaire, il lancerait son dard.

La Libyenne se leva et sortit de son abri. Elle franchit la ligne des blocs, fit quelques pas dans l'étendue plate qui la séparait des chars.

– Couche-toi! hurla Souti.

Un javelot était parti, puissant et précis.

La flèche de Souti perça la gorge du lanceur, alors que son geste n'était même pas achevé. En se jetant de côté, Panthère avait évité le coup fatal. Elle rampa pour revenir vers la grotte.

Les assaillants se ruèrent à l'assaut, tandis que les Nubiens, rendus furieux par l'agression contre leur déesse d'or, tiraient flèche sur flèche.

Les conducteurs de char virent trop tard les trous creusés dans le sable; quelques-uns les évitèrent, certains se renversèrent, la plupart tombèrent dans le piège. Les roues se disloquèrent, les caisses se brisèrent, leurs occupants furent jetés à terre. Les Nubiens se précipitèrent sur eux et ne firent pas de quartier; du champ de bataille, ils ramenèrent chevaux et javelots.

Au terme du premier affrontement, Souti n'avait perdu que trois Nubiens et infligé de lourdes pertes à la coalition formée des Bédouins et des Libyens. Les vainqueurs acclamèrent la déesse d'or, le vieux guerrier composa un chant à sa gloire. Malgré l'absence de vin de palme, l'ivresse gagna les esprits; Souti dut forcer la voix pour empêcher la troupe de quitter sa position. Chacun désirait exterminer seul le reste des ennemis.

Un char peint en rouge sortit d'un nuage de poussière. En descendit un homme sans armes, les bras le long du corps; altier, il avait une curieuse tête carrée, disproportionnée par rapport à son corps. Sa voix rauque portait loin.

– Je veux parler à votre chef.

Souti se montra.

– Me voici.

– Comment t'appelles-tu ?

– Et toi ?

– Mon nom est Adafi.

– Le mien Souti, officier de l'armée d'Égypte.

– Rapprochons-nous ; crier ne sied pas à un entretien constructif.

Les deux hommes s'avancèrent l'un vers l'autre.

– Ainsi, c'est toi, Adafi, l'ennemi juré de l'Égypte, le comploteur, le fauteur de troubles ?

– C'est toi qui a tué mon ami, le général Asher ?

– J'ai cet honneur, bien que la mort de ce traître fût trop douce.

– Un officier égyptien à la tête d'une bande de nomades nubiens... N'es-tu pas plutôt un traître, toi aussi ?

– Tu as volé mon or.

– Il m'appartenait ; c'était le prix convenu avec le général pour une paisible retraite sur mon territoire.

– Ce trésor est mon bien.

– A quel titre ?

– Prise de guerre.

– Tu ne manques pas d'aplomb, jeune homme.

– Je réclame mon dû.

– Que sais-tu de mon trafic avec les mineurs ?

– Ton gang est anéanti et tu ne disposes d'aucun appui en Égypte. Disparais au plus vite et réfugie-toi au fin fond de ton pays barbare. Peut-être la fureur de Pharaon ne t'y atteindra-t-elle pas.

– Si tu veux ton or, il te faudra le gagner.

– Est-il ici ?

– Sous ma tente. Puisque tu as vaincu le général Asher dont j'ai enterré les ossements, pourquoi ne deviendrions-nous pas amis ? En guise de pacte, je te propose la moitié de l'or.

– J'exige la totalité.

179

— Tu es trop gourmand.

— Tu as déjà perdu beaucoup d'hommes ; mes guerriers sont supérieurs aux tiens.

— C'est sans doute vrai, mais je connais tes pièges, et nous sommes plus nombreux.

— Mes Nubiens se battront jusqu'au dernier.

— Qui est la femme blonde ?

— Leur déesse d'or ; grâce à elle, ils ignorent la peur.

— Mon épée tranchera la tête de cette superstition.

— À condition que tu survives.

— Si tu refuses de collaborer, je t'éliminerai.

— Tu ne t'enfuiras pas, Adafi ; tu deviendras le plus remarquable de mes trophées.

— L'orgueil te tourne la tête.

— Si tu veux épargner la vie de tes troupes, défie-moi.

Le Libyen dévisagea Souti.

— Contre moi, tu n'as aucune chance.

— À moi d'en juger.

— Tu es bien jeune pour mourir.

— Si je gagne, je reprends mon or.

— Et si tu perds ?

— Tu t'empares du mien.

— Du tien... Que veux-tu dire ?

— Mes Nubiens transportent une belle quantité de métal précieux.

— Ainsi, c'est toi qui as repris le trafic, à la place du général.

Souti resta silencieux.

— Tu périras, prophétisa Adafi, dont le large front se rida.

— Quelles armes utiliserons-nous ?

— Chacun les siennes.

— J'exige la signature d'un traité, approuvé par les deux camps.

— Les dieux seront témoins.

La cérémonie fut organisée sans délai ; trois Libyens et trois Nubiens, dont le vieux guerrier, y participèrent.

180

Ils invoquèrent les génies du feu, de l'air, de l'eau et de la terre, chargés de détruire l'éventuel parjure, puis convinrent d'une nuit de repos avant le duel.

Près de la grotte, les Nubiens formèrent un cercle autour de la déesse d'or ; ils implorèrent sa protection et la supplièrent d'accorder la victoire à leur héros. Avec des pierres friables, laissant des marques rouges sur la peau, ils décorèrent le corps de Souti de signes de guerre.

— Ne fais pas de nous des esclaves.

L'Égyptien s'assit face au soleil, puisant dans la lumière du désert la force des géants d'autrefois, capables de déplacer des blocs de granit pour bâtir des temples où s'incarnait l'invisible. S'il avait refusé la voie des scribes et des prêtres, Souti ressentait la présence d'une énergie cachée dans le ciel comme dans le sol ; il l'absorbait en respirant, la canalisait en se concentrant sur le but à atteindre.

Panthère s'agenouilla près de lui.

— C'est une folie ; jamais Adafi ne fut terrassé en combat singulier.

— Quelle arme préfère-t-il ?

— Le javelot.

— Ma flèche sera plus rapide.

— Je ne veux pas te perdre.

— Puisque tu désires être très riche, je dois prendre des risques. Crois-moi, il n'existait pas d'autre solution ; voir ces Nubiens massacrés me répugnait.

— Me voir veuve t'indiffère ?

— En tant que déesse d'or, tu me protégeras.

— Quand Adafi t'aura tué, je lui plongerai un poignard dans le ventre.

— Tes compatriotes te lyncheront.

— Les Nubiens me défendront... Et ce sera le massacre que tu redoutes tant !

— Sauf si je suis vainqueur.

— Je t'enterrerai dans le désert et j'irai brûler vive la dame Tapéni.

— M'autoriseras-tu à allumer le bûcher?

— Je t'aime, quand tu rêves; je t'aime, parce que tu rêves.

*

La brume recouvrit de nouveau le désert, étouffant les clartés de l'aube. Souti s'avança; le sable crissa sous ses pieds nus. Dans sa main droite, un arc de moyenne portée, le meilleur dont il disposait; dans la gauche, une seule flèche. Il n'aurait pas le temps d'en tirer une autre; Adafi avait la réputation d'un jouteur invincible, que nul adversaire n'avait pu mettre en péril. Insaisissable, il échappait aux expéditions policières chargées de l'intercepter; son activité préférée consistait à armer rebelles et pillards pour entretenir l'insécurité dans les provinces occidentales du Delta. Adafi ne songeait-il pas à régner sur le nord de l'Égypte?

Les rayons de soleil déchirèrent la grisaille. Très digne dans sa robe rouge et verte, les cheveux cachés dans un turban noir, il se tenait à une cinquantaine de mètres de son adversaire.

Souti sut qu'il avait perdu.

Adafi ne maniait pas un javelot, mais l'arc préféré de l'Égyptien, qu'il avait dérobé dans la grotte. Une arme d'une exceptionnelle qualité, en bois d'acacia, capable d'expédier une flèche à plus de soixante mètres en tir direct. Celui qu'utiliserait Souti semblait presque dérisoire; d'une précision aléatoire, il ne lui permettait pas d'abattre le Libyen, tout au plus de le blesser. S'il tentait de s'approcher, Adafi tirerait le premier, sans même lui accorder la possibilité de répliquer.

Le visage du Libyen avait changé : dur, fermé, il ne portait plus la moindre trace d'humanité. Adafi voulait tuer, son être entier portait la mort. Le regard froid, il attendait que sa proie tremble.

L'ex-lieutenant de la charrerie comprit pourquoi le Libyen sortait toujours vainqueur de ses duels. À plat ventre derrière un monticule, sur la gauche, un autre archer libyen protégeait Adafi. Agirait-il avant son maître, coordineraient-ils leurs gestes ?

Souti se reprocha sa stupidité. Un combat franc et loyal, le respect de la parole donnée... Pas un instant Adafi n'y avait songé. Le premier instructeur du jeune Égyptien lui avait pourtant appris que Bédouins et Libyens frappaient souvent dans le dos. Cet oubli lui coûterait la vie.

Adafi, Souti et le Libyen embusqué tendirent leur arc au même instant ; l'Égyptien déploya un effort progressif, augmentant peu à peu la tension. Son attitude amusa Adafi ; ce dernier avait supposé que Souti tenterait d'abord d'éliminer l'homme placé sur sa gauche, puis de tirer une autre flèche dans sa direction. Mais il ne s'était muni que d'un seul projectile.

Du coin de l'œil, le jeune homme assista à une scène aussi violente que rapide. Panthère, arrivée en rampant dans le dos du Libyen accroupi, lui trancha la gorge. Adafi remarqua le drame et pointa sa flèche en direction de la femme blonde, qui s'aplatit dans le sable. Souti profita de cette faute, tendit la corde au maximum, s'identifia au trait et projeta son esprit vers sa cible. Conscient de son erreur, Adafi précipita son tir.

Sa flèche rasa la joue droite de Souti ; celle de l'Égyptien se ficha dans l'œil droit du Libyen. Foudroyé, Adafi tomba face contre terre.

Pendant que les Nubiens clamaient leur joie, Souti trancha la main droite du vaincu et brandit son arc vers le ciel.

*

Les coureurs des sables et les Libyens lâchèrent leurs armes et se prosternèrent devant le couple embrassé que formaient Souti et Panthère.

Le visage de la déesse d'or éclatait de bonheur ; riche, heureuse, une armée à ses pieds, des soldats libyens contraints de lui obéir, elle assistait à la matérialisation de ses rêves les plus fous.

— Vous êtes libres de partir ou de m'obéir, déclara Souti; si vous me suivez, vous aurez de l'or. A la moindre désobéissance, je vous exécuterai de ma main.

Personne ne broncha; la récompense promise aurait séduit les mercenaires les plus méfiants. Souti examina les chars et les chevaux; les uns et les autres lui donnèrent satisfaction. Avec quelques charriers bien entraînés et des archers nubiens supérieurs à n'importe quel rival, l'ex-lieutenant disposait d'une armée efficace et cohérente.

— Tu es le maître de l'or, dit Panthère, radieuse.

— Tu m'as encore sauvé la vie.

— Je te l'ai déjà dit: sans moi, tu n'accompliras rien de grand.

Souti distribua une première paye, qui dissipa toute animosité à son égard. Les Libyens offrirent du vin de palme aux Nubiens, et leur fraternisation prit la forme d'une beuverie ponctuée de chants et de rires. Leur nouveau chef s'était isolé, préférant le silence du désert. Panthère le rejoignit.

— M'oublierais-tu, dans ton rêve?

— N'est-ce pas toi qui l'inspires?

— Tu as rendu un immense service à l'Égypte; en tuant Adafi, tu as éliminé l'un de ses plus tenaces adversaires.

— Que faire de cette victoire?

CHAPITRE 26

Vêtu d'un pagne médiocre, chaussé de sandales usées, mal rasé, le vizir Pazair se promena sur le grand marché de Memphis, mêlé aux badauds. Était-il meilleur moyen de savoir ce que pensait la population ? Avec satisfaction, il constata que des produits variés étaient proposés à la clientèle. La circulation des bateaux s'effectuait de façon ininterrompue sur le Nil, la livraison des denrées alimentaires bénéficiait d'une appréciable régularité. Une récente vérification des installations portuaires et des bassins artificiels où les bateaux étaient révisés deux fois l'an, avait démontré l'excellent état de la flotte marchande.

Pazair nota que le troc allait bon train, et que de nombreux échanges se concluaient sur des bases normales; l'inflation, bien jugulée, ne pénalisait pas les plus modestes. Parmi les commerçants, un grand nombre de femmes qui occupaient des places avantageuses et convoitées. Lorsque les discussions duraient, le porteur d'eau désaltérait les plaideurs. « Mon cœur est content ! » s'exclama un paysan, heureux d'avoir acquis une cruche contre de belles figues. Des curieux s'assemblèrent autour d'une magnifique pièce de lin que déployaient deux marchands de tissu.

– Un drap divin ! commenta une dame aisée.

– C'est pourquoi son prix est élevé, indiqua le fabricant.

– Depuis la nomination du nouveau vizir, les augmentations intempestives sont mal vues.

– Tant mieux! On vendra plus et on achètera mieux. Si vous me prenez ce drap, j'y ajoute une écharpe.

Alors que l'affaire se concluait, Pazair s'intéressa à un vendeur de sandales, accrochées par des ficelles à une poutrelle en bois que soutenaient deux colonnettes.

– Tu ferais bien de changer de chaussures, mon gars, estima le spécialiste. Tu as trop marché avec celles que tu portes; la semelle ne va pas tarder à rendre l'âme.

– Je n'ai pas les moyens.

– Tu as une bonne tête; je te ferai crédit.

– C'est contre mes principes.

– Qui n'a pas de dettes s'enrichit! Entendu, je répare les tiennes pour pas grand-chose.

Gourmand, Pazair s'offrit un gâteau au miel, à l'écart des conversations qui portaient sur la préparation du prochain repas. Nulle inquiétude dans les propos, nulle contestation de l'action du vizir. Pourtant, ce dernier ne fut guère rassuré; le nom de Ramsès n'était presque jamais prononcé.

Pazair s'approcha d'une vendeuse d'onguents et négocia une petite fiole.

– Un peu cher, jugea-t-il.

– Tu es de la ville?

– Non, de la campagne. Le prestige de Memphis m'attirait; Ramsès le grand en a fait la plus belle cité du monde. J'aimerais tant le voir! Quand sortira-t-il de son palais?

– Nul ne le sait; on prétend qu'il est souffrant et qu'il réside à Pi-Ramsès, dans le Delta.

– Lui, l'homme le plus robuste du pays?

– On murmure que sa puissance magique est épuisée.

– Eh bien, qu'il soit régénéré!

– Est-ce encore possible?

– Alors, un nouveau souverain...

La marchande hocha la tête.

– Qui succédera à Ramsès?

– Qui pourrait le savoir?

Des cris s'élevèrent. La foule se disloqua, ouvrant un passage à Tueur; en quelques bonds, il fut aux pieds de Pazair. Croyant qu'elle avait affaire à un voleur et que le babouin policier allait l'arrêter, la marchande passa prestement une corde autour du cou du délinquant, afin de l'immobiliser. Contrairement à son habitude, le singe ne mordit pas le mollet de sa victime, mais resta planté devant elle jusqu'à l'arrivée de Kem.

– Je l'ai arrêté moi-même! se vanta la marchande; ai-je droit à une prime?

– Nous verrons, répondit le Nubien en entraînant Pazair.

– Vous avez l'air furieux, remarqua le vizir.

– Pourquoi ne pas m'avoir prévenu? Vous avez commis une grande imprudence!

– Personne ne pouvait me reconnaître.

– Tueur vous a bien retrouvé.

– J'avais besoin d'écouter les gens.

– En savez-vous davantage?

– La situation n'est pas brillante; Bel-Tran prépare les consciences à la chute de Ramsès.

*

Néféret était en retard, malgré l'importance de la commission administrative qu'elle devait présider. Quelques grincheux l'accuseraient de coquetterie, alors qu'elle avait soigné, en urgence, Coquine, le petit singe vert souffrant d'indigestion, Brave, le chien affecté d'une toux spasmodique, et Vent du Nord, l'âne qui s'était écorché une patte.

S'occuper des trois bons génies de la maison lui apparaissait comme une priorité.

L'assemblée de notables se leva à l'entrée du méde-cin-chef du royaume et s'inclina devant elle. La beauté de Néféret dissipa les velléités de critiques ; lorsqu'elle parlait, sa voix agissait comme un baume, et les vieux praticiens ne se lassaient pas de ce remède.

La présence de Bel-Tran surprit Néféret.

– L'administration me délègue comme interlocuteur financier, expliqua-t-il. Aujourd'hui doivent être adop-tées des mesures concernant la santé publique ; je dois m'assurer qu'elles ne compromettront pas l'équilibre budgétaire de l'État dont j'assume la responsabilité devant le vizir.

D'ordinaire, la Double Maison blanche se contentait d'envoyer un délégué ; l'intervention du directeur annonçait un combat auquel Néféret n'était guère pré-parée.

– Je suis insatisfaite du nombre d'hôpitaux dans les capitales provinciales et les petites agglomérations ; je vous propose la création d'une dizaine d'établissements, sur le modèle de celui de Memphis.

– Objection, intervint Bel-Tran ; le coût serait énorme.

– Les chefs de province financeront la construction ; le service de santé leur attribuera les médecins compé-tents et assurera le fonctionnement. Nous n'aurons pas besoin d'une aide de la Double Maison blanche.

– Le versement des impôts sera affecté !

– Selon le décret de Pharaon, les chefs de province ont le choix : soit s'en acquitter auprès de votre admi-nistration, soit améliorer les équipements sanitaires. Ils ont choisi la seconde solution, d'après mes conseils, et en toute légalité. Nous continuerons l'an prochain, je l'espère.

Bel-Tran fut obligé de s'incliner ; il ne croyait pas que Néféret eût agi avec tant d'habileté et de promipti-tude. Sans ostentation, elle nouait des liens solides avec des responsables locaux.

– Selon le « livre de la protection », datant du temps

des ancêtres fondateurs, l'Égypte ne doit négliger aucun de ses enfants ; à nous, en tant que médecins, de guérir ceux qui souffrent. Ramsès, au début de son règne, a promis une existence heureuse aux jeunes générations ; la santé, pour tous, est un élément essentiel de ce bonheur. C'est pourquoi j'ai décidé de former davantage de médecins et d'infirmiers, afin que chacun, quel que soit son lieu d'habitation, bénéficie des meilleurs traitements.

— Je souhaite une modification de la hiérarchie médicale, déclara Bel-Tran. Donnons davantage d'importance aux spécialistes et beaucoup moins aux généralistes. Demain, avec l'ouverture de l'Égypte sur le monde extérieur, les spécialistes s'enrichiront facilement et nous les exporterons avec profit.

— Tant que je serai médecin-chef, affirma la jeune femme, nous préserverons la tradition ; si les spécialistes prenaient le pouvoir, la médecine perdrait sa vision de l'essentiel : l'être humain dans son entier, l'harmonie de l'esprit et du corps.

— Si vous n'acceptez pas mes vues, la Double Maison blanche vous deviendra hostile.

— S'agirait-il d'un chantage ?

Bel-Tran se leva ; impérieux, il s'adressa à l'assemblée.

— La médecine égyptienne est la plus réputée, quantité de savants étrangers séjournent chez nous pour en apprendre les bases. Mais il faut réformer nos méthodes, et rentabiliser davantage cette source d'enrichissement. Votre science mérite mieux, croyez-moi ! Produisons beaucoup plus de remèdes, utilisons les drogues et les poisons dont nous connaissons les secrets, préoccupons-nous de la quantité ! Tel est l'avenir.

— Nous le refusons.

— Vous avez tort, Néféret ; je suis venu vous avertir, vous et vos collègues, à titre amical. Rejeter mon aide serait une erreur désastreuse.

— L'accepter serait détruire notre vocation.

– Ce n'est pas une valeur marchande.

– La santé non plus.

– Vous vous trompez, comme le vizir; défendre le passé ne vous mènera nulle part.

– Je suis incapable de guérir la maladie dont vous souffrez.

*

Bagey, l'ancien vizir, était venu consulter Néféret à cause d'insupportables douleurs rénales et d'urines sanguinolentes. Le médecin-chef l'avait examiné pendant plus d'une heure, et diagnostiqué une hématurie parasitaire que guérirait une préparation magistrale, composée de graines de pin pignon, de souchet, de jusquiame, de miel et de terre de Nubie *, à absorber chaque soir, avant le coucher. La thérapeute rassura son patient; ce traitement serait efficace.

– Mon organisme s'use, déplora Bagey.

– Vous êtes plus solide que vous ne le croyez.

– Ma résistance diminue.

– L'infection est la cause de cette faiblesse passagère; je vous promets une amélioration rapide, suivie d'une longue vieillesse.

– Comment se porte votre époux?

– Il aimerait vous revoir.

*

Pazair et Bagey marchèrent à l'ombre des grands arbres du jardin. Heureux de cette promenade imprévue, Brave les accompagna, humant au passage les parterres de fleurs.

– Bel-Tran attaque sur tous les fronts, mais je parviens à freiner son action.

* S'y ajoutaient deux ingrédients non identifiés, la plante *shames* et le fruit *shasha*.

– Avez-vous gagné la confiance des principaux responsables de l'administration ?

– Certains m'approuvent et se méfient de Bel-Tran ; par bonheur, sa brutalité et son ambition trop visible heurtent certaines consciences. Beaucoup de scribes sont fidèles à l'ancienne sagesse qui a créé ce pays.

– Je vous sens plus serein, plus sûr de vous.

– Ce n'est qu'une apparence ; chaque jour m'apparaît comme un combat, et je ne peux prévoir d'où viendront les coups. Votre expérience me manque.

– Détrompez-vous ; je n'avais plus l'énergie nécessaire. Pharaon a pris la bonne décision en vous choisissant. Bel-Tran l'a compris ; il ne s'attendait pas à une telle résistance de votre part.

– Comment peut-on trahir ainsi ?

– La nature humaine est capable du pire.

– Parfois, je suis découragé ; les petites victoires que je remporte ne freinent pas l'écoulement des jours. Le printemps a commencé, on parle déjà de la prochaine crue.

– Quelle est l'attitude de Ramsès ?

– Il m'incite à travailler. En ne cédant pas un pouce de terrain à Bel-Tran, j'ai l'impression de retarder l'échéance.

– Vous avez même conquis une partie de son territoire.

– C'est ma seule raison d'espérer ; en l'affaiblissant, peut-être le ferai-je douter. Prendre le pouvoir sans des soutiens suffisants aboutirait à un échec. Mais le délai sera-t-il suffisant pour que je parvienne à renverser les piliers sur lesquels repose son édifice ?

– Le peuple vous apprécie, Pazair ; il vous craint, mais il vous aime. Vous remplissez votre fonction de manière impeccable, conformément aux devoirs que le roi vous a indiqués. Dans ma bouche, il ne s'agit pas d'une flatterie.

– Bel-Tran achèterait volontiers mes services ! Quand je repense à ses démonstrations d'amitié, je me demande s'il fut sincère un seul instant, ou s'il a joué un rôle dès la première seconde, avec l'espoir de m'inclure dans sa stratégie.

– Pourquoi l'hypocrisie aurait-elle des limites ?

– Vous n'entretenez guère d'illusions.

– Je bannis l'enthousiasme; il est inutile et dangereux.

– J'aimerais vous confier quelques dossiers concernant le cadastre et l'arpentage; accepteriez-vous de vérifier si plusieurs données n'ont pas été modifiées ?

– Bien volontiers, d'autant plus qu'il s'agit de ma spécialité d'origine. Que redoutez-vous ?

– Que Bel-Tran et ses alliés tentent de voler légalement des terres.

*

La soirée était si belle et si douce que Pazair s'accorda un peu de repos auprès du bassin de plaisance. Assise sur un rebord, les pieds dans l'eau, les paupières à peine maquillées d'une ligne de fard vert, Néféret jouait d'un luth dont les cordes, accordées à l'unisson, étaient nouées à la base du manche. Sa mélodie, fruitée et légère, ravissait le vizir. Elle s'harmonisait avec le frémissement des feuilles que berçait la brise du nord.

Pazair songea à Souti, qu'un tel concert eût enchanté; sur quelle piste errait-il, quels dangers courait-il ? Le vizir misait sur son héroïsme pour effacer ses fautes, mais il se heurterait à la férocité de la dame Tapéni. D'après Kem, elle s'occupait de moins en moins de l'atelier des tisserandes pour courir dans toute la ville. De quelle manière tentait-elle de lui nuire ?

La voix du luth apaisa ses inquiétudes; les yeux clos, Pazair s'abandonna à la magie de la musique.

Ce fut le moment que l'avaleur d'ombres choisit pour agir.

Dans les parages de la demeure du vizir, il ne restait

plus qu'un seul poste d'observation, un grand palmier-dattier, planté au centre de la cour d'une petite maison qui appartenait à un couple de retraités. L'assassin s'était introduit chez eux, les avait assommés, puis avait grimpé au sommet de l'arbre, muni de son arme.

La chance le servait. Comme il l'espérait, en ce début de soirée où le soleil déclinant caressait la peau, le vizir, rentré chez lui plus tôt que d'ordinaire, se prélassait en compagnie de son épouse, dans un endroit bien dégagé.

L'avaleur d'ombres serra le bâton de jet recourbé qu'utilisaient les spécialistes de la chasse aux oiseaux. Le babouin policier, perché sur le toit de la demeure du vizir, n'aurait pas le temps d'intervenir. L'arme, redoutable lorsqu'elle était maniée avec précision, briserait la nuque de Pazair.

Le criminel s'assura une position stable, en se maintenant à une branche, de la main gauche ; il se concentra et apprécia la trajectoire. Bien que la distance fût importante, il ne manquerait pas sa cible ; dans cet exercice, il avait fait preuve, très jeune, de qualités exceptionnelles. Fracasser la tête des oiseaux le distrayait au plus haut point.

Coquine, le petit singe vert de Néféret, avait l'œil perpétuellement en alerte, prête à recueillir un fruit mûr tombant de l'arbre, ou à jouer avec le premier merle du palmier-dattier, lorsque son bras se détendit ; elle poussa un cri d'alarme.

Dans le cerveau du babouin, la coordination fut fulgurante. En un instant, il traduisit l'appel du singe vert, vit le bâton de jet fendre l'air, discerna sa cible et se jeta du haut du toit.

Dans un bond prodigieux, Tueur intercepta l'arme du crime et tomba à quelques mètres du vizir.

Stupéfaite, Néféret lâcha son luth ; Brave, assoupi, se réveilla en sursaut, et sauta sur le ventre de son maître.

Le buste droit, ses pattes ensanglantées tenant fermement le bâton de jet, l'officier de police Tueur regardait fièrement le premier ministre égyptien qu'il venait, une fois de plus, d'arracher à la mort.

L'avaleur d'ombres détalait déjà dans une ruelle, l'esprit troublé ; quelle divinité habitait l'âme de ce babouin ? Pour la première fois de sa carrière, l'assassin douta de ses capacités. Pazair n'était pas un homme comme les autres ; une force surnaturelle le protégeait. La déesse Maât, la justice du vizir, le rendait-elle invulnérable ?

CHAPITRE 27

Le babouin se laissa dorloter. Néféret lui lava les pattes avec de l'eau cuivrée, désinfecta la blessure, et le pansa. Bien qu'elle l'eût déjà constatée, la robustesse de Tueur la surprit; malgré la violence du choc, la plaie n'était pas profonde et cicatriserait très vite. Dur au mal, le babouin n'observerait qu'un ou deux jours de repos relatif, sans même cesser de marcher.

— Bel objet, apprécia Kem en examinant le bâton de jet; peut-être un début de piste. L'avaleur d'ombres a eu la bonté de nous laisser un indice intéressant. Hélas! vous ne l'avez pas vu.

— Je n'ai même pas eu le temps d'avoir peur, avoua Pazair. Sans le cri de Coquine...

Le petit singe vert avait osé s'approcher de l'énorme babouin et lui toucher le nez; Tueur n'avait pas bronché. S'enhardissant, Coquine posa sa patte minuscule sur la cuisse du grand mâle, dont l'œil sembla attendri.

— Je double le périmètre de sécurité autour de votre propriété, annonça le chef de la police, et j'interrogerai moi-même les fabricants de bâtons de jet. Nous avons enfin une chance d'identifier l'agresseur.

Une violente querelle avait opposé la dame Silkis à Bel-Tran. Bien que ce dernier admirât son fils, successeur désigné, il entendait demeurer maître chez lui; mais son épouse refusait de réprimander le garçonnet, et moins encore sa fille, dont elle acceptait mensonges et injures sans réagir.

Estimant injustes les critiques de son époux, la dame Silkis était entrée dans une violente colère. Perdant le contrôle de ses nerfs, elle avait déchiré des étoffes, brisé un coffre précieux et piétiné des robes coûteuses. Avant de partir pour son bureau, Bel-Tran avait prononcé des mots terrifiants : « tu es folle ».

La folie... Le terme l'épouvantait. N'était-elle pas une femme normale, amoureuse de son mari, esclave d'un homme riche, mère attentive ? En prenant part au complot, en se montrant nue au gardien-chef du sphinx pour lui faire perdre sa vigilance, elle avait obéi à Bel-Tran, confiante en son destin. Demain, elle et lui régneraient sur l'Égypte.

Mais des fantômes la hantaient. En acceptant d'être violée par l'avaleur d'ombres, elle s'était enfoncée dans des ténèbres qui ne se dissipaient plus; les crimes dont elle était complice la torturaient moins que cet abandon, source d'un plaisir trouble. Et puis la rupture avec Néféret... Vouloir demeurer son amie, était-ce folie, mensonge ou perversion ?

Les cauchemars succédaient aux cauchemars, les nuits blanches aux nuits blanches.

Un seul homme la sauverait : l'interprète des rêves. Il exigeait des sommes exorbitantes, mais il l'écouterait et la guiderait.

À sa femme de chambre, Silkis demanda un voile, afin de dissimuler ses traits; la servante était en larmes.

— Qu'est-ce qui te chagrine ?

— C'est affreux... Il est mort !

— Qui ?

– Venez voir.

L'aloé, superbe arbuste couronné de fleurs orange, jaune et rouge, n'était plus qu'une tige sèche. Non seulement il s'agissait d'une pièce rare, cadeau de Bel-Tran, mais encore d'un producteur de remèdes que la dame Silkis utilisait quotidiennement. L'huile d'aloé, appliquée sur les parties génitales, évitait les inflammations et favorisait l'union des corps ; de plus, étalée sur les plaques rouges qui rongeaient la jambe gauche de Bel-Tran, elle atténuait les démangeaisons.

Silkis se sentit abandonnée ; l'incident provoqua une atroce migraine. Bientôt, elle se flétrirait comme l'aloé.

*

Le cabinet de l'interprète des rêves était peint en noir et plongé dans l'obscurité. Allongée sur une natte, les yeux clos, Silkis s'apprêtait à répondre aux questions du Syrien, dont la clientèle ne se composait que de riches et nobles dames. Au lieu de devenir ouvrier ou commerçant, il avait étudié grimoires et clés des songes, bien décidé à calmer les angoisses de quelques désœuvrées, en échange d'une rétribution méritée. Les poissons n'étaient pas faciles à attraper, dans une société heureuse et libre ; mais une fois dans sa nasse, ils n'en sortaient plus. Pour se révéler efficace, le traitement ne devait-il pas être d'une durée illimitée ? Cette évidence acceptée, il lui suffisait d'interpréter les fantasmes de ses patientes, avec plus ou moins de rudesse. Déséquilibrées elles venaient, déséquilibrées elles partaient ; au moins, il les installait dans leur folie, plus ou moins légère, et augmentait sa fortune. Jusqu'à présent, son unique adversaire avait été le fisc ; aussi payait-il de lourds impôts afin de poursuivre son activité sans tracas. Mais la nomination de Néféret au poste de médecin-chef du royaume l'inquiétait ; selon des informateurs sérieux, elle n'était pas achetable et ne témoignait d'aucune indulgence vis-à-vis des charlatans de son espèce.

– Avez-vous beaucoup rêvé, ces temps-ci ? demanda-t-il à la dame Silkis.

– Des visions horribles. Je tenais un poignard et je l'enfonçais dans le cou d'un taureau.

– Comment réagissait-il ?

– Ma lame se cassait ! Il se retournait et il me piétinait.

– Avec votre mari, vos relations sont-elles... satisfaisantes ?

– Son travail l'absorbe ; il est si fatigué qu'il s'endort vite. Quand l'envie lui prend, il est pressé, trop pressé.

– Il faut tout me dire, Silkis.

– Oui, oui, je comprends...

– Avez-vous déjà manié un poignard ?

– Non.

– Un objet similaire ?

– Non, je ne crois pas.

– Une aiguille ?

– Une aiguille, oui !

– Une aiguille en nacre ?

– Oui, bien sûr ! Je sais tisser, c'est l'outil que je préfère.

– Vous en êtes-vous servie pour agresser quelqu'un ?

– Non, je vous jure que non !

– Un homme d'un certain âge... Il vous tourne le dos, vous approchez sans bruit et vous enfoncez l'aiguille de nacre dans son cou...

Silkis hurla, se mordit les doigts, et se contorsionna sur la natte. Affolé, l'interprète des rêves fut sur le point d'appeler à l'aide ; mais la crise de démence se calma. Ruisselante de sueur, Silkis s'assit.

– Je n'ai tué personne, déclara-t-elle d'une voix rauque, hallucinée ; je n'en ai pas eu le courage. Demain, si Bel-Tran me le demande, je l'aurai. Pour le garder, j'accepterai.

– Vous êtes guérie, dame Silkis.

– Que... que dites-vous ?

— Vous n'avez plus besoin de mes soins.

*

Les ânes étaient chargés et prêts à partir en direction du port lorsque Kem s'approcha de l'interprète des rêves.

— Déménagement terminé ?

— Le bateau m'attend. Direction la Grèce ; là-bas, on ne me fera pas d'ennuis.

— Sage décision.

— J'ai votre promesse : les douaniers ne m'interpelleront pas.

— Ça dépendra de ta bonne volonté.

— J'ai interrogé la dame Silkis, comme vous me l'aviez demandé.

— Lui as-tu posé les bonnes questions ?

— Sans rien comprendre, j'ai obéi à vos ordres.

— Résultat ?

— Elle n'a tué personne.

— En es-tu certain ?

— Certitude absolue. Je suis un charlatan, mais je connais ce genre de femmes ; si vous aviez assisté à son délire, vous sauriez qu'elle n'a pas joué la comédie.

— Oublie-la et oublie l'Égypte.

*

La dame Tapéni était au bord des larmes. En face d'elle, un Bel-Tran irrité, assis devant une table basse, couverte de papyrus déroulés.

— J'ai interrogé tout Memphis, je vous assure !

— Votre échec est d'autant plus cuisant, chère amie.

— Pazair ne trompe pas sa femme, ne joue pas, n'a pas de dette, ne s'occupe d'aucun trafic. C'est insensé, mais cet homme est irréprochable !

— Je vous avais prévenue : il est vizir.

— Vizir ou pas, je croyais que...

– Votre rapacité vous déforme l'esprit, dame Tapéni. L'Égypte demeure un pays à part, dont les magistrats, et plus particulièrement le premier d'entre eux, adoptent la rectitude comme ligne de conduite ; c'est ridicule et suranné, j'en conviens, mais il faut tenir compte de cette réalité. Pazair croit en sa fonction et la remplit avec passion.

Nerveuse, la jolie brune ne savait plus quelle attitude adopter.

– Je me suis trompée sur son compte.

– Je n'apprécie pas les gens qui se trompent ; lorsqu'on travaille pour moi, on réussit.

– S'il existe une faille, je la décèlerai !

– Et s'il n'en existe pas ?

– Eh bien... il faudra la creuser à son insu !

– Excellente initiative. Que proposez-vous ?

– Je réfléchirai, je...

– C'est tout réfléchi. J'ai un plan simple, fondé sur le commerce d'objets très particuliers. Consentez-vous toujours à m'aider ?

– Je suis à votre disposition.

Bel-Tran donna ses directives. L'échec de Tapéni conforta sa haine des femmes ; comme les Grecs avaient raison de les considérer comme inférieures à l'homme ! L'Égypte leur accordait trop de place. Une incapable comme cette Tapéni finirait par le gêner ; il valait mieux s'en débarrasser au plus vite, tout en démontrant à Pazair que sa fameuse justice était impuissante.

*

Dans l'atelier en plein air, cinq hommes travaillaient dur ; avec de l'acacia, du sycomore ou du tamaris, ils fabriquaient des bâtons de jet, plus ou moins solides, plus ou moins coûteux. Kem consulta le patron, un quinquagénaire bourru aux traits épais.

– Quels sont tes clients ?

– Des oiseleurs et des chasseurs. Pourquoi, ça t'intéresse ?

– Beaucoup.

– À quel titre?

– Serais-tu en faute?

Un ouvrier murmura quelques mots à l'oreille du patron.

– Le chef de la police, chez moi! Tu cherches quelqu'un?

– As-tu fabriqué ce bâton-là?

Le patron examina l'arme destinée à tuer Pazair.

– Du beau travail... Qualité supérieure. Avec ça, on atteint une cible lointaine.

– Réponds à ma question.

– Non, ce n'est pas moi.

– Quel atelier en est capable?

– Je l'ignore.

– Surprenant.

– Désolé de ne pouvoir t'aider. Une autre fois, peut-être.

En voyant le Nubien sortir de l'atelier, le patron fut soulagé. Le chef de la police n'était pas aussi obstiné qu'on le prétendait.

Lorsque l'artisan ferma l'atelier, à la nuit tombée, il changea d'avis.

La vaste main du Nubien se posa sur son épaule.

– Tu m'as menti.

– Mais non, je...

– Ne mens pas davantage; ignores-tu que je suis plus cruel que mon singe?

– Mon atelier marche bien, j'ai de bons ouvriers... Pourquoi s'acharner sur moi?

– Parle-moi de ce bâton de jet.

– D'accord, je l'ai fabriqué.

– A qui l'as-tu vendu?

– On me l'a volé.

– Quand?

– Avant-hier.

– Pourquoi ne pas m'avoir dit la vérité?

– Puisque vous aviez cet objet en main, je me doutais

qu'il était mêlé à une affaire plutôt douteuse... À ma place, vous vous seriez tu.

— Aucune idée sur l'identité de ton voleur ?

— Aucune. Un bâton de cette valeur... J'aimerais bien le récupérer.

— Contente-toi de ma mansuétude.

La piste de l'avaleur d'ombres était coupée.

*

Néféret s'occupait de cas difficiles et pratiquait des opérations délicates. En dépit de sa position et de ses lourdes charges administratives, elle ne refusait pas son aide en cas d'urgence.

Voir apparaître la dame Sababou à l'hôpital l'étonna, car cette belle femme, avouant la trentaine, tenancière de la plus réputée des maisons de bière de Memphis, peuplée de ravissantes créatures, ne souffrait que de rhumatismes.

— Votre santé se serait-elle dégradée ?

— Votre traitement demeure très efficace ; si j'ai forcé votre porte, c'est pour une autre raison.

Néféret avait guéri Sababou d'une inflammation de l'épaule, susceptible de la priver de l'usage de son bras ; aussi sa patiente lui vouait-elle une profonde reconnaissance. Bien qu'elle n'ait pas renoncé à la prostitution de luxe, Sababou admirait le vizir et son épouse ; la vérité de leur couple, leur union inaltérable lui donnaient confiance en une forme d'existence qu'elle ne connaîtrait jamais. Maquillée avec art, parfumée à la limite de l'excès, sachant se rendre attirante, elle se moquait des convenances. Chez Néféret, elle n'avait perçu ni animosité ni mépris, mais volonté de guérir.

Sababou posa un vase en faïence devant Néféret.

— Cassez-le.

— Un si beau modèle ?

— Je vous en prie, cassez-le.

Néféret jeta le vase sur le dallage. Au milieu des

fragments, un phallus en pierre et une vulve en lapis-lazuli, couverts d'inscriptions magiques babyloniennes.

— J'ai découvert ce trafic par hasard, expliqua Saba-bou ; mais tôt ou tard, j'aurais été informée. Ces sculptures sont destinées à réveiller le désir chez les individus fatigués, et à rendre fécondes les femmes sté-riles. L'importation est illégale, si elle n'est pas décla-rée ; d'autres vases comparables contenaient de l'alun, cette substance astringente réputée pour augmenter le plaisir et lutter contre l'impuissance. Je déteste ces pal-liatifs ; ils dénaturent l'amour. Honorez l'Égypte en interrompant ce détestable commerce.

La dame Sababou, en dépit de ses activités, avait le sens de la grandeur.

— Connaissez-vous les coupables ?

— Les livraisons ont lieu sur le quai ouest, la nuit ; je ne sais rien de plus.

— Votre épaule ?

— Plus aucune douleur.

— Si elle réapparaissait, n'hésitez pas à me consulter.

— Interviendrez-vous ?

— Je confie l'affaire au vizir.

*

Des vagues s'étaient formées sur le fleuve ; elles se brisaient sur les pierres du quai abandonné vers lequel se dirigeait un bateau dépourvu de voile. Fort habile, le capitaine accosta en douceur ; aussitôt, une dizaine d'hommes accoururent, pressés de débarquer le charge-ment.

Leur tâche achevée, ils recevaient leur salaire en amulettes, de la main d'une femme, lorsque Kem déploya ses hommes et procéda à une arrestation rapide et sans heurts.

Seule la femme se débattit et tenta de s'enfuir. Une torche éclaira son visage.

— Dame Tapéni !

– Relâchez-moi.

– Je crains d'être obligé de vous incarcérer ; n'organisez-vous pas un commerce illégal ?

– Je suis protégée.

– Par qui ?

– Si vous ne me relâchez pas, vous le regretterez.

– Emmenez-la, ordonna le Nubien.

Tapéni se débattit, farouche.

– Je reçois mes consignes de Bel-Tran.

*

Comme il disposait de preuves matérielles, Pazair jugea l'affaire en priorité. Avant de convoquer le tribunal, il organisa une confrontation entre Tapéni et Bel-Tran.

La jolie brune était surexcitée ; dès l'arrivée du directeur de la Double Maison blanche, elle l'agressa.

– Faites-moi libérer, Bel-Tran !

– Si cette femme ne se calme pas, je me retire. Pourquoi cette convocation ?

– La dame Tapéni vous accuse de l'avoir employée dans le cadre d'un commerce illicite.

– Ridicule.

– Comment, ridicule ! s'exclama-t-elle. Je devais vendre ces objets à des notables, afin de les compromettre.

– Vizir Pazair, je crois que la dame Tapéni a perdu la raison.

– Ne continuez pas sur ce ton, Bel-Tran, ou je révèle tout.

– À votre guise.

– Mais... c'est insensé ! Vous rendez-vous compte...

– Votre délire ne m'intéresse pas.

– Ainsi, vous m'abandonnez ! Eh bien, tant pis pour vous.

Tapéni se tourna vers le vizir.

– Parmi ces notables, vous étiez le premier visé !

Quel scandale, si l'on avait appris que votre beau couple se livrait à des pratiques malsaines! Belle manière de souiller votre renommée, n'est-ce pas? L'idée est de Bel-Tran; il m'a chargée de la réaliser.

— Méprisables divagations.

— C'est la vérité!

— Possédez-vous le moindre élément de preuve?

— Ma parole suffira!

— Que vous soyez l'auteur de cette machination, qui en doute? Vous avez été prise sur le fait, dame Tapéni! La haine que vous éprouvez à l'égard du vizir vous a entraînée trop loin. Grâce aux dieux, je vous soupçonnais depuis longtemps, et j'ai eu le courage d'intervenir. Je suis fier de vous avoir dénoncée.

— Dénoncée...

— C'est exact, reconnut le vizir. Bel-Tran a rédigé une mise en garde concernant vos activités illégales. Elle fut adressée hier au chef de la police et enregistrée par ses services.

— Ma collaboration avec la justice est évidente, estima Bel-Tran; j'espère que la dame Tapéni sera sévèrement condamnée. Porter atteinte à la morale publique est une faute inadmissible.

CHAPITRE 28

Plusieurs heures de promenade dans la campagne, en compagnie de Brave et de Vent du Nord, furent nécessaires à Pazair pour apaiser sa colère. Le sourire triomphant de Bel-Tran était une insulte à la justice, une blessure si profonde que même Néféret ne pouvait la guérir.

Maigre consolation : son ennemi venait de perdre l'une de ses alliées en la trahissant. La dame Tapéni, condamnée à une courte peine de prison, était déchue de ses droits civiques ; grand bénéficiaire de la situation, Souti, le divorce prononcé, ne devrait pas travailler pour son ex-femme. La chute de la tisserande, prise au piège de sa propre ladrerie, lui rendait la liberté.

L'allure paisible de l'âne et la joie confiante du chien calmèrent le vizir. La marche, la sérénité du paysage, la noblesse du Nil dissipèrent sa détresse. À cet instant, il eût aimé affronter seul à seul Bel-Tran et lui tordre le cou.

Enfantillages, puisque le directeur de la Double Maison blanche avait pris des dispositions pour que son éventuelle élimination n'empêchât point la chute de Ramsès et le basculement de l'Égypte dans un monde où le matérialisme régnerait en maître absolu.

Comme Pazair se sentait désarmé face à un tel monstre ! D'ordinaire, les vizirs, fussent-ils hommes d'âge et d'expérience, ne maîtrisaient leur travail qu'au terme de deux ou trois années; au jeune Pazair, le destin demandait de sauver l'Égypte avant la prochaine crue, sans lui donner un véritable moyen d'agir. Avoir identifié l'adversaire ne suffisait pas; pourquoi continuer à se battre, alors que la guerre était perdue d'avance?

L'œil malicieux de Vent du Nord et le regard amical de Brave furent des encouragements décisifs. Dans l'âne et le chien s'incarnaient des forces divines; porteurs d'invisible, ils traçaient les chemins du cœur, hors desquels aucune vie n'avait de sens.

Avec eux, il défendrait la cause de Maât, la frêle et lumineuse déesse de la justice.

*

Kem était hors de lui.

— Malgré le respect que je vous dois, vizir Pazair, j'ai envie de vous dire que votre comportement est stupide! Seul, en pleine campagne...

— Je disposais d'une escorte.

— Pourquoi prendre de tels risques?

— Je ne supportais plus mon bureau, l'administration, les scribes! Ma tâche est de faire respecter la justice, et je dois m'incliner devant un Bel-Tran qui me nargue, sûr de sa victoire.

— Qu'y a-t-il de changé, par rapport à la date de votre nomination? Tout cela, vous le saviez déjà.

— Vous avez raison.

— Au lieu de vous apitoyer sur vous-même, préoccupez-vous plutôt d'une sombre affaire qui secoue la province d'Abydos. On me signale deux blessés graves, une violente altercation entre les prêtres du grand temple et des émissaires de l'État, et un refus de la corvée. Autant de délits majeurs qui remonteront à votre tribunal, mais peut-être trop tard; je propose de trancher dans le vif.

*

Avril amenait la chaleur, du moins dans la journée ; si les nuits demeuraient fraîches et propices au sommeil, le soleil de midi devenait ardent, alors que la moisson débutait. Le jardin du vizir était un éblouissement ; les fleurs rivalisaient de beauté, composant une symphonie de rouge, de jaune, de bleu, de violet et d'orange.

Lorsqu'il s'aventura dans ce paradis, sitôt après son réveil, Pazair se dirigea vers le bassin de plaisance. Comme il le supposait, Néféret prenait son premier bain. Elle nageait nue, sans effort, renaissant sans cesse de ses propres mouvements. Il songeait à l'instant où il l'avait contemplée ainsi, à cette heure bénie où l'amour les avait réunis sur cette terre et pour l'éternité.

— L'eau n'est-elle pas un peu fraîche ?

— Pour toi, si ! Tu t'enrhumerais.

— Hors de question.

Lorsqu'elle sortit du bassin, il l'enveloppa dans un drap de lin et l'embrassa avec fougue.

— Bel-Tran refuse la construction de nouveaux hôpitaux en province.

— Aucune importance ; ton dossier me parviendra d'ici peu. Puisqu'il est bien étayé, je l'approuverai sans crainte d'être accusé de favoritisme.

— Hier, il a quitté Memphis pour Abydos.

— En es-tu sûre ?

— L'information provient d'un médecin qui l'a croisé sur le quai. Mes collègues commencent à percevoir le danger ; ils ne célèbrent plus les louanges du directeur de la Double Maison blanche. Certains estiment même que tu devrais t'en séparer.

— Des troubles, encore mineurs, ont éclaté en Abydos ; je m'y rends dès aujourd'hui.

Était-il lieu plus magique qu'Abydos, l'immense sanctuaire d'Osiris, où se célébraient les mystères du dieu assassiné et ressuscité, réservés à quelques initiés, dont Pharaon ? Comme son père Séthi, Ramsès le grand avait embelli le site et accordé au clergé la jouissance d'un vaste domaine cultivable, afin que les spécialistes du sacré ne souffrent d'aucun souci matériel.

Au débarcadère, ce ne fut pas le grand prêtre d'Abydos qui accueillit le vizir, mais Kani, le supérieur de Karnak. Les deux hommes se saluèrent avec chaleur.

— Ta venue était inespérée, Pazair.

— Kem m'a alerté ; est-ce si grave ?

— Je le redoute, mais une longue enquête eût été nécessaire avant de te quérir. Tu la mèneras toi-même. Mon collègue d'Abydos est souffrant ; il a demandé mon aide, afin de résister aux invraisemblables pressions dont il fait l'objet.

— Qu'exige-t-on de lui ?

— Ce que l'on exige de moi-même et des autres responsables des lieux sacrés : que nous acceptions de mettre les travailleurs employés au temple à la disposition de l'État. Plusieurs administrateurs provinciaux ont procédé à des réquisitions abusives de personnel et décrété des corvées dès le mois dernier, alors que les grands chantiers n'exigent un personnel d'appoint qu'à partir de septembre, après le début de la crue.

La pieuvre continuait d'étendre ses tentacules et de défier le vizir.

— On m'a signalé des blessés, intervint le Nubien.

— Exact : deux paysans qui ont refusé d'obéir aux ordres des policiers. Leur famille travaille pour le temple depuis dix siècles ; aussi n'acceptent-ils pas d'être transférés sur un autre domaine.

— Qui a envoyé ces brutes ?

— Je l'ignore. La révolte gronde, Pazair ; les paysans sont des hommes libres, ils ne se laisseront pas manipuler comme des jouets.

Fomenter une guerre civile en brisant les lois du travail : voilà ce qu'avait imaginé Bel-Tran, déjà reparti pour Memphis. Choisir Abydos comme premier foyer était une excellente idée; considérée comme un territoire sacré, à l'écart des soubresauts économiques et sociaux, la région prendrait valeur d'exemple.

Le vizir eût aimé se recueillir dans l'admirable temple d'Osiris, où son rang lui donnait accès; mais l'urgence de la situation le dissuada de s'accorder cette joie. Il pressa le pas jusqu'au village le plus proche; Kem, de sa voix puissante, appela la population à se rassembler sur la place principale, près du four à pain. Le message se répandit à une surprenante vitesse; que le vizir en personne s'adressât aux plus modestes des citoyens apparut comme un miracle. Des champs, des greniers, des jardins, on accourut pour ne pas manquer l'événement.

Le discours de Pazair commença par la célébration du pouvoir de Pharaon, seul capable de dispenser la vie, la prospérité et la santé à son peuple; puis il rappela que la réquisition des travailleurs était une pratique illégale et sévèrement châtiée, selon l'ancienne loi, toujours en vigueur. Les coupables perdraient leur poste, recevraient deux cents coups de bâton, s'acquitteraient eux-mêmes du travail qu'ils voulaient distribuer de manière inique, puis seraient emprisonnés.

Ces paroles chassèrent l'inquiétude et la colère. Cent bouches s'ouvrirent et désignèrent le fauteur de troubles, à l'origine des drames : le maître d'écurie Fekty, « le tondu », propriétaire d'une villa au bord du Nil, et d'un élevage de chevaux, dont les plus vigoureux étaient destinés aux écuries royales. Autoritaire et brutal, le personnage s'était contenté, jusqu'alors, de son aisance insolente, sans importuner les employés du temple.

Cinq artisans venaient d'être emmenés de force chez lui.

*

– Je le connais, dit Kem à Pazair, à l'approche de la villa. C'est l'officier qui m'a condamné pour un vol d'or que je n'avais pas commis, et qui m'a coupé le nez.

– À présent, vous êtes chef de la police.

– Rassurez-vous : je garderai mon sang-froid.

– S'il est innocent, je ne peux vous autoriser à l'arrêter.

– Espérons qu'il est coupable.

– Vous êtes la force, Kem ; qu'elle demeure soumise à la loi.

– Entrons chez Fekty, voulez-vous ?

Adossé à l'une des colonnes du porche en bois, un homme armé d'une lance.

– On ne passe pas.

– Abaisse ton arme.

– Va-t'en, le nègre, ou je t'éventre !

Le babouin s'empara de la hampe, l'arracha des mains du garde et la brisa en deux. Paniqué, l'homme se précipita en criant à l'intérieur du domaine où des spécialistes dressaient deux splendides chevaux. Le grand singe les effraya ; ils se cabrèrent, se débarrassèrent de leurs cavaliers et s'enfuirent dans la campagne.

Plusieurs miliciens, armés de poignards et de lances, sortirent d'un bâtiment au toit plat et barrèrent la route aux intrus. Un chauve au torse puissant les écarta et fit face au trio composé de Pazair, de Kem et du babouin dont les yeux rouges devenaient menaçants.

– Que signifie cette intrusion ?

– Êtes-vous Fekty ? demanda Pazair.

– Oui, et ce domaine m'appartient. Si vous ne décampez pas, avec votre monstre, vous recevrez une bonne rossée.

– Savez-vous ce qu'il en coûte d'agresser le vizir d'Égypte ?

– Le vizir... C'est une plaisanterie ?

– Apportez-moi un tesson de calcaire.

Pazair y imprima son sceau. Bougon, Fekty ordonna à sa garde de se disperser.

– Le vizir ici... Ça n'a aucun sens! Et ce grand nègre, avec vous, qui est-ce? Mais... Je le reconnais! C'est lui, c'est bien lui!

Fekty tourna les talons, mais sa course fut stoppée net par Tueur qui le percuta et le jeta à terre.

– Tu n'es plus dans l'armée? interrogea le Nubien.

– Non, j'aimais mieux élever mes propres chevaux. Nous avons oublié cette vieille histoire, toi et moi.

– On ne croirait pas, puisque tu en parles.

– J'ai agi en conscience, tu sais... Et puis, ça ne t'a pas empêché de faire carrière. Tu es garde du corps du vizir, on dirait?

– Chef de la police.

– Toi, Kem?

Le Nubien tendit la main à Fekty, trempé de sueur, et le releva.

– Où caches-tu les cinq artisans que tu as emmenés de force?

– Moi? C'est une calomnie!

– Tes miliciens ne sèment-ils pas la panique en se parant du titre de policiers?

– Des ragots!

– Nous confronterons tes soudards aux plaignants.

Un rictus déforma la bouche du tondu.

– Je te l'interdis!

– Vous êtes soumis à notre autorité, rappela Pazair; une perquisition me paraît indispensable. Après avoir désarmé vos hommes, bien entendu.

Les miliciens, hésitants, ne se méfièrent pas assez du babouin. Bondissant de l'un à l'autre, frappant un avant-bras, un coude ou un poignet, il grappilla lances et poignards, tandis que Kem empêchait les plus nerveux de réagir. La présence du vizir calma les ardeurs, au grand dam de Fekty, qui se sentit renié par ses propres troupes.

Les cinq artisans étaient enfermés dans un silo à grain, vers lequel Tueur avait dirigé le vizir. Ils en sortirent volubiles, expliquant qu'ils avaient été contraints, sous la menace, de restaurer un mur de la villa et de réparer des meubles.

En présence de l'accusé, le vizir enregistra lui-même les dépositions. Fekty fut reconnu coupable de détournement de travail public et de réquisition illicite. Kem s'empara d'un lourd bâton.

— Le vizir m'autorise à exécuter la première partie de la sentence.

— Ne fais pas ça! Tu vas me tuer!

— Un accident est possible; parfois, je ne maîtrise pas ma force.

— Qu'est-ce que tu veux savoir?

— Qui t'a inspiré ta conduite?

— Personne.

Le bâton se leva.

— Tu mens très mal.

— Non! J'ai reçu des instructions, c'est vrai.

— Bel-Tran?

— A quoi ça te sert de le savoir? Il niera.

— Puisque je n'espère aucune révélation, voici deux cents coups de bâton conformes à la loi.

Fekty roula aux pieds du Nubien, sous le regard indifférent du babouin.

— Si je coopère, tu m'emmènes en prison sans me frapper?

— Si le vizir est d'accord...

Pazair acquiesça.

— Ce qui s'est passé ici n'est rien; penchez-vous sur les activités du bureau d'accueil des travailleurs étrangers.

CHAPITRE 29

Memphis sommeillait sous un chaud soleil printanier. Dans les bureaux du service d'accueil des travailleurs étrangers, c'était l'heure de la sieste. Une dizaine de Grecs, de Phéniciens et de Syriens attendaient que les fonctionnaires s'occupent de leur cas.

Quand Pazair entra dans la petite pièce où patientaient les étrangers, ces derniers se levèrent, croyant enfin rencontrer un responsable; le vizir ne les détrompa pas. Interrompant le brouhaha et le flux des protestations, un jeune Phénicien s'instaura porte-parole.

— Nous voulons du travail.

— Que vous a-t-on promis?

— Que nous en aurions, parce que nous sommes en règle.

— Quel est ton métier?

— Je suis un bon charpentier et je connais un atelier prêt à m'engager.

— Que te propose-t-il?

— Chaque jour, de la bière, du pain, du poisson séché ou de la viande, et des légumes; tous les dix jours, de l'huile, des onguents et du parfum. En fonction de mes besoins, des vêtements et des sandales. Huit jours de travail et deux de repos, sans compter les fêtes et les congés légaux. Toute absence devra être justifiée.

— Ce sont les conditions qu'acceptent les Égyptiens; te satisfont-elles?

— Elles sont bien plus avantageuses que dans mon pays d'origine, mais il me faut, à moi comme aux autres, l'accord du bureau de l'immigration! Pourquoi nous bloque-t-on ici depuis plus d'une semaine?

Pazair interrogea les autres; ils subissaient le même désagrément.

— Allez-vous nous donner cette autorisation?

— Dès aujourd'hui.

Un scribe au ventre épanoui fit irruption dans l'assemblée.

— Qu'est-ce qui se passe, ici? Veuillez vous asseoir et vous taire! Sinon, en ma qualité de chef de service, je vous expulse.

— Vos manières sont plutôt brutales, estima Pazair.

— Pour qui vous prenez-vous?

— Pour le vizir d'Égypte.

Un long silence s'établit. Les étrangers étaient partagés entre l'espoir et la crainte, le scribe fixait le cachet que Pazair venait d'imprimer sur un morceau de papyrus.

— Pardonnez-moi, bredouilla-t-il, mais on ne m'avait pas prévenu de votre visite.

— Pourquoi ne donnez-vous pas satisfaction à ces personnes? Elles sont en règle.

— Le surcroît de travail, le manque de personnel, le...

— Inexact. Avant de venir ici, j'ai examiné le fonctionnement de votre service; vous ne manquez ni de moyens, ni de fonctionnaires. Votre salaire est élevé, vous payez dix pour cent d'impôts et recevez des gratifications non déclarables. Vous disposez d'une jolie maison, d'un agréable jardin, d'un char, d'une barque, et employez deux domestiques. Me suis-je trompé?

— Non, non...

Leur déjeuner terminé, les autres scribes se pressèrent à l'entrée des locaux administratifs.

– Demandez à vos subordonnés de délivrer les autorisations, ordonna Pazair, et venez avec moi.

Le vizir emmena le scribe dans les ruelles de Memphis où le fonctionnaire parut gêné de se mêler aux petites gens.

– Quatre heures de travail le matin, rappela Pazair, quatre l'après-midi, après une longue pause pour le repas : c'est bien votre rythme de travail ?

– En effet.

– Vous ne le respectez guère, semble-t-il.

– Nous faisons de notre mieux.

– En travaillant peu et mal, vous lésez ceux qui dépendent de vos décisions.

– Ce n'est pas mon intention, soyez-en sûr !

– Néanmoins, le résultat est déplorable.

– Votre jugement me paraît trop sévère.

– Je constate qu'il ne l'est sans doute pas assez.

– Donner du travail aux étrangers n'est pas une tâche facile ; ils ont parfois un caractère revêche, parlent plus ou moins bien notre langue, s'adaptent lentement à nos modes d'existence.

– Je l'admets, mais regardez autour de vous : un certain nombre de commerçants et d'artisans sont étrangers, ou fils d'étrangers, venus s'établir ici. Tant qu'ils respectent nos lois, ils sont les bienvenus. J'aimerais consulter vos listes.

Le fonctionnaire parut très gêné.

– C'est un peu délicat...

– Pour quelle raison ?

– Nous procédons à un reclassement qui exigera plusieurs mois ; dès qu'il sera achevé, je vous préviendrai.

– Désolé, je suis pressé.

– Mais... c'est vraiment impossible !

– Le fatras administratif ne me rebute pas ; retournons dans vos locaux.

Les mains du scribe tremblaient. Le renseignement qu'avait obtenu Pazair était bon, mais comment l'exploiter ? Sans nul doute, le service d'accueil des travailleurs étrangers se livrait à une activité illicite d'une certaine ampleur ; restait à la définir et à arracher les racines du mal.

Le chef de service n'avait pas menti : les archives étaient éparpillées sur le sol de pièces oblongues où elles étaient conservées. Plusieurs fonctionnaires empilaient des tablettes de bois et numérotaient des papyrus.

— Quand avez-vous commencé ce labeur ?

— Hier, répondit le responsable.

— Qui vous en a donné l'ordre ?

L'homme hésita ; le regard du vizir le convainquit de ne pas mentir.

— La Double Maison blanche... Selon une coutume bien établie, elle désire connaître le nom des immigrants et la nature de leur emploi, afin d'établir le montant des impôts.

— Eh bien, fouillons.

— Impossible, vraiment impossible !

— Ce pensum me rappellera mes débuts de juge à Memphis. Vous pouvez vous retirer ; deux volontaires m'assisteront.

— Mon rôle est de vous seconder, et...

— Rentrez chez vous ; nous nous reverrons demain.

Le ton de Pazair ne souffrait pas de réplique. Deux jeunes scribes, employés au service depuis quelques mois, furent heureux d'aider le vizir qui ôta robe et sandales, et se mit à genoux pour trier les documents.

La tâche paraissait insurmontable, mais Pazair espérait que le hasard lui accorderait un indice, si minime fût-il, qui le mettrait sur la voie.

— C'est bizarre, remarqua le plus jeune ; avec l'ancien chef de service, Séchem, nous n'aurions pas subi une telle précipitation.

— Quand fut-il remplacé ?

— Au début du mois.

— Où habite-t-il ?

— Dans le quartier du jardin, à côté de la grande source.

Pazair sortit des locaux ; sur le seuil, Kem montait la garde.

— Rien à signaler ; Tueur patrouille autour du bâtiment.

— Veuillez appréhender un témoin et l'amener ici.

*

Séchem, « le fidèle », était un homme âgé, doux et timide. Son interpellation l'avait effrayé, et sa comparution immédiate devant le vizir le plongeait dans une angoisse visible. Pazair l'imaginait mal en criminel retors, mais il avait appris à se méfier de l'apparence.

— Pourquoi avez-vous quitté votre poste ?

— Ordre supérieur ; j'ai été muté au contrôle du mouvement des bateaux, à un rang inférieur.

— Quelle faute avez-vous commise ?

— De mon point de vue, aucune ; je travaille dans ce service depuis vingt ans, je n'ai pas été absent un seul jour, mais j'ai eu le tort de m'opposer à des directives que j'estimais erronées.

— Précisez.

— Je n'admettais pas le retard pris dans le processus de régularisation, et moins encore l'absence de contrôle à propos des personnes louées.

— Redoutiez-vous une baisse de rémunération ?

— Non ! Lorsqu'un étranger loue ses services à un maître de domaine ou à un patron d'artisans, il se fait payer très cher, et acquiert assez vite terre et demeure qu'il peut léguer à ses descendants. Mais pourquoi, depuis trois mois, la plupart des demandeurs ont-ils été dirigés vers un chantier naval dépendant de la Double Maison blanche ?

— Montrez-moi les listes.

— Il suffit de consulter les archives.

— Je crains que vous n'ayez une désagréable surprise.

Séchem fut au désespoir.

218

— Ce reclassement était inutile !

— Sur quel support étaient enregistrées les listes de personnes louées ?

— Des tablettes en sycomore.

— Êtes-vous capable de les retrouver dans ce fatras ?

— Je l'espère.

Une nouvelle déception accabla Séchem ; après d'infructueuses recherches, il donna sa conclusion.

— Elles ont disparu ! Mais il existe des brouillons ; même incomplets, ils seront utiles.

À pleines mains, les deux jeunes scribes sortirent les tessons de calcaire de la décharge où ils s'accumulaient. À la lueur des torches, Séchem identifia ses précieux brouillons.

*

Le chantier naval ressemblait à une ruche en pleine activité ; les contremaîtres donnaient des ordres secs et précis à des menuisiers qui débitaient de longues planches d'acacia. Des spécialistes assemblaient les pièces d'une coque, d'autres posaient un bastingage ; avec une habileté consommée, ils créaient une embarcation en posant les ais les uns sur les autres, et en les unissant par des tenons et des mortaises. Dans une autre partie du chantier, des ouvriers calfataient des barques, pendant que leurs collègues fabriquaient rames et avirons.

— Entrée interdite, rappela un surveillant à Pazair, qu'accompagnaient Kem et le babouin.

— Même au vizir ?

— Vous êtes...

— Appelle ton patron.

L'homme ne se fit pas prier. Arriva en courant un personnage de belle stature, sûr de lui, à la voix posée ; il reconnut le babouin et le chef de la police, et s'inclina devant le vizir.

— De quelle manière puis-je vous servir ?

– J'aimerais rencontrer les étrangers dont voici les noms.

Le vizir présenta une liste au chef de chantier.

– Inconnus ici.

– Réfléchissez bien.

– Non, je vous assure...

– Je possède des documents officiels prouvant que vous avez engagé, depuis trois mois, une cinquantaine d'étrangers. Où sont-ils ?

La réaction de l'interpellé fut fulgurante. Il détala si vite en direction de la ruelle que Tueur sembla pris au dépourvu ; mais le singe franchit un muret et sauta sur le dos du fuyard qu'il maintint face contre terre.

Le chef de la police tira le prévenu par les cheveux.

– Nous t'écoutons, mon gaillard.

*

La ferme, située au nord de Memphis, occupait une immense superficie. Le vizir et une escouade de policiers pénétrèrent sur le domaine au milieu de l'après-midi et appréhendèrent un gardien d'oies.

– Où sont les étrangers ?

Le déploiement de forces impressionna le paysan, incapable de tenir sa langue ; il désigna une étable.

Quand le vizir s'en approcha, plusieurs hommes armés de faucilles et de bâtons lui barrèrent le passage.

– Ne commettez pas de violence, avertit Pazair, et laissez-nous accéder à ce bâtiment.

Un entêté brandit sa faucille ; le poignard lancé par Kem s'enfonça dans son avant-bras.

Toute résistance cessa.

À l'intérieur de l'étable, une cinquantaine d'étrangers, enchaînés, étaient occupés à traire des vaches et à trier des grains.

Le vizir ordonna de les libérer et d'emprisonner leurs gardiens.

Bel-Tran s'amusa de l'incident.

— Des esclaves ? Oui, comme en Grèce, et bientôt comme dans tout le monde méditerranéen ! L'esclavage est l'avenir de l'homme, mon cher Pazair. Il procure une main-d'œuvre docile et peu coûteuse ; grâce à lui, nous développerons un programme de grands travaux sans compromettre la rentabilité.

— Dois-je vous rappeler que l'esclavage, contraire à la loi de Maât, est interdit en Égypte ?

— Si vous cherchez à m'inculper, abandonnez ; vous n'établirez aucun lien entre moi, le chantier naval, la ferme et le service d'accueil des travailleurs étrangers. Entre nous, je vous l'avoue : je tentais une expérience que vous interrompez de manière malencontreuse, mais qui se révélait déjà fructueuse. Vos lois sont passéistes ; quand comprendrez-vous que l'Égypte de Ramsès est morte ?

— Pourquoi haïssez-vous les hommes à ce point ?

— Il n'existe que deux races : les dominants et les dominés. J'appartiens à la première ; la seconde doit m'obéir. Voilà la seule loi en vigueur.

— Seulement dans votre tête, Bel-Tran.

— Bien des dirigeants m'approuvent, car ils espèrent devenir des dominants ; même si leurs espoirs sont déçus, ils m'auront servi.

— Tant que je serai vizir, personne ne sera esclave sur la terre d'Égypte.

— Ce combat d'arrière-garde devrait m'attrister, mais vos inutiles gesticulations sont plutôt distrayantes. Cessez de vous épuiser, Pazair ; comme moi, vous savez que votre action est dérisoire.

— Je lutterai contre vous jusqu'à mon dernier souffle.

CHAPITRE 30

Souti s'attendrissait sur son arc en acacia ; il vérifiait la solidité du bois, la tension de la corde et la flexibilité du cadre.

— N'aurais-tu pas mieux à faire ? interrogea Panthère, câline.

— Si tu désires régner, il me faut une arme digne de confiance.

— Puisque tu disposes d'une armée, sers-t'en.

— La crois-tu capable de vaincre les troupes égyptiennes ?

— Affrontons d'abord la police du désert et imposons notre loi dans les sables. Libyens et Nubiens fraternisent sous ton commandement ; c'est déjà un prodige. Demande-leur de combattre, et ils t'obéiront. Tu es le maître de l'or, Souti ; conquiers le territoire dont nous serons les seigneurs.

— Tu es vraiment folle.

— Tu veux te venger, mon amour ; te venger de ton ami Pazair et de ta maudite Égypte. Avec de l'or et des guerriers, tu y parviendras.

Des baisers de feu lui transmirent sa passion ; persuadé que l'aventure serait exaltante, le général Souti parcourut son campement. Les irréductibles Libyens, spécialistes des raids, étaient équipés de tentes et de couvertures qui rendaient l'existence presque agréable,

en plein désert. Excellents chasseurs, les Nubiens tra-
quaient le gibier.

Mais l'ivresse des premiers jours se dissipait ; les
Libyens finissaient par prendre conscience qu'Adafi
était bien mort, et que Souti l'avait tué. Certes, ils
devaient respecter la parole donnée devant les dieux ;
mais une sourde opposition se propageait. À sa tête, un
nommé Jossète, petit, râblé, couvert de poils très noirs ;
bras droit d'Adafi, manieur de couteau, nerveux et
rapide, il supportait de plus en plus mal la prise de
pouvoir de l'Égyptien.

Souti inspecta chaque bivouac et félicita ses hommes ;
ils entretenaient leurs armes, s'entraînaient et se sou-
ciaient de leur hygiène.

Accompagné de cinq soldats, Jossète interrompit
Souti, en conversation avec un groupe de Libyens revenant de l'exercice.

— Où nous emmènes-tu ?

— A ton avis ?

— Je n'apprécie pas ta réponse.

— Je juge ta question inconvenante.

Jossète fronça ses épais sourcils.

— On ne me parle pas sur ce ton.

— L'obéissance et le respect sont les premières qualités d'un bon soldat.

— À condition qu'il ait un bon chef.

— Comme général, te paraîtrais-je insuffisant ?

— Comment oses-tu te comparer à Adafi ?

— C'est lui qui fut vaincu, pas moi ; même en tri-
chant, il a échoué.

— Tu l'accuses de tricherie ?

— N'as-tu pas enterré toi-même le cadavre de son
acolyte ?

Très vif, Jossète tenta de planter son poignard dans
le ventre de Souti, mais ce dernier para l'attaque d'un
coup de coude dans la poitrine du Libyen, et le renversa ; avant qu'il se relevât, l'Égyptien lui enfonça la
tête dans le sable et la bloqua avec son talon.

— Ou tu m'obéis, ou tu étouffes.

Le regard de Souti dissuada les Libyens de secourir leur camarade; Jossète lâcha son couteau et tapa du poing sur le sol, en signe de soumission.

— Respire.

Le talon se souleva. Jossète cracha du sable et roula sur le côté.

— Écoute-moi bien, petit traître; les dieux m'ont permis de tuer un tricheur et de prendre la tête d'une bonne armée. Cette chance, je la saisis; toi, tu te tais, et tu combats pour moi. Sinon, déguerpis.

Jossète réintégra le rang, yeux baissés.

*

L'armée de Souti progressa vers le nord, en longeant la vallée du Nil, à bonne distance des zones habitées; elle empruntait l'itinéraire le plus difficile et le moins fréquenté. Avec un sens inné du commandement, le jeune guerrier savait répartir les efforts et inspirer confiance à ses hommes; nul ne discutait son autorité.

Le général et Panthère chevauchaient en tête de leurs troupes; la Libyenne savourait chaque seconde de l'impossible conquête, comme si elle devenait propriétaire de cette terre inhospitalière. Souti, attentif, écoutait le désert.

— Nous avons berné les policiers, affirma-t-elle.

— La déesse d'or se trompe; ils sont à nos trousses depuis deux jours.

— Comment le sais-tu?

— Mettrais-tu en doute mon instinct?

— Pourquoi n'attaquent-ils pas?

— Parce que nous sommes trop nombreux; ils doivent regrouper plusieurs patrouilles.

— Frappons les premiers!

— Patientons.

— Tu ne veux pas tuer des Égyptiens, n'est-ce pas? C'est cela, ta grande idée! Te faire cribler de flèches par tes compatriotes!

– Si nous ne sommes pas capables de nous débarrasser d'eux, comment t'offrir un royaume?

*

« Ceux à la vue perçante » n'en croyaient pas leurs yeux. Accompagnés de chiens redoutables, ils sillonnaient sans cesse les étendues désertiques, interpellaient les bédouins pillards, protégeaient les caravanes et assuraient la sécurité des mineurs. Pas un déplacement de nomade ne passait inaperçu, aucun rôdeur ne jouissait longtemps d'un larcin. Depuis des décennies, « ceux à la vue perçante » étouffaient dans l'œuf la moindre tentative de troubler l'ordre établi.

Lorsqu'un éclaireur solitaire avait signalé la présence d'une troupe armée venant du sud, aucun officier ne l'avait cru; il avait fallu le rapport alarmiste d'une patrouille pour déclencher une intervention qui nécessitait la coordination de policiers dispersés sur un vaste territoire.

Leur jonction établie, « ceux à la vue perçante » hésitèrent sur la conduite à suivre. Qui étaient ces soldats perdus, qui les commandait, que voulaient-ils? L'insolite alliance de Nubiens et de Libyens laissait présager un rude conflit; pourtant, les policiers du désert se faisaient fort d'éliminer les intrus sans demander l'aide de l'armée. Ils accompliraient ainsi un exploit qui rehausserait leur prestige et leur vaudrait des avantages matériels.

L'ennemi avait commis une erreur grave en campant derrière une ligne de collines d'où les policiers donneraient l'assaut; ils attaqueraient à la tombée du jour, lorsque l'attention des sentinelles se relâcherait.

D'abord, les étrangler; ensuite, envoyer une volée de flèches meurtrières; enfin, terminer au corps à corps. L'opération serait rapide et brutale : s'il restait des prisonniers, on les ferait parler.

Quand le désert rougit, le vent se leva; « ceux à la

vue perçante » essayèrent en vain de repérer des guetteurs. Redoutant un piège, ils avancèrent avec une extrême prudence. Parvenus au sommet des collines, les groupes d'assaut ne s'étaient heurtés à aucun adversaire. De cette position favorable, ils observèrent le campement; à leur stupéfaction, il était vide! Chars abandonnés, chevaux en liberté, tentes repliées, témoignaient de la débandade de l'étrange armée. Se sachant repérée, la troupe hétéroclite avait choisi de se disperser.

Facile victoire, certes, qui serait suivie d'une poursuite acharnée et d'une arrestation de chaque soudard. Réticents à toute forme de pillage, les policiers établiraient une liste détaillée du matériel saisi. L'État leur en accorderait une partie.

Méfiants, ils pénétrèrent par petits groupes dans le campement, se couvrant les uns les autres; les plus audacieux atteignirent les chariots, ôtèrent les bâches et découvrirent les lingots d'or. Ils appelèrent aussitôt leurs collègues, qui se rassemblèrent autour du trésor. Fascinés, la plupart abandonnèrent leurs armes et s'abîmèrent dans la contemplation du métal divin.

En des dizaines d'endroits, le désert se souleva.

Souti et ses hommes s'étaient dissimulés en s'enterrant; misant sur l'attraction qu'exerceraient un campement vide et le chargement d'or, ils savaient que leur épreuve serait de courte durée. Ils surgirent dans le dos des policiers; encerclés, ces derniers comprirent que résister serait vain.

Souti grimpa sur un chariot et apostropha les vaincus.

— Si vous êtes raisonnables, vous n'aurez rien à craindre. Non seulement vous aurez la vie sauve, mais encore vous deviendrez riches, comme les Libyens et les Nubiens qui sont sous mes ordres. Mon nom est Souti; avant de commander cette armée, je servais comme lieutenant de charrerie dans l'armée égyptienne. C'est moi qui ai débarrassé votre corporation d'une brebis galeuse, le général Asher, traître et assassin ; c'est moi qui lui ai appliqué la sentence promulguée par la loi du désert. Aujourd'hui, je suis le maître de l'or.

Plusieurs policiers reconnurent le jeune homme ; la réputation de Souti avait franchi les murailles de Memphis, certains le considéraient déjà comme un héros de légende.

— N'étais-tu pas emprisonné dans la forteresse de Tjarou ? demanda un officier.

— La garnison a tenté de m'éliminer en m'offrant comme victime expiatoire aux Nubiens ; mais la déesse d'or veillait sur moi.

Panthère s'avança, illuminée des derniers rayons du couchant ; ils firent resplendir diadème, collier et bracelets d'or dont elle s'était parée. Subjugués, vainqueurs et vaincus crurent à l'apparition de la fameuse déesse lointaine, enfin revenue du sud mystérieux et sauvage, pour apporter à l'Égypte les joies de l'amour.

Ils se prosternèrent, soumis.

*

La fête battait son plein. On jonglait avec l'or, on buvait, on traçait un avenir fabuleux, on chantait la beauté de la déesse d'or.

— Es-tu heureux ? demanda Panthère à Souti.

— Ce pourrait être pire.

— Je me demandais comment tu t'y prendrais pour ne pas tuer d'Égyptien... Tu deviens un bon général, grâce à moi.

— Cette coalition est bien fragile.

— Aie confiance.

— Que désires-tu conquérir ?

— Ce qui se présentera ; rester immobile est insupportable. Avançons, créons notre horizon.

Jossète surgit des ténèbres, poignard levé, et se rua sur Souti. Félin, il bondit de côté, évitant le coup mortel. La peur passée, l'agression amusa Panthère ; la différence de taille et de force était telle que son amant n'aurait aucune peine à briser l'affreux petit Libyen.

Souti frappa dans le vide ; ragaillardi, Jossète essaya de lui percer le cœur. Un réflexe sauva l'Égyptien, mais il perdit l'équilibre en se dégageant, et tomba en arrière.

Panthère, d'un coup de pied au poignet, désarma l'agresseur. La rage de tuer décupla les forces de Jossète ; il écarta la blonde Libyenne, s'empara d'un bloc de pierre et l'abattit sur le crâne de Souti. Ce dernier ne fut pas assez vif ; il tourna la tête, mais n'évita pas l'impact sur son bras gauche et poussa un cri de douleur.

Jossète hurla de joie ; élevant le bloc ensanglanté, il se plaça face au blessé.

– Crève, chien d'Égyptien !

Les yeux fixes, la bouche ouverte, le Libyen lâcha son arme improvisée et s'effondra à côté de Souti, mort avant d'avoir touché terre.

Panthère avait visé juste, en plantant dans la nuque de Jossète son propre poignard.

– Pourquoi t'es-tu si mal défendu ?

– Dans les ténèbres, je ne distingue plus rien... Je suis aveugle.

Panthère aida Souti à se relever. Il grimaça.

– Mon bras... Il est cassé.

Panthère le conduisit auprès du vieux guerrier nubien.

– Mettez-le sur le dos, ordonna-t-il à deux soldats, et placez un rouleau d'étoffe entre ses omoplates. Toi, à gauche ; toi, à droite.

Les deux nègres tirèrent ensemble sur les bras du blessé ; le vieux guerrier constata la fracture de l'humérus et remit les os en place, indifférent aux hurlements de Souti. Deux attelles rembourrées de toile de lin aideraient à la guérison.

– Rien de grave, décréta l'ancien ; il peut marcher et commander.

Malgré la douleur, Souti se leva.

— Emmène-moi sous ma tente, murmura-t-il à l'oreille de Panthère.

Il marcha lentement, afin de ne pas trébucher. La blonde Libyenne le guida et l'aida à s'asseoir.

— Personne ne doit savoir que je suis affaibli.

— Dors, je veillerai.

*

À l'aube, la souffrance réveilla Souti. Il l'oublia, tant le paysage qu'il contempla lui parut merveilleux.

— Je vois, Panthère, je vois !

— La lumière... C'est la lumière qui t'a guéri !

— Je connais ce mal : un accès de cécité nocturne. Il se répétera à l'improviste. Une seule personne me guérira : Néféret.

— Nous sommes loin de Memphis.

— Viens.

Sautant sur le dos d'un cheval, il l'entraîna dans une cavalcade. Ils passèrent entre les dunes, galopèrent dans le lit d'un oued et gravirent une colline pierreuse.

Du sommet, le panorama était splendide.

— Regarde, Panthère, regarde la ville blanche sous l'horizon ! C'est Coptos, là où nous allons.

CHAPITRE 31

L'intense chaleur de mai plongeait dans la torpeur l'immense nécropole de Saqqara ; les travaux de creusement des tombes étaient ralentis, sinon interrompus. Les prêtres chargés d'entretenir le *ka*, l'énergie immortelle, se déplaçaient d'un pas de plus en plus lent. Seul Djoui, le momificateur, n'avait pas droit au repos ; on venait de lui apporter trois cadavres qu'il convenait de préparer au plus vite en vue du voyage dans l'autre monde. Pâle, mal rasé, les jambes grêles, il extrayait les viscères et embaumait de manière plus ou moins complète, selon le prix payé. À ses heures perdues, il portait des fleurs dans certaines chapelles dont les propriétaires lui offraient un petit subside, appréciable complément de son salaire. Djoui s'inclina en croisant le vizir et son épouse, sur le chemin menant à la tombe de Branir.

Le temps n'amoindrissait pas la peine et ne guérissait pas la blessure. Sans Branir, Pazair et Néféret se sentaient orphelins ; jamais leur maître assassiné ne serait remplacé. En lui s'était accomplie une sagesse, la sagesse rayonnante de l'Égypte, que Bel-Tran et ses acolytes tentaient de détruire.

En vénérant la mémoire de Branir, Pazair et Néféret se reliaient à la longue lignée des ancêtres fondateurs, épris d'une vérité paisible et d'une justice sereine sur lesquelles ils avaient bâti un pays d'eau et de soleil. Branir n'était pas anéanti; son invisible présence les guidait, son esprit créait un chemin qu'ils ne discernaient pas encore. Seule la communion des cœurs, au-delà de la frontière du trépas, les aiderait à le parcourir.

*

Le vizir rencontra le roi en secret, à l'intérieur du temple de Ptah. Officiellement, Ramsès le grand résidait dans la belle cité de Pi-Ramsès, au cœur du Delta, afin de bénéficier d'un climat agréable.

— Nos ennemis doivent me croire désespéré et vaincu.

— Il nous reste moins de trois mois, Majesté.

— As-tu progressé ?

— Pas de manière satisfaisante. De petites victoires, certes, mais qui n'ébranlent pas Bel-Tran.

— Ses complices ?

— Ils sont nombreux; je suis parvenu à en débusquer quelques-uns.

— Moi aussi. A Pi-Ramsès, j'ai épuré les corps d'armée chargés de veiller sur les frontières avec l'Asie; certains officiers supérieurs recevaient des gratifications illicites de la Double Maison blanche, à travers divers organismes. Bel-Tran est un cerveau tortueux; pour repérer les traces de son action, il faut rechercher les montages compliqués qu'il a élaborés. Continuons à éroder son terrain.

— Je découvre chaque jour une nouvelle gangrène.

— Le testament des dieux ?

— Aucune piste.

— L'assassin de Branir ?

— Rien de concret.

— Il faut frapper un grand coup, Pazair, et connaître les limites précises du domaine de Bel-Tran. Comme le temps nous manque, procédons à un recensement.

– Ce sera fort long.

– Demande l'aide de Bagey et sollicite l'ensemble des administrations; que les chefs de province se consacrent en priorité à cette tâche. En moins de quinze jours, nous obtiendrons les premiers résultats. Je veux connaître l'état réel du pays et l'étendue de ce complot.

*

Fatigué, voûté, les jambes gonflées, l'ancien vizir reçut néanmoins Pazair avec amabilité, bien que son épouse n'appréciât guère cette visite; elle ne supportait pas que son mari fût ainsi importuné et arraché à sa retraite.

Pazair nota que la petite maison du centre ville se dégradait; à certains endroits, le plâtre s'écaillait. Il n'en souffla mot, de peur de vexer son prédécesseur; il ferait intervenir une équipe de restaurateurs, chargés de réparer et de repeindre l'ensemble des demeures de la rue, incluant ainsi l'habitation de Bagey dans le processus de réhabilitation. Il financerait lui-même l'opération.

– Un recensement? s'étonna Bagey. C'est une lourde tâche.

– Le dernier date de cinq ans; il me paraît utile d'actualiser les données.

– Vous n'avez pas tort.

– J'aimerais faire vite.

– Ce n'est pas impossible, à condition d'avoir le soutien effectif des messagers du roi.

Ces messagers formaient un corps d'élite chargé de transmettre les directives du pouvoir central; de leur efficacité dépendait, notamment, une application des réformes plus ou moins rapide.

– Je vous emmène au service du recensement, ajouta Bagey; vous finiriez par comprendre son fonctionnement, mais je vous ferai gagner quelques jours.

– Acceptez ma chaise à porteurs.

– C'est bien pour vous être utile...

*

Pas un messager royal ne manquait.

Lorsque le vizir ouvrit la séance de son conseil en accrochant une figurine de Maât à sa chaîne d'or, tous s'inclinèrent devant la déesse de la justice.

Vêtu du costume traditionnel des vizirs, un long tablier empesé taillé dans un tissu épais et raide, le corps entièrement couvert à l'exception des épaules, Pazair s'assit sur un siège à dossier droit.

– Je vous ai convoqués, sur l'ordre de Pharaon, pour vous confier une mission exceptionnelle : un recensement aussi rapide que l'essor d'un oiseau. Je désire connaître les noms des propriétaires des champs et des terres cultivables, la superficie qu'ils détiennent, le nombre de têtes de bétail et leurs propriétaires, la qualité et la quantité des richesses, le nombre d'habitants. Inutile de vous rappeler que les mensonges volontaires ou par omission sont considérés comme des fautes graves, passibles de peines sévères.

Un messager demanda la parole.

– D'ordinaire, le recensement s'étale sur plusieurs mois ; pourquoi cette hâte ?

– Il me faut prendre des décisions d'ordre économique, et j'ai besoin de savoir si l'état du pays a beaucoup changé, depuis cinq ans. Ensuite, nous affinerons les résultats.

– Satisfaire vos exigences ne sera pas facile, mais nous pourrons y parvenir en rassemblant très vite les inventaires tenus au jour le jour. Acceptez-vous de préciser vos intentions : s'agit-il de préparer une nouvelle fiscalité ?

– Aucun recensement ne fut établi avec cette arrière-pensée ; comme autrefois, son but sera le plein emploi et une juste répartition des tâches. Vous avez ma parole, sur la Règle.

— Les premiers éléments vous parviendront dans une semaine.

*

A Karnak, les tamaris fleurissaient entre les sphinx chargés d'interdire aux profanes l'accès du temple. Le printemps répandait ses saveurs sucrées, les pierres du temple se paraient de couleurs chaudes, le bronze des grandes portes scintillait.

Néféret présidait l'assemblée annuelle des médecins-chefs des principales villes d'Égypte, réunis au temple de la déesse Mout, où ils avaient été initiés aux secrets de leur art. Ils évoqueraient les problèmes de santé publique et se communiqueraient les découvertes majeures dont bénéficieraient les pharmaciens, les vétérinaires, les dentistes, les oculistes, les « bergers de l'anus * », les « connaisseurs des humeurs et des organes cachés », et autres spécialistes. Pour la plupart âgés, ils admirèrent le visage très pur du médecin-chef du royaume, son cou de gazelle, sa taille élancée, la finesse de ses attaches ; coiffée d'un diadème de fleurs de lotus qu'enserraient de petites perles, Néféret portait au cou la perle de turquoise que lui avait offerte Branir, afin de la protéger des influences nocives.

Le grand prêtre de Karnak, Kani, ouvrit la séance. La peau brune, ridée en profondeur, des traces d'abcès sur la nuque rappelant ses activités de jardinier contraint de porter de lourdes palanches, il ne cherchait pas à séduire.

— Grâce aux dieux, le corps médical de ce pays est aujourd'hui dirigé par une femme exceptionnelle, préoccupée d'améliorer les soins et non d'augmenter son prestige ; après un déplorable intermède, nous voilà revenus à la juste tradition qu'enseigna Imhotep. Ne dévions plus, et l'Égypte connaîtra la santé de l'âme et du corps.

* Les gastro-entérologues.

Néféret n'aimait guère les discours et n'en infligea pas à ses collègues, auxquels elle donna aussitôt la parole. Leurs interventions furent brèves et fructueuses ; des rapports mentionnèrent l'amélioration des techniques chirurgicales, notamment dans les domaines de la gynécologie et de l'ophtalmologie, et la création de nouveaux remèdes à base de plantes exotiques. Plusieurs experts insistèrent sur la nécessité de maintenir le haut niveau de formation des praticiens, même si la durée des études était longue et si l'on exigeait plusieurs années de pratique avant de les considérer comme des généralistes accomplis.

Néféret approuva ces conclusions ; en dépit de l'atmosphère conviviale, Kani la jugea tendue, presque inquiète.

— Un recensement est en cours, révéla-t-elle ; grâce à la diligence des messagers royaux, certains résultats sont déjà connus. L'un d'eux nous concerne directement : l'accroissement beaucoup trop rapide de la population dans certaines provinces. Le contrôle de la démographie est essentiel ; si nous l'oublions, nous condamnerons notre peuple à la misère *.

— Que souhaitez-vous ?

— Que les médecins de village préconisent des méthodes contraceptives.

— Votre prédécesseur avait mis fin à cette politique, car l'État devait distribuer gratuitement les produits.

— Cette économie est stupide et dangereuse. Revenons au don des contraceptifs à base d'acacia ; l'acide lactique que contiennent piquants et épines est d'une parfaite efficacité.

— Certes, mais pour le conserver, il faut le moudre avec des dattes et du miel... Ce dernier est coûteux !

— Des familles trop nombreuses ruineront les villages ; que les médecins convainquent les parents de

---

* A l'époque de Ramsès II, la population égyptienne, selon des estimations difficiles à vérifier, comptait environ quatre millions d'habitants. L'Égypte contemporaine dépassera bientôt les soixante millions.

cette réalité. Quant au miel, je demanderai au vizir de mettre une partie suffisante de la récolte à la disposition du service de santé.

*

Au crépuscule, Néféret emprunta l'allée qui menait au temple de Ptah ; à l'écart du grand axe est-ouest, colonne vertébrale de l'immense Karnak, le petit sanctuaire se nichait au cœur d'un îlot d'arbres.

Des prêtres saluèrent le médecin-chef du royaume ; Néféret pénétra seule dans la chapelle où se dressait la statue de la lionne Sekhmet, patronne des médecins et incarnation de la force mystérieuse engendrant à la fois les maladies et leurs remèdes.

La déesse, au corps de femme et au visage de lionne, était environnée de ténèbres ; passant par une fente creusée dans le plafond, le dernier rayon du jour illumina le visage de la terrifiante. Sans son aide, nul médecin ne pouvait guérir.

Le miracle se reproduisit, comme lors de leur première entrevue : la lionne sourit. Ses traits s'adoucirent, son regard s'abaissa sur sa servante. Venue lui demander sa sagesse, Néféret communia avec l'esprit de la pierre vivante ; par la présence inaltérable de la divinité, se transmettait la science de l'énergie dont l'humain n'était qu'une forme passagère.

La jeune femme passa la nuit en méditation ; de disciple de Sekhmet, elle devint sa sœur et sa confidente. Quand la puissante lumière du matin conféra à la statue son allure vengeresse, Néféret ne la redoutait plus.

*

Dans tout Memphis, le bruit courait, insistant : l'audience du vizir serait exceptionnelle. Non seulement les neuf amis du roi étaient convoqués, mais encore de nombreux courtisans se presseraient dans la

236

salle à colonnes pour assister à l'événement. Certains parlaient d'une démission de Pazair, écrasé sous le poids des responsabilités, d'autres d'un coup d'éclat aux conséquences imprévisibles.

Contrairement à son habitude, Pazair n'avait pas organisé un conseil restreint, mais ouvert à deux battants la porte de sa salle d'audience. En cette belle matinée de mai, c'était la cour entière qu'il affrontait.

– Sur l'ordre de Pharaon, j'ai fait procéder à un recensement dont la première étape est terminée, grâce au travail remarquable des messagers du roi.

« Il tente de se concilier une corporation au caractère difficile », murmura un vieux courtisan ; « sans oublier de s'attribuer les mérites de son action », ajouta son voisin.

– Je dois vous informer des résultats, continua Pazair.

Un frisson désagréable parcourut l'assemblée ; la gravité du ton laissait redouter une catastrophe inattendue.

– L'augmentation trop rapide de la population dans trois provinces du nord et dans deux du sud, rend indispensable l'intervention du service de santé ; il jugulera au plus vite cette tendance en informant les familles.

Aucun commentaire défavorable ne fut émis.

– Les biens des temples, s'ils sont encore intacts, sont gravement menacés, de même que ceux des villages. Sans intervention directe de ma part, le paysage économique sera bientôt bouleversé, et vous ne reconnaîtrez plus la terre de vos ancêtres.

Les courtisans perdirent leur flegme ; la déclaration du vizir parut excessive et infondée.

– Bien entendu, il ne s'agit pas d'une opinion, mais de faits avérés dont la gravité ne saurait vous échapper.

– Je vous prie de les exposer sans détours, sollicita le surintendant des champs.

– D'après les rapports officiels recueillis par les messagers royaux, environ la moitié des terres est passée sous le contrôle direct ou indirect de la Double Maison blanche; sans s'en apercevoir, nombre de temples provinciaux seront, demain, privés de leurs récoltes. Quantité de petits et de moyens exploitants, endettés à leur insu, deviendront locataires ou seront expulsés. L'équilibre entre propriété privée et domaine d'État est sur le point de se rompre. Il en est de même pour le bétail et l'artisanat.

Les regards convergèrent vers Bel-Tran, placé à la droite du vizir. Dans les yeux du directeur de la Double Maison blanche se mêlaient la stupeur et la colère. Les lèvres serrées, les narines pincées, la nuque raide, il fulminait.

— La politique économique menée avant ma nomination, reprit Pazair, s'orientait dans une direction que je désapprouve. Le recensement démontre ses excès que j'entends combattre sans délai, grâce aux décrets qu'a signés Pharaon. C'est en respectant ses valeurs ancestrales que l'Égypte préservera sa grandeur et le bonheur de son peuple; aussi demanderai-je au directeur de la Double Maison blanche de suivre fidèlement mes instructions et d'annuler les injustices.

Publiquement désavoué, mais chargé d'une nouvelle mission, Bel-Tran allait-il se retirer ou se soumettre? Lourd, massif, il s'avança et se présenta devant le vizir.

— Ma loyauté vous est acquise : commandez, et j'obéirai.

Un murmure de satisfaction traduisit l'assentiment de la cour. Ainsi, la crise était évitée; Bel-Tran reconnaissait ses erreurs, le vizir ne le condamnait pas. La modération de Pazair fut appréciée; malgré son jeune âge, il possédait le sens des nuances et savait se montrer diplomate, sans abandonner une ligne de conduite irréprochable.

— Pour clore ce conseil, indiqua le vizir, je maintiens le refus de dresser un état civil où seraient enregistrés naissances, décès, mariages et divorces. Un tel document restreindrait la liberté, en fixant par écrit des événements qui concernent les intéressés et leurs proches, et non l'État. Ne sclérosons pas notre société en l'écrasant sous une gestion administrative trop formaliste. Lorsque Pharaon est couronné, nous ne mentionnons pas son âge, mais célébrons sa fonction. Préservons cet état d'esprit, plus préoccupé de la vérité intemporelle que de détails périssables, et l'Égypte demeurera en harmonie, à l'image du ciel.

CHAPITRE 32

La dame Silkis, affolée, ne parvenait pas à contenir la colère de son mari. Victime d'une crise de tétanie, Bel-Tran n'éprouvait plus la moindre sensibilité dans ses doigts de pied et de main. En proie à des accès de rage, il brisait des vases précieux, déchirait des papyrus neufs et injuriait les dieux. Même les charmes offerts de sa jeune épouse demeuraient inopérants.

Silkis se retira dans ses appartements ; elle avala un breuvage composé de jus de dattes, de feuilles de ricin et de lait de sycomore, destiné à apaiser le feu qui rongeait ses intestins. Un médecin l'avait mise en garde contre le mauvais état du plexus veineux de ses cuisses, un autre s'était inquiété de sa chaleur constante à l'anus ; elle les avait renvoyés, avant d'accepter le traitement d'un spécialiste qui lui avait injecté du lait de femme à l'aide d'un clystère.

Son ventre continuait à la faire souffrir, comme si elle expiait ses fautes. Elle aurait tant aimé confier ses cauchemars à l'interprète des rêves et solliciter les soins de Néféret ; mais le premier avait quitté Memphis et la seconde était devenue son ennemie.

Bel-Tran fit irruption dans sa chambre.

— Encore malade !

— Admets-le, une pestilence me dévore.

— Je te paie les meilleurs médecins.

– Seule Néféret me guérira.

– Illusion! Elle n'en sait pas davantage que ses confrères.

– Tu te trompes.

– Me suis-je trompé depuis que j'ai commencé mon ascension ? J'ai fait de toi l'une des femmes les plus riches de ce pays; bientôt, tu seras la plus fortunée, et je détiendrai le pouvoir suprême, en manipulant des pantins.

– Pazair te fait peur.

– Il m'irrite, en se comportant comme un vizir qu'il croit être.

– Son intervention lui a attiré de nombreuses sympathies; certains de tes partisans ont changé d'opinion.

– Les imbéciles! Ils le regretteront; ceux qui ne m'auront pas obéi au doigt et à l'œil seront réduits au rang d'esclave.

Silkis s'allongea, épuisée.

– Et si tu te contentais de ta richesse... Et de me soigner ?

– Dans dix semaines, nous serons les maîtres du pays, et tu renoncerais à cause de ta santé! Tu es vraiment folle, ma pauvre Silkis.

Elle se releva, et l'agrippa par la ceinture de son pagne trop serré.

– Ne mens pas : suis-je déjà sortie de ton cœur et de ta tête ?

– Que veux-tu dire ?

– Je suis jeune et jolie, mais mes nerfs sont fragiles et mon ventre parfois peu accueillant... En as-tu choisi une autre, comme future reine ?

Il la gifla, l'obligeant à le lâcher.

– Je t'ai façonnée, Silkis, et je continuerai; tant que tu exécuteras mes ordres, tu n'auras rien à craindre.

Elle ne pleura pas, oublia de minauder; son visage de femme-enfant devint froid comme du marbre grec.

– Et moi, si je t'abandonnais ?

Bel-Tran sourit.

– Tu m'aimes trop, chérie, et tu aimes trop ton confort. Je connais tes vices; nous sommes inséparables, nous avons renié les dieux ensemble, menti ensemble, bafoué ensemble la justice et la Règle. Existe-t-il meilleure garantie d'une indéfectible solidarité?

*

– Délicieuse, reconnut Pazair en sortant de l'eau.

Néféret vérifiait le bandeau de cuivre qui ceinturait l'intérieur du bassin et le désinfectait en permanence. Le soleil dorait sa peau nue, sur laquelle ruisselaient des perles d'eau.

Pazair plongea, nagea sous la surface, et la prit doucement par la taille avant d'émerger et de l'embrasser dans le cou.

– On m'attend à l'hôpital.

– On t'attendra encore un peu.

– Ne dois-tu pas te rendre au palais?

– Je ne sais plus.

Sa résistance était feinte; alanguie, elle s'abandonna. Pazair, épousant son corps, l'emmena jusqu'au rebord de pierre. Sans desserrer l'étreinte, ils s'allongèrent sur les dalles chaudes et laissèrent libre cours à leur désir.

Une voix puissante brisa leur quiétude.

– Vent du Nord, indiqua Néféret.

– Ce braiment-là annonce l'arrivée imminente d'un ami.

Quelques minutes plus tard, Kem salua le vizir et son épouse. Brave, endormi au pied d'un sycomore, ouvrit un œil et se rendormit, la tête posée sur ses pattes croisées.

– Votre prestation fut très appréciée, révéla-t-il au vizir; les critiques de la cour se sont éteintes, son scepticisme a disparu. Vous voilà reconnu comme un authentique premier ministre.

– Bel-Tran? s'inquiéta Néféret.

– Il s'agite de plus en plus; certains notables

refusent ses invitations à dîner, d'autres lui ferment leur porte. On murmure que vous le remplacerez sans avertissement, à la prochaine incartade. Vous lui avez porté un coup fatal.

— Hélas! non, déplora Pazair.

— Peu à peu, vous amoindrissez son pouvoir.

— Mince consolation.

— Même s'il détient une arme décisive, pourra-t-il s'en servir?

— N'y pensons pas, continuons à agir.

Le Nubien croisa les bras.

— À vous entendre, on finirait par croire que la rectitude est la seule chance de survie du royaume.

— N'est-ce pas votre conviction?

— Elle m'a coûté mon nez, elle vous coûtera la vie.

— Tâchons de contrarier cette prophétie.

— Combien de temps nous reste-t-il?

— Je vous dois la vérité : dix semaines.

— L'avaleur d'ombres? interrogea Néféret.

— Je n'ose croire qu'il a renoncé, répondit Kem, mais il a perdu ses duels avec Tueur. Si le doute s'est insinué dans son esprit, peut-être envisage-t-il d'abandonner la partie.

— Deviendriez-vous optimiste?

— Rassurez-vous : je ne baisse pas ma garde.

Néféret, souriante, dévisagea le Nubien.

— Il ne s'agit pas d'une simple visite de politesse, n'est-ce pas?

— Vous lisez trop bien en moi.

— La gaieté, dans vos yeux... Un espoir?

— Nous avons retrouvé la piste de Mentmosé, mon sinistre prédécesseur.

— A Memphis?

— D'après un indicateur, qui l'a vu sortir de chez Bel-Tran, il a pris la route du nord.

— Vous auriez pu l'interpeller, estima Pazair.

— C'eût été une erreur; ne valait-il pas mieux connaître sa destination?

– A condition de ne pas le perdre.

– S'il a évité les bateaux, c'est pour passer inaperçu ; il sait que la police le recherche. En empruntant des chemins de terre, il évitera les contrôles.

– Qui le suit ?

– Mes meilleurs limiers se relaient ; dès qu'il aura atteint son but, nous serons informés.

– Prévenez-moi aussitôt ; je partirai avec vous.

– Ce n'est guère prudent.

– Vous aurez besoin d'un magistrat pour l'interroger ; en est-il de plus autorisé que le vizir ?

*

Pazair était persuadé d'aboutir à un résultat décisif ; aussi Néféret n'était-elle pas parvenue à le convaincre de renoncer à une équipée qui s'annonçait dangereuse, malgré la présence de Kem et du babouin.

Mentmosé, l'ancien chef de la police qui avait envoyé Pazair au bagne, en se moquant des lois, n'en savait-il pas long sur l'assassinat de Branir ? Le vizir ne laisserait plus passer la moindre chance de connaître la vérité.

Mentmosé parlerait.

Pendant que le vizir attendait le signal de Kem, Néféret mettait au point, avec ses collègues concernés, le programme de contraception à l'échelle du pays. Grâce au décret du vizir, les produits seraient distribués gratuitement aux familles. Les médecins de village, dont la fonction serait réhabilitée, rempliraient une mission permanente d'information. Au service de santé, désormais, de veiller sur le contrôle des naissances.

Contrairement à son prédécesseur, Néféret ne s'était pas installée dans les locaux administratifs réservés au médecin-chef du royaume et à ses proches collaborateurs ; elle avait préféré son ancien bureau de l'hôpital principal, afin de rester en contact avec les malades et les préparateurs de remèdes. Elle écoutait, conseillait et rassurait. Chaque jour, elle tentait de repousser les limites de la souffrance, chaque jour elle subissait des défaites dans lesquelles elle puisait l'espoir des victoires futures. Elle se préoccupait aussi de la rédaction des traités de médecine *, transmis depuis le temps des pyramides et sans cesse améliorés; un collège de scribes spécialisés décrivait les expériences réussies et notait les traitements.

Au sortir d'une opération des yeux, destinée à éviter l'aggravation d'un glaucome, Néféret se lavait les mains dans la salle d'eau des chirurgiens, lorsqu'un jeune médecin lui signala une urgence. Fatiguée, la jeune femme lui demanda de s'en occuper; mais la patiente insistait pour consulter Néféret, et elle seule.

*

La femme était assise, la tête couverte d'un voile.

— De quoi souffrez-vous? demanda Néféret.

La patiente ne répondit pas.

— Je dois vous examiner.

Silkis souleva son voile.

— Soignez-moi, Néféret; sinon, je vais mourir!

— D'excellents médecins travaillent ici; consultez-les.

— C'est vous qui me guérirez, personne d'autre!

— Vous êtes l'épouse d'un être vil et destructeur, Silkis, d'un parjure et d'un menteur. Rester à ses côtés prouve votre complicité; c'est elle qui vous ronge l'âme et le corps.

— Je n'ai commis aucun crime. Je dois obéir à Bel-Tran, c'est lui qui m'a façonnée, c'est lui qui...

— Ne seriez-vous qu'un objet?

— Vous ne pouvez pas comprendre!

— Ni vous comprendre ni vous soigner.

* Quelques-uns ont survécu; ils traitent de gynécologie, des voies respiratoires, des maux d'estomac, des voies urinaires, d'ophtalmologie, d'opérations crâniennes, et de médecine vétérinaire. Malheureusement, seule une infime partie de l'art du médecin égyptien nous est parvenue.

– Je suis votre amie, Néféret, votre amie fidèle et sincère ; puisque mon estime vous est acquise, accordez-moi votre confiance.

– Si vous quittez Bel-Tran, je vous croirai ; sinon, cessez de mentir et de vous mentir à vous-même.

La voix fluette de la femme-enfant se fit plaintive.

– Si vous me soignez, Bel-Tran vous récompensera, je vous le jure ! C'est la seule façon de sauver Pazair.

– En êtes-vous certaine ?

Silkis se détendit.

– Enfin, vous admettez la réalité !

– J'y suis sans cesse confrontée.

– Bel-Tran en prépare une autre, tellement plus attrayante ! Elle sera à mon image, belle et séduisante !

– Vous serez cruellement déçue.

Le sourire se figea.

– Pourquoi dites-vous ça ?

– Parce que vous fondez l'avenir sur l'ambition, la cupidité et la haine ; il ne vous offrira rien d'autre, si vous ne renoncez pas à votre folie.

– Ainsi, vous n'avez pas confiance en moi...

– Complice de meurtre, vous comparaîtrez tôt ou tard devant la justice du vizir.

La femme-enfant devint furie.

– C'était votre dernière chance, Néféret ! En liant votre destin à celui de Pazair, en refusant d'être mon médecin personnel, vous vous condamnez à disparaître sans gloire. Lorsque nous nous reverrons, vous serez mon esclave.

CHAPITRE 33

Comme le remarquait une chanson populaire, « les marchands montent et descendent le fleuve, agités comme des mouches, transportent des biens d'une cité à l'autre, et fournissent celui qui n'a rien ». Sur le bateau où discutaient des Syriens, des Grecs, des Chypriotes et des Phéniciens, comparant leurs prix et se répartissant leur future clientèle, Pazair se tenait à l'écart. Nul n'aurait reconnu le vizir d'Égypte dans cet homme jeune, vêtu de manière banale, et n'ayant pour tout bagage qu'une natte usée sur laquelle il dormait. Sur le toit de l'embarcation, encombré de ballots, Tueur veillait. Son calme prouvait que l'avaleur d'ombres ne rôdait pas dans les parages. Kem ne quittait pas la proue, la tête encapuchonnée, craignant d'être identifié. Mais les marchands étaient trop occupés à calculer leurs bénéfices pour s'intéresser aux autres passagers.

Le bateau avançait vite, grâce à un bon vent; le capitaine et son équipage toucheraient une bonne prime, s'ils parvenaient à destination plus rapidement que prévu. Les commerçants étrangers étaient des hommes pressés.

Une altercation opposa les Syriens aux Grecs; les premiers proposèrent des colliers en pierres semi-précieuses aux seconds, en échange de vases provenant de Rhodes, dont ils avaient la vente. Mais les Hellènes dédaignèrent l'offre, l'estimant insuffisante. Cette attitude étonna Pazair, car la transaction semblait correcte.

L'incident calma les ardeurs commerciales, et chacun s'enferma dans sa méditation, au fil du Nil. Après avoir emprunté « le grand fleuve » qui traversait le Delta, le navire marchand mit le cap à l'est, et emprunta « les eaux de Rê », un bras d'eau se séparant du cours majeur, en direction du carrefour des voies desservant Canaan et la Palestine.

Les Grecs descendirent lors d'une brève escale en rase campagne ; Kem les suivit, imité de Pazair et de Tueur. Le débarcadère, vétuste, semblait abandonné ; autour, des forêts de papyrus et des marais. Des canards se dispersèrent.

— C'est ici que Mentmosé s'est acoquiné avec un groupe de commerçants grecs, révéla le Nubien. Ils ont pris un chemin de terre, vers le sud-est. En suivant ceux-là, nous le rejoindrons.

Les marchands palabraient, méfiants ; la présence du trio les importunait. L'un d'eux, affligé d'une légère boiterie, vint à leur rencontre.

— Que voulez-vous ?

— Des prêts, répondit Pazair.

— Dans ce coin perdu ?

— A Memphis, on ne nous en accordera plus.

— Faillite ?

— Certaines affaires sont impossibles, car nous avons trop d'idées ; en vous accompagnant, nous trouverons peut-être des gens plus compréhensifs.

Le Grec parut satisfait.

— Vous n'êtes pas mal tombés. Votre singe, là... Est-il à vendre ?

— Pas pour le moment, répondit Kem.

— Il existe des amateurs.

— C'est une brave bête, timide et inoffensive.

— Il vous servira de garantie, et vous en tirerez un bon prix.

— Le trajet sera-t-il long ?

– Deux heures de marche ; nous attendons les ânes.

La caravane s'ébranla, au pas régulier des grisons. Lourdement chargés, ils ne trébuchaient pas et gardaient un œil serein, habitués à leur rude travail. Les hommes se désaltérèrent à plusieurs reprises, Pazair humecta la bouche des quadrupèdes.

Après avoir traversé un champ abandonné, ils découvrirent le terme du voyage : une ville de petite taille, aux maisons basses, que protégeait une enceinte.

– Je ne vois pas de temple, s'étonna Pazair ; ni pylônes, ni portes monumentales, ni oriflammes flottant au vent.

– Ici, pas besoin de sacré, rétorqua un Grec, amusé ; cette cité ne connaît qu'un dieu : le profit. C'est lui que nous servons avec fidélité, et nous nous en portons bien.

Par l'accès principal, que surveillaient deux gardes débonnaires, entrait une foule d'ânes et de marchands. On se bousculait, on s'apostrophait, on marchait sur les pieds du voisin et l'on se noyait dans le flot continu qui envahissait les ruelles étroites sur lesquelles s'ouvraient des échoppes de tailles diverses. Les Palestiniens, nu-pieds, la barbe en pointe, les favoris abondants, une opulente chevelure retenue au sommet de la tête par un bandeau, étaient fiers de leurs manteaux bariolés qu'ils achetaient à des Libanais, passés maîtres dans l'art du calcul mental. Cananéens, Libyens et Syriens prenaient d'assaut les boutiques des Grecs, regorgeant de produits importés, notamment de vases aux formes élancées et d'objets de toilette. Même des Hittites achetaient du miel et du vin, aussi indispensables à leur table que dans leurs rituels.

En observant les transactions, Pazair nota vite une anomalie : les acheteurs ne proposaient rien en échange des biens qu'ils acquéraient. A l'issue de négociations acharnées, ils se contentaient de serrer la main du vendeur.

Sous l'œil attentif de Kem et du babouin, Pazair s'approcha d'un Grec volubile, petit et barbu, qui exposait de superbes coupes en argent.

– J'aimerais celle-ci.

– Quel goût excellent! Je suis vraiment étonné...

– Pourquoi?

– C'est ma préférée. M'en séparer m'attristerait plus que je ne saurais le dire; hélas! c'est la dure loi du commerce. Touchez-la, jeune homme, caressez-la; croyez-moi, elle en vaut la peine. Aucun artisan n'est capable d'en refaire une semblable.

– Quel est son prix?

– Gavez-vous de sa beauté, imaginez sa présence dans votre demeure, songez aux regards envieux et admiratifs de vos amis. D'abord, vous refuserez d'avouer le nom du commerçant chez qui vous avez réalisé cette incroyable affaire, puis vous avouerez: qui d'autre que Périclès vend de tels chefs-d'œuvre?

– Elle doit être très chère.

– Quelle importance, le prix, lorsque l'art atteint la perfection? Proposez, Périclès vous écoute.

– Une vache tachetée?

Le regard du Grec traduisit un profond étonnement.

– Je n'apprécie guère la plaisanterie.

– C'est trop peu?

– Votre humour devient grossier, je n'ai pas de temps à perdre.

Ulcéré, le marchand passa à un autre client. Désappointé, Pazair avait pourtant proposé un échange en sa défaveur.

Le vizir s'adressa à un autre Grec; le même dialogue, avec quelques variantes, accompagna la transaction. Au moment crucial, Pazair tendit la main. L'autre la serra mollement; stupéfait, il la retira.

– Mais... elle est vide!

– Que devait-elle contenir?

– Croyez-vous que mes vases soient gratuits? De l'argent, bien sûr!

– Je... Je n'en ai pas.

– Eh bien, allez dans une banque; elle vous en prêtera.

– Où la trouverai-je?

– Sur la place principale; il en existe plus d'une dizaine.

Éberlué, Pazair suivit les indications du marchand.

Les ruelles débouchaient sur une place carrée que bordaient d'étranges boutiques. Pazair se renseigna; il s'agissait bien de «banques», un terme inusité en Égypte. Il se dirigea vers la plus proche et fit la queue.

À l'entrée, deux hommes armés; ils examinèrent le vizir des pieds à la tête, s'assurant qu'il ne dissimulait pas un poignard.

À l'intérieur, plusieurs personnes très affairées. L'une d'elles déposait de petites pièces métalliques de forme ronde sur une balance, les pesait, puis les rangeait dans différents casiers.

– Dépôt ou retrait? demanda un employé à Pazair.

– Dépôt.

– Énumérez vos biens.

– C'est que...

– Hâtez-vous; d'autres clients attendent.

– En raison de l'énormité de mon apport, j'aimerais discuter de sa valeur avec le plus haut responsable de la banque.

– Il est occupé.

– Quand pourrai-je le voir?

– Un instant.

L'employé revint quelques minutes plus tard; le rendez-vous était fixé au coucher du soleil.

*

Ainsi l'argent, « le grand tordu », avait été introduit dans cette cité fermée; l'argent, sous forme de pièces en circulation, inventé par les Grecs depuis des décennies, était tenu à l'écart du pays des pharaons, parce qu'il mettrait fin à l'économie de troc et entraînerait une

251

irrémédiable décadence de la société *. « Le grand tordu » proclamait la prééminence de l'avoir sur l'être, augmentait la cupidité naturelle des humains et leur faisait toucher du doigt des valeurs monétaires détachées de la réalité. Les vizirs fixaient le prix des objets et des denrées en fonction d'une référence, laquelle ne circulait pas et ne se matérialisait pas dans de petites rondelles d'argent ou de cuivre, véritable prison pour les individus.

Le directeur de la banque était un homme rond au visage carré, âgé d'une cinquantaine d'années ; originaire de Mycènes, il avait reconstitué l'atmosphère de sa maison natale : petites statuettes de terre cuite, effigies en marbre de héros grecs, édition sur papyrus des principaux passages de l'Odyssée, vases à long col décorés des exploits d'Héraclès.

— On m'a dit que vous comptiez nous accorder un dépôt important.

— C'est exact.

— De quelle nature ?

— Je possède de nombreux biens.

— Bétail ?

— Bétail.

— Céréales ?

— Céréales.

— Bateaux ?

— Bateaux.

— Et... D'autres choses encore ?

— Beaucoup d'autres choses.

Le directeur sembla impressionné.

— Disposez-vous d'une quantité suffisante de pièces ?

— Je pense que oui, mais...

— Que craignez-vous ?

— Votre apparence ne laisse pas supposer... une telle richesse...

* Si l'on note l'existence de la monnaie à la XXXᵉ dynastie, le système monétaire n'était pas pour autant en vigueur. Il ne fera son apparition en Égypte que sous les Ptolémées, souverains grecs.

– Pour voyager, j'évite les habits somptueux.

– Je vous comprends, mais j'aimerais...

– Une preuve de ma fortune?

Le directeur hocha la tête.

– Donnez-moi une tablette d'argile.

– Je préférerais enregistrer votre déclaration sur papyrus.

– J'ai une meilleure certitude à vous offrir; donnez-moi cette tablette.

Déconcerté, le banquier s'exécuta.

Pazair imprima profondément son sceau dans l'argile.

– Cette garantie vous suffira-t-elle?

Les yeux exorbités, le Grec contempla le sceau du vizir.

– Que... que voulez-vous?

– Un repris de justice vous a rendu visite.

– À moi? C'est impossible!

– Il s'appelle Mentmosé; il était chef de la police, avant d'enfreindre la loi et d'être exilé. Sa présence sur le territoire égyptien est un délit majeur que vous auriez dû signaler.

– Je vous assure que...

– Cessez de mentir, recommanda le vizir; je sais que Mentmosé est venu ici sur l'ordre du directeur de la Double Maison blanche.

Les défenses du banquier cédèrent.

– Pourquoi aurais-je refusé de m'entretenir avec lui? Mentmosé s'est réclamé des autorités.

– Que vous a-t-il demandé?

– D'étendre les activités bancaires à l'ensemble du Delta.

– Où se cache-t-il?

– Il a quitté notre ville pour le port de Rakotis.

– Auriez-vous oublié que la circulation de la monnaie est interdite et que les coupables de ce délit sont passibles de lourdes peines?

– Mes affaires sont légales.

– Auriez-vous reçu un décret signé de ma main?

– Mentmosé m'a assuré que les activités des banques étaient considérées comme une situation de fait et qu'elles anticipaient la réalité prochaine.

– Vous avez été imprudent; en Égypte, la loi n'est pas un vain mot.

– Vous ne résisterez pas longtemps à cette pratique; c'est sur elle que se fonde le progrès, et...

– Un progrès dont nous ne voulons pas.

– Je ne suis pas seul en cause, mes collègues...

– Rencontrons-les; faites-moi visiter cette ville.

CHAPITRE 34

Plein d'espoir, le banquier grec présenta le vizir, accompagné de Tueur, à ses collègues chargés d'importer la monnaie en fraude, de gérer les comptes des clients, de fixer les taux des prêts et de procéder à de multiples opérations bancaires, pour le plus grand profit de leur association financière. Ils insistèrent sur les avantages de leur procédé; un État fort, en manipulant le système à sa guise, n'utiliserait-il pas à son avantage les biens que ses sujets seraient obligés de lui confier?

Pendant que le vizir écoutait la leçon, les policiers de Kem, au signal de leur chef, se débarrassaient de leurs accoutrements de Libyens et de Grecs, et fermaient la porte de la cité, malgré les protestations d'une foule inquiète. Trois hommes tentèrent d'escalader un mur et de s'enfuir; leur embonpoint les trahit. Incapables d'y parvenir, ils furent arrêtés et conduits au chef de la police.

Le plus agité se défendit avec véhémence.

– Relâchez-nous immédiatement!

– Vous êtes coupables de recel de monnaie.

– Vous n'avez pas le droit de nous juger.

– Je dois vous conduire devant un tribunal.

Lorsque les trois prévenus furent en présence du vizir, qui déclina son titre et ses fonctions, leur hargne disparut; ils larmoyèrent.

– Pardonnez-nous... C'était une erreur de notre part, une regrettable erreur. Nous sommes d'honnêtes négociants, nous...

– Vos noms et vos professions.

Les trois hommes étaient des Égyptiens du Delta, fabricants de meubles ; une partie de leur production, non déclarée, était expédiée à la cité grecque.

– Il apparaît que vous engrangez des bénéfices illégaux et lésez ainsi vos compatriotes. Contestez-vous les faits ?

Nulle protestation ne s'éleva.

– Ne soyez pas sévère... nous nous sommes illusionnés.

– Je me contenterai d'appliquer nos lois.

Pazair organisa son tribunal sur la grand-place. Le jury fut composé de Kem et de cinq paysans égyptiens que le chef de la police avait fait venir de la plus proche exploitation agricole.

Les nombreux accusés, en majorité grecs, ne contestèrent ni le motif d'inculpation ni la sentence proposée ; à l'unanimité, le jury adopta le châtiment que souhaitait le vizir : expulsion immédiate des coupables et interdiction définitive de fouler le sol égyptien. Les pièces de monnaie saisies seraient fondues, le métal obtenu serait offert aux temples où il se transformerait en objets rituels. Quant à la cité, elle resterait attribuée aux commerçants étrangers, à condition qu'ils se plient aux règles de l'économie égyptienne.

Le patron des banquiers remercia le vizir.

– Je redoutais une peine plus sévère, avoua-t-il ; on affirme que le bagne de Khargeh est un enfer.

– J'y ai survécu.

– Vous ?

– Mentmosé espérait que mes os y blanchiraient.

– À votre place, je ne sous-estimerais pas ses menées ; il est rusé et dangereux.

– J'en suis conscient.

– En mettant fin au développement du système

monétaire, avez-vous conscience de susciter la haine d'un ennemi redoutable qui comptait en tirer d'énormes profits ? Vous détruisez l'une des sources d'enrichissement de Bel-Tran.

— J'en suis heureux.

— Combien de temps espérez-vous rester vizir ?

— Aussi longtemps que Pharaon le souhaitera.

*

À bord d'un bateau rapide, Pazair, Kem et le babouin voguèrent vers la cité côtière de Rakotis. Le vizir goûta la splendeur verdoyante des paysages du Delta, où d'innombrables chemins d'eau s'entrelaçaient. Plus on avançait vers le nord, plus les eaux étendaient leur royaume ; le Nil se dilatait, préparant ses noces avec une mer rêveuse et tendre, dont s'enivraient les terres ultimes, aux formes incertaines. Un monde mourait dans un infini bleuté et renaissait sous forme de vagues.

À Rakotis, on préparait le poisson. Quantité de pêcheries du Delta avaient installé leur siège principal dans les faubourgs du petit port, où les races se mélangeaient. À ciel ouvert, sur le marché ou dans des entrepôts, des spécialistes nettoyaient les poissons, les vidaient et les aplatissaient ; puis ils les accrochaient à des tiges de bois, laissant au soleil le soin de les sécher, ou les enterraient dans du sable chaud ou dans une boue aux vertus désinfectantes. Ensuite, on procédait à la salaison ; les plus belles pièces étaient conservées dans l'huile, les œufs des muges mis de côté en vue de préparer la boutargue. Si les gourmets appréciaient le poisson frais, grillé et nappé d'une sauce au cumin, à l'origan, à la coriandre et au poivre, le peuple consommait du poisson séché, aliment aussi quotidien que le pain. La valeur d'un muge équivalait à une jarre de bière, un panier de perches du Nil s'échangeait contre une belle amulette.

Pazair s'étonna du calme qui régnait dans la cité commerçante; pas un chant, pas d'attroupement, pas de négociations passionnées, pas de caravanes d'ânes allant et venant. Le babouin devint nerveux.

Sur le quai, des hommes dormaient, allongés sur des filets de pêche; pas le moindre bateau à l'amarrage. Une grande maison basse, au toit plat, abritait les services administratifs chargés de l'enregistrement des stocks et de leur expédition.

Ils entrèrent.

Les locaux étaient vides. Aucun document, comme si les archives n'avaient jamais existé; pas même un pinceau de scribe ou des brouillons d'écriture. Nul indice ne prouvait que des scribes avaient travaillé ici.

— Mentmosé ne doit pas être loin, suggéra Kem; Tueur perçoit sa présence.

Le babouin fit le tour du bâtiment et prit la direction du port; Kem et Pazair le suivirent. Alors que le singe s'approchait d'une barque en mauvais état, cinq barbus malodorants, armés de couteaux servant à ouvrir les poissons, sortirent de leur torpeur.

— Déguerpissez, vous n'êtes pas du coin.

— Êtes-vous les derniers habitants de Rakotis?

— Déguerpissez.

— Je suis Kem, chef de la police; parlez, ou vous aurez des ennuis.

— Les nègres pullulent dans le sud, pas ici; retourne d'où tu viens.

— Obéirez-vous aux injonctions du vizir, ici présent?

Le pêcheur éclata de rire.

— Le vizir se prélasse dans son bureau de Memphis! À Rakotis, la loi, c'est nous.

— Je veux savoir ce qui s'est passé, dit Pazair avec gravité.

L'homme se tourna vers ses camarades.

— Vous l'entendez? Il se prend pour le grand juge! Il croit peut-être nous faire peur, avec son singe.

Tueur avait beaucoup de qualités et un défaut

majeur : la susceptibilité. En tant qu'officier de police, il détestait que l'on se moquât de la force publique.

Son bond fulgurant surprit l'adversaire, qu'il désarma en lui mordant le poignet; avant que le second intervînt, il l'assomma d'un coup de poing sur la nuque. Quant au troisième, il le renversa en lui fauchant les jambes. Kem se chargea des deux derniers, trop frêles pour lui résister.

Le chef de la police soutint le seul pêcheur en état de parler.

— Pourquoi la ville est-elle déserte?

— Ordre du vizir.

— Transmis par qui?

— Son messager personnel, Mentmosé.

— Tu l'as rencontré?

— Ici, tout le monde le connaît; il a eu des ennuis, paraît-il, mais ça s'est arrangé. Depuis qu'il travaille à nouveau avec la justice, il est au mieux avec les autorités du port. On murmure qu'il leur offre de l'argent grec, des pièces en métal, et qu'il fera la fortune de ses amis. C'est pourquoi ils suivent ses consignes à la lettre.

— Quelles furent-elles?

— De jeter à la mer les réserves de poisson fumé et de quitter Rakotis sans tarder, à cause d'une maladie contagieuse. Les scribes sont partis les premiers, la population et les ouvriers les ont suivis.

— Pas vous?

— Moi et mes camarades, on ne sait où aller.

Le babouin trépigna.

— Vous êtes à la solde de Mentmosé, n'est-ce pas?

— Non, nous...

La patte du singe serra la gorge du pêcheur; dans les yeux de Tueur, la férocité.

— Oui, oui, nous l'attendons!

— Où se terre-t-il?

— Dans le marais, à l'ouest.

— Pourquoi se comporte-t-il ainsi?

— Il détruit les tablettes et les papyrus que nous avons sortis des bureaux de l'administration.

– Depuis quand est-il parti?

– Peu après le lever du soleil; quand il reviendra, nous le conduirons au grand canal, et nous irons à Memphis avec lui. Il nous a promis une maison et un champ.

– Et s'il vous oubliait?

Le pêcheur leva des yeux affolés vers le Nubien.

– Ce n'est pas possible, une promesse comme celle-là...

– Mentmosé ignore la parole donnée; c'est un menteur-né. Jamais il n'a travaillé pour le vizir Pazair. Monte dans cette barque et conduis-nous; si tu nous aides, nous serons indulgents.

*

Le quatuor vogua sur des étendues mi-aquatiques, mi-herbeuses où Kem et Pazair eussent été incapables de se repérer. Dérangés, des ibis noirs s'envolèrent vers un ciel où de petits nuages ronds suivaient le rythme du vent du nord. Le long de la coque se faufilaient des serpents, aussi verdâtres que l'eau glauque.

Dans ce labyrinthe inhospitalier, le pêcheur progressait avec une surprenante aisance.

– Je prends un raccourci, expliqua-t-il; bien qu'il ait beaucoup d'avance, nous le rattraperons avant qu'il ne rejoigne le canal principal où circulent des bateaux de transport.

Kem l'aida à ramer; Pazair scrutait l'horizon, le babouin somnolait. Les minutes s'écoulaient, trop courtes. Le vizir se demanda si leur guide ne se moquait pas d'eux, mais la sérénité de Tueur le rassura.

Lorsqu'il se dressa sur ses pattes arrière, les trois hommes se prirent à croire que leur poursuite n'avait pas été vaine; quelques instants plus tard, à moins d'un kilomètre du grand canal, ils aperçurent une autre barque.

Un seul passager à bord, un homme au crâne chauve et rose, luisant sous le soleil.

— Mentmosé! cria Kem. Arrête-toi, Mentmosé!

L'ancien chef de la police accéléra le rythme; mais la distance se réduisait inexorablement.

Comprenant qu'il ne parviendrait pas à s'échapper, Mentmosé fit face. Un javelot, lancé avec précision, perça la poitrine du pêcheur. Le malheureux bascula et s'enfonça dans le marais.

— Mettez-vous derrière moi, ordonna Kem au vizir.

Le singe plongea.

Mentmosé lança un second javelot, visant le Nubien; ce dernier se pencha au dernier moment, évitant le trait. Pazair pagayait avec difficulté, s'enlisait dans un banc de nénuphars, se dégageait et progressait de nouveau.

Un troisième javelot en main, Mentmosé hésitait; fallait-il tuer d'abord le singe ou le Nubien?

Surgissant de l'eau, Tueur agrippa la proue de la barque de Mentmosé et la secoua afin de le renverser; mais l'homme écrasa les doigts de l'animal avec le poids en pierre qui servait d'ancre et tenta de transpercer la patte en la clouant au bois. Blessé, le babouin lâcha prise au moment où Kem bondissait de son embarcation dans celle du fuyard.

Malgré sa corpulence et son manque d'exercice, Mentmosé se défendit avec une brutalité inattendue; la pointe de son javelot érafla la joue du Nubien. Déséquilibré, il s'étala sur le fond de la barque; de l'avant-bras, il para un coup violent. Le javelot se planta entre deux planches. Pazair parvint à la hauteur de Mentmosé, qui repoussa l'embarcation du vizir; Kem agrippa le pied droit de l'ex-policier, Mentmosé chuta dans le marais.

— Cessez de résister, ordonna Pazair; vous êtes notre prisonnier.

Mentmosé n'avait pas lâché son arme; alors qu'il la brandissait dans la direction du vizir, il poussa un cri horrible, porta la main à sa nuque, défaillit, et disparut dans l'eau glauque. Pazair vit un poisson-chat se faufiler dans les roseaux, en bordure du canal ; plutôt rare dans le Nil, il provoquait des noyades en heurtant des nageurs que le simple choc, d'une violence inouïe, rendait inconscients *.

Kem, fou d'inquiétude, repéra le babouin qui luttait contre un courant ; il se jeta à l'eau et l'aida à remonter sur la barque. Le singe, très digne, lui montra sa blessure, comme s'il s'excusait d'avoir manqué l'arrestation.

– Désolé, déplora le Nubien ; Mentmosé ne parlera plus.

*

Déprimé, choqué, le vizir fut silencieux pendant le voyage de retour à Memphis ; bien qu'il eût encore amoindri l'empire souterrain de Bel-Tran, comment ne pas déplorer la mort du pêcheur, fût-il un complice occasionnel de Mentmosé ?

Kem avait soigné Tueur, dont la blessure était superficielle ; Néféret veillerait à la complète guérison du singe. Le Nubien ressentit le trouble du vizir.

– Je ne regrette pas Mentmosé ; cette crapule ressemblait à un fruit pourri et véreux.

– Pourquoi la clique de Bel-Tran commet-elle tant d'atrocités ? Son ambition sème le malheur.

– Vous êtes le rempart contre les démons ; ne cédez pas.

– Je m'attendais à veiller sur le respect de la justice, non à enquêter sur l'assassinat de mon maître et à traverser tant de drames. « La fonction de vizir est aussi amère que le fiel », affirmait le roi lors de mon intronisation.

* Le *Malapterurus electricus* est une sorte de poisson-chat électrique ; lors d'un choc, sa victime reçoit une décharge d'environ deux cents volts.

Le babouin policier posa sa patte blessée sur l'épaule du vizir; il ne la retira pas avant l'arrivée à Memphis.

*

Avec l'aide de Kem, Pazair rédigea un long rapport sur les récents événements.

Un scribe lui apporta un papyrus scellé. Destiné au vizir, il provenait de Rakotis et comportait les mentions « urgent » et « confidentiel ».

Pazair brisa le sceau, et déchiffra un texte surprenant qu'il lut à haute voix.

Moi, Mentmosé, ancien chef de la police injustement condamné, dénonce le vizir Pazair comme incapable, criminel, et irresponsable. Sous les yeux de nombreux témoins, il a fait jeter les réserves de poisson séché dans la mer, et privera ainsi la population du Delta de sa nourriture de base pendant plusieurs semaines. C'est à lui-même que j'adresse cette plainte; conformément à la loi, il sera contraint d'instruire son propre procès.

— Voilà pourquoi Mentmosé a détruit les documents administratifs des pêcheries; ils ne pourront pas le contredire.

— Il a raison, conclut le vizir; malgré son mensonge éhonté, je suis obligé de prouver mon innocence au cours d'un procès. Il faudra procéder à une reconstitution, convoquer des témoins et démontrer la manipulation. Pendant ce temps, Bel-Tran agira à sa guise.

Kem gratta son nez en bois.

— Vous envoyer cette missive ne suffisait pas; Mentmosé aurait porté plainte par le biais de Bel-Tran ou d'un haut dignitaire, vous obligeant ainsi à tenir compte de ses accusations.

— Bien entendu.

— Ne subsiste donc que ce papyrus.

— Certes, mais il est suffisant pour déclencher la procédure.

– S'il n'existait pas, cette affaire n'existerait pas davantage.

– Je n'ai pas le droit de le détruire.

– Moi, si.

Kem arracha le papyrus des mains de Pazair et le déchira en mille morceaux qui s'éparpillèrent au vent.

CHAPITRE 35

Souti et Panthère contemplèrent la belle cité de Coptos, dont les maisons blanches s'offraient au soleil de mai, sur la rive droite du Nil, à une quarantaine de kilomètres au nord-ouest de Karnak. De cette capitale de la cinquième province de Haute-Égypte, partaient les expéditions commerciales vers les ports de la mer Rouge et les équipes de mineurs vers les sites du désert oriental. C'était là que Souti s'était fait engager, afin de retrouver la piste d'Asher, le général félon et assassin, qu'il avait exécuté.

L'étrange armée de Souti s'approcha du fortin gardant la route qui conduisait à l'entrée de la ville; comme il était interdit de circuler alentour sans autorisation, les voyageurs se présentaient accompagnés de policiers chargés de vérifier leur identité et d'assurer leur sécurité.

Ceux du poste de garde n'en crurent pas leurs yeux : d'où surgissait cette troupe hétéroclite, composée de Libyens, de Nubiens et de représentants des forces de l'ordre? On aurait juré qu'ils fraternisaient, alors que « ceux à la vue perçante » auraient dû encadrer des prisonniers ligotés!

Souti s'avança seul vers le chef de poste, armé d'un glaive.

Les cheveux longs, la peau bronzée, le torse nu orné

d'un large collier d'or, des bracelets soulignant la vigueur de ses bras, le jeune homme avait la superbe d'un authentique général, ramenant ses hommes d'une campagne victorieuse.

— Mon nom est Souti, et je suis égyptien, comme toi ; pourquoi nous entre-tuer ?

— D'où venez-vous ?

— Tu le vois : du désert que nous avons conquis.

— Mais c'est... illégal !

— La loi du désert est la mienne, et celle de mes hommes ; si tu t'y opposes, tu mourras de façon stupide. Nous allons nous emparer de cette ville. Rallie-toi, tu t'en porteras bien.

Le chef de poste hésita.

— « Ceux à la vue perçante » vous obéissent ?

— Ce sont des gens raisonnables ; je leur offre plus qu'ils ne pouvaient espérer.

Souti jeta un lingot d'or aux pieds du chef de poste.

— Ce n'est qu'un modeste cadeau, pour éviter un carnage.

L'homme, les yeux exorbités, ramassa le trésor.

— Ma réserve d'or est inépuisable ; cours prévenir le gouverneur militaire de la ville. Je l'attends ici.

Pendant que le chef de poste s'acquittait de sa mission, les soldats de Souti investissaient la ville. Comme la plupart des cités d'Égypte, Coptos ne s'abritait pas derrière des murailles ; les assaillants se dispersèrent, de manière à contrôler les principaux accès.

Panthère prit tendrement son amant par le bras gauche, comme une épouse fidèle. Couverte de bijoux d'or, la blonde Libyenne ressemblait à une déesse, née des noces du ciel et du désert.

— Refuserais-tu le combat, mon amour ?

— Une victoire sans tuerie n'est-elle pas préférable ?

— Moi, je ne suis pas égyptienne ; voir tes compatriotes terrassés par les miens me plairait davantage. Les Lybiens n'ont pas peur de se battre, eux.

— Est-ce le bon moment pour me provoquer ?

– C'est toujours le bon moment.

Elle l'embrassa avec la fougue d'une conquérante, exaltée à l'idée de devenir la reine de Coptos.

Le gouverneur militaire de la ville ne tarda pas. D'un œil d'expert, il observa l'agresseur ; après une longue carrière dans l'armée, qui lui avait donné l'occasion d'affronter les Hittites, il se préparait à une retraite confortable dans un village près de Karnak. Souffrant d'arthrose, il se contentait d'un travail de routine, loin des champs de manœuvre. À Coptos, on ne risquait aucun conflit ; en raison de sa position stratégique, la cité bénéficiait d'une protection policière qui décourageait trafiquants et voleurs. Elle était préparée à réprimer un raid de pillards, pas à repousser de redoutables guerriers.

Derrière Souti, des chars bien équipés ; sur sa droite, les archers nubiens ; sur sa gauche, les lanceurs de javelots libyens ; au débouché des routes et sur les buttes, « ceux à la vue perçante ». Et cette femme superbe, aux cheveux blonds, à la peau cuivrée, et aux parures d'or ! Bien qu'il ne crût pas aux contes, le gouverneur pensa qu'elle venait de l'autre monde, peut-être des îles mystérieuses situées aux confins de la terre.

– Qu'exigez-vous ?

Que vous me remettiez Coptos, afin que j'y établisse mon fief.

– C'est impossible.

– Je suis égyptien, rappela Souti, et j'ai servi dans l'armée de mon pays ; aujourd'hui, à la tête de mon armée, je dispose d'une immense fortune et j'ai décidé d'en faire bénéficier la ville des mineurs et des chercheurs d'or.

– Est-ce bien vous qui avez accusé Asher de traîtrise et de meurtre ?

– C'est bien moi.

– Vous avez eu raison ; c'était un être fourbe et sans parole. Fassent les dieux qu'il ne réapparaisse pas.

– Rassurez-vous : le désert l'a englouti.

– Justice est rendue.

– Je souhaiterais éviter un affrontement fratricide.

– Je dois faire respecter l'ordre public.

– Qui a l'intention de le troubler ?

– Votre armée ne me paraît guère pacifique.

– Si personne ne la provoque, elle sera inoffensive.

– Vos conditions ?

– Le maire de Coptos est un notable fatigué, sans ambition. Qu'il me cède sa place.

– Une telle mutation ne saurait être effective, sans l'accord du chef de la province, lequel doit obtenir l'assentiment du vizir.

– Commençons par chasser ce vieillard sénile, décréta Panthère ; ensuite, le destin décidera.

– Conduisez-moi auprès de lui, ordonna Souti.

*

Le maire de Coptos dégustait des olives charnues, en écoutant une jeune harpiste dotée d'un réel talent ; amateur de musique, il prenait de plus en plus de loisirs. L'administration de Coptos ne présentait guère de difficultés ; les forts contingents de la police du désert assuraient la sécurité, la population était bien nourrie, les spécialistes traitaient métaux et minéraux précieux, le temple affichait sa prospérité.

La visite du gouverneur militaire le dérangea ; néanmoins, le maire accepta de le recevoir.

– Voici Souti, dit le militaire en présentant le jeune homme au maître de la cité.

– Souti... l'accusateur du général Asher ?

– Lui-même.

– Heureux de vous accueillir à Coptos ; désirez-vous de la bière fraîche ?

– Avec joie.

La harpiste s'éclipsa, un échanson apporta des coupes et le délicieux breuvage.

– Nous sommes au bord du désastre, déclara le gouverneur militaire.

Le maire sursauta.

– Que dites-vous ?

– L'armée de Souti encercle la ville ; si nous l'affrontons, il y aura beaucoup de morts et de blessés.

– Une armée... avec de vrais soldats ?

– Des Nubiens, excellents archers ; des Libyens, experts dans le maniement du javelot ; et... des policiers du désert.

– C'est insensé ! J'exige que ces traîtres soient arrêtés et bastonnés.

– Il ne sera pas facile de les convaincre, objecta Souti.

– Pas facile... Mais où vous croyez-vous ?

– Dans ma ville.

– Seriez-vous devenu fou ?

– Son armée risque d'être efficace, indiqua le gouverneur militaire.

– Appelez des renforts !

– J'attaquerai avant.

– Arrêtez cet homme, gouverneur.

– Évitez cette erreur, recommanda Souti ; la déesse d'or mettrait la ville à feu et à sang.

– La déesse d'or ?

– Elle est revenue du sud lointain, avec la clé des richesses inépuisables ; accueillez-la, et vous connaîtrez bonheur et prospérité. Repoussez-la, et le malheur déferlera sur votre cité.

– Êtes-vous si sûr de vaincre ?

– Je n'ai rien à perdre ; ce n'est pas votre cas.

– Ne redoutez-vous pas la mort ?

– Depuis longtemps, elle est ma compagne. Ni l'ours de Syrie, ni Asher le traître, ni les pillards nubiens n'ont réussi à m'abattre. Si vous y tenez, essayez.

Un bon maire devait posséder des qualités de négociateur ; n'avait-il pas à résoudre mille et un conflits, en utilisant l'arme de la diplomatie ?

– Je dois vous prendre au sérieux, Souti.

– C'est préférable.

– Que proposez-vous ?

– Que vous me cédiez votre place et que je devienne le maître de cette ville.

– Irréaliste.

– Je connais l'âme de cette cité ; elle nous acceptera comme souverains, la déesse d'or et moi.

– Votre prise de pouvoir serait illusoire ; dès que la nouvelle sera connue, l'armée vous délogera.

– Ce sera un beau combat.

– Dispersez votre troupe.

– Je vais rejoindre la déesse d'or, déclara Souti ; je vous accorde une heure de réflexion. Ou vous acceptez ma proposition, ou nous attaquons.

*

Enlacés, Souti et Panthère regardaient Coptos. Ils songeaient aux explorateurs, partis sur des pistes incertaines, en quête de trésors mille fois rêvés ; combien avaient été guidés par la gazelle d'Isis vers le bon gisement, combien étaient revenus vivants, pour admirer la vaste boucle que le Nil décrivait, vers l'est, à la hauteur de la ville des chercheurs d'or ?

Les Nubiens chantaient, les Libyens mangeaient, « ceux à la vue perçante » vérifiaient les chars ; personne ne parlait, dans l'attente d'un choc inévitable qui ensanglanterait les routes et les champs. Mais les uns étaient las de l'errance, d'autres aspiraient à une fortune inespérée, d'autres encore avaient envie de se battre afin de prouver leur vaillance ; tous étaient ensorcelés par la beauté de Panthère et la détermination de Souti.

– Plieront-ils ? demanda-t-elle.

– Peu m'importe.

– Tu ne tueras pas tes frères de race.

– Tu auras ta ville ; en Égypte, on vénère les femmes capables d'incarner des déesses.

– Tu ne m'échapperas pas en périssant dans un combat.

— Toi, la Libyenne, tu aimes ma terre ; sa magie t'a conquise.

— Si elle t'absorbe, je te suivrai ; ma sorcellerie sera la plus forte.

Le gouverneur militaire se présenta avant la fin du délai.

— Le maire accepte.

Panthère sourit, Souti demeura impassible.

— Il accepte, à une condition ; que vous vous engagiez à ne commettre aucun pillage.

— Nous venons offrir, non voler.

À la tête de son armée, le couple entra dans la ville.

La nouvelle s'était si vite propagée que les habitants se massaient sur l'axe principal et aux carrefours ; Souti donna aux Nubiens l'ordre d'ôter les bâches recouvrant les chariots.

L'or brilla.

Jamais les Coptites n'avaient vu une telle quantité de métal précieux ; des fillettes lancèrent des fleurs aux Nubiens, des gamins coururent aux côtés des soldats. En moins d'une heure, la ville entière fut en fête et célébra le retour de la déesse lointaine, en chantant la légende du héros Souti, vainqueur des démons de la nuit et découvreur d'une mine d'or géante.

— Tu sembles inquiet, remarqua Panthère.

— C'est peut-être un traquenard.

Le cortège se dirigea vers la maison du maire, une jolie villa située au centre ville, et implantée au cœur d'un jardin. Souti observait les toits ; l'arc à la main, il était prêt à décocher une flèche sur un tireur embusqué.

Mais aucun incident ne se produisit. Des faubourgs surgit une foule enthousiaste, persuadée qu'un miracle venait de se produire ; le retour de la déesse lointaine ferait de Coptos la plus riche des cités.

Sur le seuil de la villa, les servantes avaient répandu des soucis, formant un tapis orange ; des fleurs de lotus à la main, elles souhaitèrent la bienvenue à la déesse d'or et au général Souti. Ravie, Panthère les gratifia d'un sourire et s'engagea, royale, dans l'allée bordée de tamaris.

— Comme cette maison est jolie! Regarde la façade blanche, les colonnes hautes et minces, les linteaux décorés de palmes... Je me sentirai bien, ici. Là-bas, une écurie! Nous nous promènerons à cheval, avant de nous baigner et de boire du vin doux.

L'intérieur charma la blonde Libyenne. Le maire avait un goût exquis; sur les murs, des peintures évoquant le vol des canards sauvages et la vie luxuriante d'un étang. Un chat sauvage, grimpant le long d'une tige de papyrus, s'approchait d'un nid rempli d'œufs d'oiseau, festin promis à sa gourmandise.

Panthère entra dans la chambre à coucher, ôta son collier d'or et s'étendit sur le lit en bois d'ébène.

— Tu es un vainqueur, Souti; aime-moi.

Le nouveau maître de Coptos ne résista pas à cet appel.

*

Le soir même, un gigantesque banquet fut offert aux citadins. Les plus modestes dégustèrent de la viande rôtie et burent de grands crus; des centaines de lampes éclairèrent les ruelles où l'on dansa jusqu'à l'aube. Les notables promirent à Souti et à Panthère de leur obéir, et vantèrent la beauté de la déesse d'or, sensible à leur hommage.

— Pourquoi le maire est-il absent? demanda Souti au gouverneur militaire.

— Il a quitté Coptos.

— Sans mon autorisation?

— Profitez de votre court règne; le maire alertera l'armée, et le vizir rétablira l'ordre dans la ville.

— Pazair?

— Sa renommée ne cesse de grandir; c'est un homme juste, mais sévère.

— Un bel affrontement en perspective.

272

– La sagesse exigera votre reddition.

– Je suis un fou, gouverneur ; un fou aux réactions imprévisibles. Ma loi est celle du désert, elle se moque des règlements.

– Épargnez au moins les civils.

– La mort n'épargne personne. Enivrez-vous ; demain, nous boirons du sang et des larmes.

Souti porta la main à ses yeux.

– Allez chercher la déesse d'or ; je veux lui parler.

Panthère se délectait du chant d'un harpiste, qui invitait les dîneurs à jouir de l'instant présent en y goûtant la saveur de l'éternité ; une cohorte d'admirateurs la dévorait des yeux. Alertée par le gouverneur, elle rejoignit Souti qui regardait fixement devant lui.

– Je suis de nouveau aveugle, murmura-t-il. Conduis-moi jusqu'à la chambre ; je m'appuierai sur ton bras. Personne ne doit remarquer cette infirmité.

Nombre de convives saluèrent le couple dont la disparition marquait la fin de la fête.

Souti s'étendit sur le dos.

– Néféret te guérira, affirma Panthère ; j'irai moi-même la chercher.

– Tu n'en auras pas le temps.

– Pourquoi ?

– Parce que le vizir Pazair enverra l'armée pour nous exterminer.

CHAPITRE 36

Néféret s'inclina devant Touya, la mère de Ramsès le grand.

— Je suis à votre service, Majesté.

— C'est moi qui devrais saluer avec déférence le médecin-chef du royaume. En peu de mois, votre travail fut remarquable.

Hautaine, le nez fin et droit, des yeux sévères, les joues marquées, le menton presque carré, Touya jouissait d'une autorité morale incontestée. A la tête d'une nombreuse maisonnée, disposant d'un palais dans chaque grande ville, elle conseillait sans ordonner et veillait au respect des valeurs qui avaient fait de la monarchie égyptienne un régime inébranlable. La reine-mère appartenait à une lignée de femmes de pouvoir dont l'influence, à la cour, demeurait prédominante ; n'étaient-ce pas des reines de sa trempe qui avaient expulsé l'envahisseur asiatique pour fonder l'empire thébain, dont la dynastie des Ramsès assumait l'héritage ?

Pourtant, le mécontentement de Touya grandissait ; depuis plusieurs mois, elle ne recueillait plus les confidences de son fils. Ramsès s'était éloigné d'elle, sans la désavouer, comme s'il portait un trop lourd secret qu'il ne pouvait même pas confier à sa propre mère.

— Votre santé, Majesté ?

— Grâce à votre traitement, je me porte à merveille, bien que mes yeux me brûlent un peu.

— Pourquoi avoir attendu pour me consulter ?

— Les soucis quotidiens... Êtes- vous vraiment attentive à votre propre santé ?

— Je n'ai guère le temps d'y songer.

— Eh bien, Néféret, vous avez tort ! Si vous tombiez malade, combien de patients sombreraient dans le désespoir ?

— Laissez-moi vous examiner.

Le diagnostic fut aisé à établir ; la reine-mère souffrait d'une irritation de la cornée. Néféret lui prescrivit un remède à base de fiente de chauve-souris ; il supprimerait l'inflammation, sans conséquence secondaire *.

— Vous serez guérie dans une semaine ; n'oubliez pas vos collyres habituels. L'état de vos yeux s'est beaucoup amélioré, mais les soins doivent demeurer constants.

— Me préoccuper de ma personne m'est presque insupportable ; je désobéirais à tout autre médecin. Seule l'Égypte mérite notre attention. Comment votre mari supporte-t-il sa fonction ?

— Elle est pesante comme un bloc de granit et amère comme du fiel ; mais il ne renoncera pas.

— Je l'ai su dès que je l'ai rencontré. A la cour, on l'admire, on le craint et on le jalouse ; c'est la preuve de sa compétence. Sa nomination avait beaucoup surpris, et les critiques n'avaient pas manqué ; par son action, il a imposé le mutisme à ses détracteurs, au point de faire oublier le vizir Bagey. Ce n'est pas un mince mérite.

— Pazair ne se soucie guère de l'opinion d'autrui.

— Tant mieux ; tant qu'il restera insensible au blâme et à la louange, il sera un bon vizir. Le roi apprécie sa droiture et lui accorde même sa confiance ; autrement dit, Pazair connaît les préoccupations les plus secrètes

---

* La fiente de chauve-souris, riche en vitamine A, est aussi un excellent antibiotique ; autrement dit, le traitement moderne correspond à celui des anciens Égyptiens.

de Ramsès, celles que j'ignore ; et vous les connaissez aussi, Néféret, parce que vous et votre mari formez un seul être. C'est la vérité, n'est-ce pas ?

— C'est la vérité.

— Le royaume est-il en péril ?

— Il l'est.

— J'en ai conscience depuis que Ramsès ne se confie plus, de peur que j'entreprenne une action trop tranchante. Peut-être a-t-il eu raison ; aujourd'hui, c'est Pazair qui mène le combat.

— Les adversaires sont redoutables.

— C'est bien pourquoi il est temps que j'intervienne. Le vizir n'osera pas solliciter mon soutien direct, mais je dois l'aider. Qui redoute-t-il ?

— Bel-Tran.

— Je déteste les parvenus ; par bonheur, leur cupidité finit par les dévorer. Je suppose qu'il bénéficie de l'aide de son épouse, Silkis ?

— Elle est sa complice, en effet.

— Je me charge de cette petite oie. Sa manière de remuer le cou, lorsqu'elle me salue, m'exaspère.

— Ne sous-estimez pas sa capacité de nuire.

— Grâce à vous, Néféret, je garde une excellente vue. Je me charge de cette peste-là.

— Je ne vous cacherai pas que Pazair est angoissé à l'idée de présider la cérémonie de remise des tributs étrangers ; il espère que le roi reviendra à temps de Pi-Ramsès pour assumer cette fonction.

— Qu'il se détrompe ; l'humeur de Pharaon est de plus en plus sombre. Il ne sort plus de son palais, n'accorde plus d'audience et laisse au vizir le soin de s'occuper des affaires courantes.

— Est-il souffrant ?

— Ses dents, sans doute.

— Désirez-vous que je l'examine ?

— Il vient de congédier son dentiste attitré en le qualifiant d'incapable ; après la cérémonie, vous devriez m'accompagner à Pi-Ramsès.

*

Une flottille venant du nord amena les dignitaires étrangers ; aucun bateau ne fut autorisé à circuler pendant les manœuvres d'amarrage que surveillait la police fluviale. Sur le quai, le directeur du service des pays étrangers accueillit les hôtes de l'Égypte, installés dans de confortables chaises à porteurs, suivies de leurs délégations. L'imposant cortège prit la direction du palais.

Comme chaque année, vassaux et partenaires économiques de Pharaon venaient lui rendre hommage en apportant des tributs ; à cette occasion, Memphis bénéficiait de deux jours de congé et célébrait la paix solidement installée, grâce à la sagesse et à la fermeté de Ramsès.

Assis sur un trône au dossier bas, vêtu de la grande robe de fonction, empesée et raide, un sceptre dans la main droite, la figurine de Maât à son cou, Pazair n'en menait pas large. À sa droite, en retrait, la reine-mère ; au premier rang des courtisans, les « amis uniques » du roi, dont Bel-Tran à la mine réjouie. Silkis portait une nouvelle robe qui faisait pâlir d'envie certaines épouses de courtisans moins fortunés. L'ancien vizir Bagey avait accepté d'assister son successeur, en le conseillant sur l'étiquette ; sa présence rassurait Pazair. Le cœur de cuivre qu'il arborait sur sa poitrine symboliserait, aux yeux des ambassadeurs, la confiance que continuait à lui accorder Ramsès, et prouverait que le changement de vizir ne traduisait aucune rupture dans la politique extérieure de l'Égypte.

Pazair était habilité à diriger la cérémonie en l'absence du monarque ; l'année précédente, Bagey s'était acquitté de cette tâche. Le jeune vizir eût préféré rester dans l'ombre, mais il connaissait l'importance de l'événement ; les visiteurs devraient repartir satisfaits, afin que les relations diplomatiques demeurent excellentes. En échange des cadeaux, ils espéraient égards et compréhension pour leur situation économique; entre rigueur excessive et faiblesse coupable, le vizir devait suivre la voie juste. Une faute grave, dans son comportement, et l'équilibre serait rompu.

Pour la dernière fois, sans doute, une telle cérémonie était organisée.

Bel-Tran se débarrasserait de cet antique rituel, dépourvu de rentabilité apparente. C'était pourtant sur la réciprocité, la politesse et le respect mutuel que les sages du temps des pyramides avaient bâti une civilisation heureuse.

La satisfaction insolente de Bel-Tran troubla Pazair. La fermeture des banques grecques lui portait un coup sérieux, dont il ne semblait guère se soucier. N'intervenait-elle pas trop tard pour freiner sa marche en avant? À moins de deux mois de la fête de régénération et de l'abdication forcée du roi, le directeur de la Double Maison blanche pouvait se contenter d'attendre, sans provoquer davantage de remous.

Attendre... Une épreuve redoutable pour un ambitieux dont la constante majeure était l'agitation. De nombreuses plaintes parvenaient aux oreilles du vizir, le suppliant de remplacer Bel-Tran par un dignitaire plus calme et moins hargneux. Il mettait ses subordonnés au supplice en refusant de leur accorder le moindre repos. Sous prétexte de travaux urgents, il les accablait de dossiers artificiels afin de bien tenir son personnel en main et de l'empêcher de réfléchir. Çà et là, des protestations s'élevaient; les méthodes de Bel-Tran apparaissaient trop brutales, dépourvues de considération envers des employés qui ne voulaient pas être réduits à leurs seules compétences techniques. Il s'en moquait; la productivité serait un maître mot de sa politique. Qui ne s'y plierait pas serait écarté.

Certains de ses alliés, avec la plus grande discrétion, avaient ouvert leur cœur au vizir; fatigués par le bavardage incessant du financier, qui se perdait en d'interminables discours où il promettait monts et merveilles, ils se lassaient de sa duplicité et de ses mensonges parfois grossiers. Sa prétention à régenter en toutes circonstances révélait l'étendue de sa cupidité. Quelques chefs de province, d'abord séduits, manifestaient à présent une indifférence polie.

Pazair progressait. Il mettait peu à peu en lumière la vraie nature du personnage, son inconsistance et sa veulerie ; le danger qu'il représentait n'était pas amoindri, mais ses capacités de convaincre s'amenuisaient jour après jour.

Mais pourquoi semblait-il si réjoui ?

Le ritualiste annonça les visiteurs ; le silence s'établit dans la salle d'audience du vizir.

Les ambassadeurs venaient de Damas, de Byblos, de Palmyre, d'Alep, d'Ougarit, de Qadesh, du pays hittite, de Syrie, du Liban, de Crète, de Chypre, d'Arabie, d'Afrique ou d'Asie, des ports, des cités commerçantes et des capitales ; aucun n'avait les mains vides.

Le délégué du mystérieux pays de Pount, paradis d'Afrique noire, était un petit homme à la peau très sombre et aux cheveux crépus ; il offrit des peaux de fauves, des arbres à encens, des œufs et des plumes d'autruche. L'ambassadeur nubien fut fort apprécié de l'assistance, en raison de son raffinement : pagne taillé dans une peau de léopard, recouvert d'une jupe plissée, plume colorée dans les cheveux, boucles d'oreilles en argent, et larges bracelets. Ses serviteurs déposèrent au pied du trône des jarres d'huile, des boucliers, des pièces d'orfèvrerie, de l'encens, tandis que défilaient des guépards tenus en laisse, et un girafeau.

La mode crétoise amusa : cheveux noirs aux mèches de longueur inégale, visages imberbes au nez droit, pagnes échancrés bordés d'un galon et décorés de losanges ou de rectangles, sandales à l'extrémité relevée. L'ambassadeur fit déposer des poignards, des épées, des vases à tête d'animaux, des aiguières et des coupes. Suivit l'envoyé de Byblos, fidèle allié de l'Égypte, porteur de peaux de bœuf, de cordages et de rouleaux de papyrus.

Chaque ambassadeur s'inclina devant le vizir, en prononçant la formule consacrée : « Recevez le tribut de mon pays, apporté en hommage à Sa Majesté, le pharaon de Haute et de Basse-Égypte, afin de sceller la paix. »

Le représentant de l'Asie mineure, où l'armée égyptienne avait mené de rudes combats dans un passé que Ramsès estimait révolu, se présenta en compagnie de son épouse. Lui portait un pagne orné de glands et une tunique rouge et bleu à manches longues que fermaient des lacets ; elle, une jupe à volants et une cape bariolée. Leur apport, à la stupéfaction de la cour, fut des plus mince ; d'ordinaire, l'Asie clôturait la cérémonie en déposant devant Pharaon ou le vizir des lingots de cuivre, du lapis-lazuli, des turquoises, des poutres de bois précieux, des jarres d'onguent, des harnachements de chevaux, des arcs et des carquois remplis de flèches, des poignards, sans oublier les ours, les lions et les taureaux destinés à la ménagerie royale. Cette fois, l'ambassadeur n'offrit que quelques coupes, des jarres d'huile et des bijoux sans grande valeur.

Lorsqu'il salua le vizir, ce dernier ne manifesta aucune émotion. Néanmoins, le message était clair : l'Asie adressait à l'Égypte de graves reproches. Si les motifs de discorde n'étaient pas éclaircis et leurs causes dissipées au plus vite, le spectre de la guerre réapparaîtrait.

*

Pendant que Memphis festoyait, des docks aux quartiers d'artisans, Pazair reçut l'ambassadeur d'Asie. Aucun scribe n'assistait à l'entretien ; avant que des déclarations fussent enregistrées et acquièrent une valeur formelle, il fallait tenter de rétablir l'harmonie.

Le diplomate, âgé d'une quarantaine d'années, avait des yeux vifs et une parole incisive.

– Pourquoi Ramsès n'a-t-il pas présidé lui-même la cérémonie ?

– Comme l'an dernier, il réside à Pi-Ramsès afin de veiller sur la construction d'un nouveau temple.

– Le vizir Bagey a-t-il été désavoué ?

– Ce n'est pas le cas, comme vous l'avez constaté.

– Sa présence et le cœur de cuivre qu'il a conservé... Oui, j'ai noté ces signes indubitables d'une estime préservée. Mais vous êtes bien jeune, vizir Pazair. Pourquoi Ramsès vous a-t-il confié cette fonction dont chacun sait qu'elle est écrasante ?

– Bagey se sentait trop fatigué pour continuer à l'exercer ; le roi accéda à sa requête.

– Ce n'est pas la réponse à ma question.

– Qui peut connaître les secrets de la pensée d'un pharaon ?

– Son vizir, précisément.

– Je n'en suis pas certain.

– Alors, vous êtes un fantoche.

– A vous de juger.

– Mon opinion se fonde sur des faits : vous étiez un petit magistrat de province, et Ramsès a fait de vous le premier ministre de l'Égypte. Je connais le roi depuis dix ans ; il ne se trompe guère sur la valeur de ses proches. Vous devez être un personnage exceptionnel, vizir Pazair.

– A mon tour de vous interroger, si vous le permettez.

– C'est votre devoir.

– Que signifie votre attitude ?

– Les tributs de l'Asie vous paraîtraient-ils insuffisants ?

– Vous êtes conscient de votre geste, à la limite de l'injure.

– À la limite précise, en effet ; il témoigne de mon sang-froid et d'une ultime volonté de conciliation, à la suite de l'injure subie.

– Je ne comprends pas.

– On vante votre goût pour la vérité ; s'agirait-il d'une fable ?

281

– Sur le nom de Pharaon, je vous jure que j'ignore vos griefs.

L'ambassadeur d'Asie fut ébranlé; son ton devint moins acide.

– Voilà qui est étrange; auriez-vous perdu le contrôle de vos administrations, notamment celui de la Double Maison blanche?

– Certaines pratiques, antérieures à ma nomination, m'ont déplu; je procède à des réformes. Auriez-vous été victime d'une indélicatesse dont on ne m'a pas informé?

– Le mot est faible! Il serait plus exact de parler d'une faute si grave qu'elle pourrait entraîner une rupture des relations diplomatiques, voire un conflit armé.

Pazair tenta de masquer son anxiété, mais sa voix trembla.

– Acceptez-vous de m'éclairer?

– J'ai peine à croire que vous n'êtes pas responsable.

– En tant que vizir, j'accepte la responsabilité; quitte à vous paraître ridicule, je vous confirme mon ignorance. Comment réparer cette faute sans en connaître la nature?

– Les Égyptiens se moquent souvent de notre goût de la ruse et des complots; je crains que vous n'en soyez victime à votre tour! Votre jeunesse ne suscite pas que des amitiés, dirait-on.

– Expliquez-vous, je vous prie.

– Ou vous êtes le plus fabuleux des comédiens, ou vous ne resterez pas longtemps vizir; avez-vous entendu parler de nos échanges commerciaux?

Pazair ne céda pas, malgré l'ironie mordante; même si l'ambassadeur le considérait comme un incapable doublé d'un naïf, il devait apprendre la vérité.

– Lorsque nous envoyons nos produits, continua le diplomate, la Double Maison blanche nous expédie leur équivalent en or. Telle est la coutume, depuis l'instauration de la paix.

– Cette livraison n'aurait-elle pas été effectuée?

— Les lingots sont arrivés, mais l'or était de très mauvaise qualité, mal purifié et cassant, juste bon pour réjouir quelques nomades arriérés. En nous envoyant son stock inutilisable, l'Égypte s'est moqué de nous. C'est la responsabilité de Ramsès le grand qui est engagée ; nous considérons qu'il a trahi sa parole.

Voilà pourquoi Bel-Tran affichait tant de satisfaction : ruiner le prestige du roi en Asie lui permettrait de se poser en sauveur, décidé à corriger les fautes du monarque.

— Il s'agit d'une erreur, indiqua Pazair, non d'une intention délibérée de vous offenser.

— La Double Maison blanche n'est pas indépendante, que je sache ! Elle a obéi à des ordres supérieurs.

— Considérez que vous avez été victime d'un dysfonctionnement et d'un manque de coordination entre les services que je dirige, mais n'y voyez aucune malveillance. J'informerai moi-même le roi de ma propre incompétence.

— On vous a trahi, n'est-ce pas ?

— À moi d'en être conscient et de prendre les mesures qui s'imposent ; sinon, vous serez bientôt en face d'un nouveau vizir.

— Je le regretterais.

— Acceptez-vous mes excuses les plus sincères ?

— Vous êtes convaincant, mais l'Asie exige réparation, conformément à la coutume : envoyez au plus vite le double de la quantité d'or prévue. Sinon, un affrontement est inévitable.

*

Pazair et Néféret s'apprêtaient à partir pour Pi-Ramsès, lorsqu'un messager royal demanda à voir le vizir, toutes affaires cessantes.

— Des événements inquiétants, révéla-t-il ; le maire de Coptos vient d'être chassé de sa ville par une bande armée qui comprend des Libyens et des Nubiens.

– Des blessés ?

– Aucun ; ils se sont emparés de la ville sans livrer combat. « Ceux à la vue perçante » se sont joints à ces insoumis, et le gouverneur militaire n'a pas osé résister.

– Qui commande cette bande ?

– Un dénommé Souti, aidé d'une déesse d'or qui a subjugué la population.

Une joie immense envahit Pazair : Souti était vivant, et même bien vivant ! Quelle merveilleuse nouvelle, même si cette réapparition, tant espérée, se produisait dans des circonstances plutôt cahotiques.

– Le corps d'armée caserné à Thèbes est prêt à intervenir ; l'officier supérieur n'attend plus que vos instructions. Dès que vous aurez signé les documents nécessaires, j'en assurerai la transmission. D'après lui, l'ordre sera vite rétabli. Même s'ils sont correctement armés, les insurgés ne sont pas assez nombreux pour résister à un assaut en règle.

– Dès mon retour de Pi-Ramsès, je m'occuperai moi-même de cette affaire ; en attendant, que nos soldats encerclent la ville et campent sur une position défensive. Qu'ils laissent passer les convois d'approvisionnement et les marchands, que personne ne manque de rien. Faites prévenir Souti que je me rendrai à Coptos le plus tôt possible et que je négocierai avec lui.

CHAPITRE 37

De la terrasse de la somptueuse villa qui leur était réservée, Pazair et Néféret découvrirent la ville préférée de Ramsès II, Pi-Ramsès *. Située non loin d'Avaris, la capitale honnie des envahisseurs asiatiques, chassés au début du Nouvel Empire, Pi-Ramsès était devenue, sous l'impulsion du souverain, la plus grande cité du Delta. Comptant une centaine de milliers d'habitants, elle abritait plusieurs temples, dédiés à Amon, à Rê, à Ptah, au redoutable Seth, maître de l'orage, à Sekhmet, patronne des médecins, et à Astarté, déesse venue d'Asie. L'armée bénéficiait de quatre casernes ; au sud, le port, entouré d'entrepôts et d'ateliers. Au centre, le palais royal que bordaient les demeures des nobles et des hauts fonctionnaires, et un grand lac de plaisance.

À la saison chaude, Pi-Ramsès jouissait d'un climat agréable, car la ville était ceinte de deux branches du Nil, « les eaux de Rê » et « les eaux d'Avaris » ; de nombreux canaux la traversaient, des étangs poissonneux offraient aux pêcheurs l'occasion de se livrer à leur distraction favorite.

Le site n'avait pas été choisi au hasard ; poste d'observation idéal sur le Delta et l'Asie, Pi-Ramsès était une parfaite base de départ pour les soldats de Pharaon en cas de troubles dans les protectorats. Les fils des nobles

---

* Le nom Pi-Ramsès signifie « domaine (ou temple) de Ramsès ».

rivalisaient d'ardeur afin de servir dans la charrerie ou de monter de magnifiques chevaux, rapides et nerveux. Menuisiers, constructeurs de bateaux et métallurgistes, dotés d'excellents équipements, recevaient souvent la visite du roi, attentif à leur travail.

« Quelle joie de résider à Pi-Ramsès », affirmait une chanson populaire; « il n'existe pas de plus belle cité. Le petit y est considéré comme le grand, l'acacia et le sycomore dispensent leur ombre aux promeneurs, les palais resplendissent d'or et de turquoise, le vent est doux, les oiseaux jouent autour des étangs ».

Pendant une trop courte matinée, le vizir et son épouse avaient goûté le calme des vergers et des olive-raies, entourés de vignobles produisant un cru servi lors des fêtes et des banquets. Les greniers ne montaient-ils pas jusqu'au ciel ? Sur la façade des opulentes demeures, des tuiles vernissées bleues qui avaient valu à Pi-Ramsès la réputation de « cité de turquoise ». Sur le seuil des maisons en brique, construites entre les grandes villas, des enfants mangeaient des pommes et des grenades, et jouaient avec des poupées en bois. Ils se moquaient des scribes prétentieux et admiraient les lieutenants de char-rerie.

La rêverie avait été brève; bien que les fruits eussent le goût du miel et que le jardin de sa résidence fût un paradis, le vizir se préparait à affronter Pharaon. D'après les confidences de la reine-mère, le roi ne croyait plus en la réussite de son vizir. Son isolement était celui d'un homme condamné et sans espoir.

Néféret se maquillait; elle dessinait le contour de ses yeux avec du kohol, un sulfure d'arsenic qui s'appliquait avec des bâtonnets renflés à leur extrémité. La boîte à fards portait le nom significatif de « celle qui ouvre la vue ». Autour de sa taille, Pazair passa la ceinture en perles d'améthyste, comportant des parties en or repoussé que Néféret aimait tant.

— M'accompagneras-tu au palais ?
— Mon intervention y est souhaitée.

– J'ai peur, Néféret ; peur d'avoir déçu le roi.

Elle se pencha en arrière, sa tête reposa sur l'épaule de Pazair.

– Ma main restera dans ta main, murmura-t-elle ; mon bonheur, c'est de me promener avec toi dans un jardin retiré, où seule s'élève la voix du vent. Ta main restera dans la mienne, car mon cœur est ivre de joie quand nous sommes ensemble. Que désirer d'autre, vizir d'Égypte ?

*

Renouvelée trois fois par mois, le premier, le onze et le vingt et un, la garde du palais, à chaque entrée en service, recevait de la viande, du vin et des gâteaux s'ajoutant à la solde normale, versée en céréales. Pour l'arrivée du vizir, les hommes formèrent une haie d'honneur ; sa venue serait l'occasion d'une belle prime.

Un chambellan accueillit Pazair et Néféret, et leur fit les honneurs du palais d'été. À l'antichambre aux murs blancs et aux dallages colorés, succédaient plusieurs salles d'audience, ornées de carreaux vernissés jaunes et bruns, avec des pointes de bleu, de rouge et de noir. Dans la salle du trône, les cartouches contenant le nom du roi formaient des frises. Les pièces de réception, réservées à l'accueil des souverains étrangers, étaient un chatoiement pictural : nageuses nues, oiseaux en vol, paysages de turquoise enchantaient l'œil.

– Sa Majesté vous attend au jardin.

Ramsès aimait planter des arbres ; selon les vœux des anciens, l'Égypte ne devait-elle pas ressembler à un immense jardin où les essences les plus diverses vivraient en paix ? Un genou en terre, le roi greffait un pommier. À ses poignets, ses bracelets préférés, en or et en lapis-lazuli, dont la partie supérieure était ornée de canards sauvages.

À une dizaine de mètres, le meilleur garde du corps de Ramsès : un lion à demi domestiqué, qui avait accompagné le jeune roi sur les champs de bataille d'Asie, au début de son règne. Baptisé « le massacreur d'ennemis », le fauve n'obéissait qu'à son maître ; quiconque se serait approché du souverain avec des intentions hostiles eût été déchiqueté.

Le vizir s'avança ; Néféret patienta à l'intérieur d'un kiosque, près d'un bassin où folâtraient des poissons.

— Comment se porte le royaume, Pazair ?

Le roi tournait le dos à son vizir.

— Au plus mal, Majesté.

— Des ennuis, lors de la cérémonie des tributs ?

— L'ambassadeur d'Asie est fort mécontent.

— L'Asie est un danger permanent ; ses peuples n'apprécient pas la paix. Ils en profitent pour préparer la prochaine guerre. J'ai renforcé les frontières de l'est et de l'ouest ; une chaîne de forteresses empêchera les Libyens de nous envahir, une autre les Asiatiques. Archers et fantassins ont reçu l'ordre de guetter jour et nuit, et de communiquer entre eux par signaux optiques. Ici, à Pi-Ramsès, je reçois des rapports quotidiens sur les manœuvres des principautés d'Asie ; et je reçois d'autres rapports concernant les activités de mon vizir.

Le roi se releva, se retourna, et fit face à Pazair.

— Certains nobles se plaignent ; certains chefs de province protestent ; la cour se sent dédaignée. « Si le vizir se trompe, dit la Règle, qu'il ne cache pas son erreur sous le boisseau ; qu'il la rende publique et fasse savoir qu'il se rectifie. »

— Quelle faute ai-je commise, Majesté ?

— N'as-tu pas sanctionné des dignitaires et des hauts fonctionnaires en leur infligeant une bastonnade ? Les exécuteurs de ces basses œuvres auraient même chanté : « de beaux cadeaux pour vous qui n'en avez jamais reçu de semblables ».

— J'ignorais ce détail, mais la loi fut appliquée, aux riches comme aux humbles. Plus le rang du coupable est élevé, plus le châtiment est sévère.

— Ne renies-tu rien ?

— Rien.

Ramsès donna l'accolade à Pazair.

— J'en suis heureux ; l'exercice du pouvoir ne t'a pas changé.

— Je craignais de vous avoir déçu.

— Les commerçants grecs m'ont adressé une plainte qui remplit un interminable papyrus. Aurais-tu contrarié leur négoce ?

— J'ai mis fin à un trafic illégal de monnaie et à l'installation de banques sur notre territoire.

— La marque de Bel-Tran, bien sûr.

— Les coupables ont été expulsés, et la principale source financière de Bel-Tran est coupée ; déçus, certains de ses amis s'éloignent de lui.

— Dès qu'il prendra le pouvoir, il introduira la circulation de l'argent.

— Il nous reste quelques semaines, Majesté.

— Sans le testament des dieux, je serai contraint d'abdiquer.

— Un Bel-Tran affaibli pourra-t-il régner ?

— Il préférera détruire plutôt que de renoncer. Les hommes de son espèce ne sont pas rares ; jusqu'à présent, nous avions réussi à les écarter du trône.

— Espérons encore.

— Que nous reproche l'Asie ?

— Bel-Tran a fait envoyer de l'or de mauvaise qualité.

— La pire des injures ! L'ambassadeur t'a-t-il menacé ?

— Une seule solution pour éviter un conflit : offrir le double de la quantité prévue.

— En disposons-nous ?

— Non, Majesté ; Bel-Tran avait pris soin de vider nos stocks.

— L'Asie considérera que j'ai trahi ma parole. Raison de plus qui justifiera mon abdication... Bel-Tran jouera les sauveurs.

— Il nous reste peut-être une chance.

– Ne me fais pas languir.

– Souti se trouve à Coptos, accompagné d'une déesse d'or ; disposerait-il d'indications sur un trésor facile d'accès ?

– Pars le rejoindre et interroge-le.

– Ce n'est pas si simple.

– Pourquoi ?

– Parce que Souti est à la tête d'une bande armée ; il a chassé le maire de Coptos et contrôle la ville.

– Situation insurrectionnelle.

– Nos troupes encerclent Coptos ; je leur ai interdit d'attaquer. L'invasion fut pacifique, aucun blessé à déplorer.

– Qu'oseras-tu me démander, Pazair ?

– Si je parviens à convaincre Souti de nous aider, l'impunité.

– Il s'est évadé d'une forteresse de Nubie et vient de commettre un acte d'insubordination d'une exception-nelle gravité.

– Il fut victime d'une injustice et a toujours servi l'Égypte avec passion ; cela ne mérite-t-il pas l'indul-gence ?

– Oublie ton amitié, vizir, et conforme-toi à la Règle. Que l'ordre soit rétabli.

Pazair s'inclina ; Ramsès, accompagné du lion, se dirigea vers le kiosque où Néféret méditait.

– Êtes-vous prête à me supplicier ?

*

L'examen du médecin-chef dura plus d'une heure. Elle constata que Ramsès le grand souffrait de rhuma-tismes, contre lesquels elle prescrivit des décoctions quo-tidiennes d'écorce de saule * et jugea qu'il était urgent de refaire plusieurs plombages. Dans le laboratoire du palais, Néféret prépara un amalgame composé de résine de pistachier, de terre de Nubie, de miel, d'éclats de

* D'où est tirée notre moderne aspirine.

meules broyés, de collyre vert et de parcelles de cuivre, et conseilla au roi de ne plus mâcher de pousses de papyrus sucrées afin d'éviter des caries et une usure précoce des dents.

— Êtes-vous optimiste, Néféret ?

— Pour être tout à fait sincère, je redoute un abcès à la base d'une molaire supérieure gauche. Vous devrez vous soumettre à une surveillance beaucoup plus régulière ; nous éviterons l'arrachage, à condition de soigner vos gencives avec de fréquentes applications de teinture-mère de calendula.

Néféret se lava les mains ; Ramsès se rinça la bouche avec du natron.

— Ce n'est pas mon avenir qui me préoccupe, Néféret, mais celui de l'Égypte. Je connais votre faculté de percevoir l'invisible ; comme mon père, vous ressentez les lignes de force qui se cachent derrière l'apparence. C'est pourquoi je repose ma question : êtes-vous optimiste ?

— Suis-je obligée de vous répondre ?

— Êtes-vous à ce point désespérée ?

— L'âme de Branir protège l'Égypte ; ses souffrances n'auront pas été vaines. Au plus profond des ténèbres, une lumière naîtra.

*

Les Nubiens, postés sur les toits des maisons de Coptos, observaient les alentours. Toutes les trois heures, le vieux guerrier faisait un rapport oral à Souti.

— Des centaines de soldats... Ils sont arrivés par le Nil.

— Sommes-nous encerclés ?

— Ils se tiennent à distance et campent sur leurs positions. S'ils attaquent, nous n'aurons aucune chance.

— Que tes hommes se reposent.

— Je me méfie des Libyens ; ils ne songent qu'à voler et à jouer aux dés.

— « Ceux à la vue perçante » les surveillent.

– Quand te trahiront-ils, ceux-là ?

– Mon or est inépuisable.

Sceptique, le vieux guerrier retourna sur la terrasse de la mairie d'où il contemplait le Nil. Déjà, il se languissait du désert.

Coptos retenait son souffle.

Chacun savait que l'armée ne tarderait plus à donner l'assaut. Si l'étrange troupe de Souti se rendait, un bain de sang serait évité ; mais Panthère demeurait inflexible, et persuadait ses fidèles de résister, sous peine de terribles châtiments de la part des autorités égyptiennes. La déesse d'or n'était pas revenue du sud lointain pour céder aux premiers militaires venus. Demain, son empire s'étendrait jusqu'à la mer ; qui lui obéirait connaîtrait d'innombrables félicités.

Comment ne pas croire en la toute-puissance de Souti ? La lumière de l'autre monde l'habitait ; sa prestance ne pouvait être que celle d'un demi-dieu. En ignorant la peur, il donnait du courage à celui qui n'en avait jamais eu. « Ceux à la vue perçante » rêvaient d'un chef comme lui, capable de commander sans élever la voix, de tendre le plus robuste des arcs et de fracasser la tête des lâches. La légende de Souti s'amplifiait ; n'avait-il pas percé le secret des montagnes en tirant de leur ventre les métaux les plus rares ? Qui oserait s'attaquer à lui serait la proie de flammes jaillies des entrailles de la terre.

– Tu as ensorcelé cette ville et ses habitants, dit Souti à Panthère, alanguie sur le rebord du bassin où elle venait de se baigner.

– Ce n'est qu'un début, mon chéri ; bientôt, Coptos nous paraîtra trop petite.

– Ton rêve se transformera en cauchemar ; face à l'armée régulière, nous ne résisterons pas longtemps.

Panthère s'agrippa au cou de Souti et l'obligea à s'allonger.

– Ne croirais-tu plus en ta déesse d'or ?

– Pourquoi suis-je devenu insensé au point de t'écouter ?

– Parce que je persiste à te sauver la vie. Ne t'occupe pas de ce cauchemar, et contente-toi du rêve ; n'a-t-il pas les couleurs de l'or ?

Souti eût aimé lui résister, mais s'avoua vite vaincu. Le simple contact de sa peau dorée, au parfum d'ailleurs, éveillait un désir aussi impétueux qu'un torrent ; il ne lui laissa pas l'initiative et l'enivra de caresses. Consentante, Panthère devint la douceur même, avant de renverser Souti sur le côté et de tomber avec lui dans le bassin.

Ils étaient encore unis, lorsque le vieux guerrier nubien interrompit le dialogue de leurs corps.

– Un officier veut vous parler ; il se trouve à la grande porte, du côté du Nil.

– Seul ?

– Seul et sans armes.

La ville se tut, lorsque Souti rencontra l'officier de l'armée d'Amon, à la cotte de mailles colorée.

– Es-tu Souti ?

– Le maire m'a offert sa place.

– Commandes-tu les rebelles ?

– J'ai l'honneur d'être le chef d'hommes libres.

– Tes guetteurs ont constaté que nous sommes venus en nombre. Quelle que soit votre valeur au combat, vous serez exterminés.

– Dans la charrerie, mon meilleur instructeur m'a recommandé de me méfier de la vanité. De plus, je n'ai jamais cédé à la menace.

– Refuses-tu de te rendre ?

– Qui en doutait ?

– Toute tentative de fuite est vouée à l'échec.

– Attaquez, nous sommes prêts.

– Ce n'est pas à moi de prendre cette décision, mais au vizir. Tant qu'il ne sera pas arrivé, vous serez approvisionnés de manière normale.

– Quand sera-t-il à Coptos ?

– Profite de ce répit. Dès que le vizir Pazair débarquera, il nous conduira à la victoire et rétablira l'ordre.

CHAPITRE 38

Silkis sautilla sur place, appela ses servantes, courut dans le jardin, et ne cessa de s'agiter jusqu'au retour de Bel-Tran. Elle gifla sa fille, coupable d'avoir dérobé une pâtisserie, et laissa son fils poursuivre un chat qui se réfugia au sommet d'un palmier. Puis elle s'occupa du déjeuner, changea le menu, sermonna ses enfants, et se rua vers le porche de la villa dès l'arrivée de Bel-Tran.

— Mon chéri, c'est merveilleux!

Lui laissant à peine le temps de descendre de la chaise à porteurs, elle tira si fort sur le voile de lin dont il couvrait ses épaules, sensibles au soleil, qu'elle le déchira.

— Fais attention! Il m'a coûté une fortune.

— Une nouvelle extraordinaire... Viens vite, je t'ai versé du vin vieux dans ta coupe préférée.

Plus femme-enfant que jamais, Silkis minauda tout au long de la brève promenade qu'elle anima de ses rires aigus.

— J'ai reçu ce matin un messager du palais.

D'un coffre à papyrus, elle sortit une missive marquée au sceau du roi.

— Une invitation de la reine-mère... Pour moi, quel triomphe!

— Une invitation?

— Chez elle, dans son propre palais! Tout Memphis en sera informé.

Perplexe, Bel-Tran lut le document.

Il était de la main de la reine-mère. Touya n'avait pas utilisé les services de son secrétaire, prouvant ainsi l'intérêt très marqué qu'elle portait à rencontrer Silkis.

— Plusieurs grandes dames de la cour espèrent cet honneur depuis des années... Et moi, je l'obtiens!

— Surprenant, je l'admets.

— Surprenant? Pas du tout! C'est grâce à toi, chéri. Touya est une femme de tête, très proche de son fils. Ramsès a dû lui faire comprendre que son règne était sur le point de se terminer; la reine-mère prépare l'avenir. Elle va tenter de lier amitié avec moi, afin que tu ne supprimes pas ses prérogatives et ses privilèges.

— Cela suppose que Ramsès lui a confié la vérité.

— Il a pu se contenter d'évoquer son abdication. Lassitude, mauvaise santé, incapacité de moderniser l'Égypte... Quel que soit le motif invoqué, Touya a perçu l'imminence du changement et pris conscience de ton rôle futur. Comment t'amadouer, sinon en m'introduisant dans le cercle de ses confidentes? La vieille dame est très rusée... Mais se sait vaincue! Si nous lui sommes hostiles, elle perdra ses palais, sa maisonnée et son bien-être. A son âge, une déchéance insupportable.

— Utiliser son prestige ne serait pas une mauvaise idée. Si elle cautionne le nouveau pouvoir, il s'implantera très vite et ne suscitera guère d'oppositions. Je n'osais espérer un tel cadeau de la part du destin.

— Comment devrai-je me comporter? demanda Silkis, très excitée.

— Avec respect et bienveillance. Accède à ses requêtes, fais-lui comprendre que nous acceptons son aide et sa soumission.

— Et... Si elle évoque le sort de son fils?

— Ramsès se retirera dans un temple de Nubie où il vieillira en compagnie de prêtres reclus. Dès que la nouvelle politique sera en place et que tout retour en arrière sera impossible, nous nous débarrasserons de la mère et du fils; le passé ne doit pas nous encombrer.

– Tu es merveilleux, mon chéri.

*

Kem était mal à l'aise. Si Pazair n'éprouvait guère de goût pour les mondanités et le protocole, lui les détestait. Contraint de revêtir des habits luxueux dignes d'un chef de la police, il se sentait ridicule. Le barbier l'avait coiffé, perruqué, rasé et parfumé, un peintre avait passé du noir sur son nez en bois. Depuis plus d'une heure, il faisait antichambre et n'appréciait pas cette perte de temps. Mais comment se soustraire à une convocation de la reine-mère?

Enfin, un chambellan l'introduisit dans le cabinet de travail de Touya, lieu austère décoré de cartes du pays et de stèles dédiées aux ancêtres. Beaucoup plus petite que le Nubien, la reine-mère l'impressionna davantage qu'un fauve sur le point de bondir.

– J'avais envie d'éprouver votre patience, confessat-elle. Un chef de la police ne doit pas perdre son calme.

Kem ignorait s'il fallait rester debout, s'asseoir, répondre ou se taire.

– Que pensez-vous du vizir Pazair?

– C'est un homme juste, le seul juste que je connaisse! Si vous désirez entendre des critiques à son égard, adressez-vous à quelqu'un d'autre.

Kem prit aussitôt conscience de la brutalité de sa réponse et de son impolitesse inexcusable.

– Vous possédez davantage de caractère que votre misérable prédécesseur, mais vous pratiquez moins l'art des convenances.

– J'ai dit la vérité, Majesté.

– Bel exploit, pour un chef de la police.

– Je me moque de mon rang et de mon titre; si je les ai acceptés, c'est afin de seconder Pazair.

– Le vizir a de la chance, et j'apprécie les hommes qui ont de la chance. Vous allez donc l'aider.

– De quelle manière ?

– Je veux tout savoir sur la dame Silkis.

*

Dès que le bateau du vizir fut annoncé, la police fluviale fit dégager l'accès au quai principal du port de Memphis. Les lourds navires de transport manœuvraient avec la grâce d'une libellule, et chacun trouvait sa place sans heurter l'autre.

L'avaleur d'ombres avait passé la nuit sur le toit d'un silo, jouxtant le bâtiment des douanes et un entrepôt de papyrus. Son crime accompli, il s'échapperait de ce côté-là. À la capitainerie du port, il lui avait suffi de laisser traîner l'oreille pour obtenir des renseignements précis sur le voyage de Pazair, de retour de Pi-Ramsès. Les mesures de sécurité qu'imposait Kem excluaient l'improvisation.

Le plan de l'avaleur d'ombres reposait sur une hypothèse plausible : afin d'éviter la foule, avide de solliciter le vizir, Pazair ne s'engagerait pas dans l'artère principale, allant du port au palais. Encadré d'une escouade de policiers, il emprunterait la ruelle au pied du silo, assez large pour autoriser le passage d'un char.

Un char qui venait de s'immobiliser, juste au-dessous de l'avaleur d'ombres.

Cette fois, le bâton de jet ne manquerait pas sa cible. C'était un modèle simple, appartenant à un lot bradé sur le marché en raison de son usure. Le vendeur n'avait pas remarqué l'assassin, mêlé à un groupe d'acheteurs bruyants. Comme eux, il avait offert en échange des oignons frais.

Le crime perpétré, il reprendrait contact avec Bel-Tran. La position du directeur de la Double Maison blanche s'effritait de plus en plus ; beaucoup prédisaient sa déchéance prochaine. En supprimant Pazair, l'avaleur d'ombres lui redonnerait la certitude de vaincre. Nul doute que Bel-Tran songerait à l'éliminer, et non à le récompenser ; aussi prendrait-il des précautions. Leur rencontre aurait lieu dans un endroit désert, son interlocuteur viendrait seul. S'ils tombaient d'accord sur un silence mutuel, Bel-Tran repartirait vivant et triomphateur ; sinon, il serait contraint de le faire taire à jamais. Ses exigences n'effraieraient pas le financier : davantage d'or, l'immunité, une fonction officielle sous un autre nom et une grande villa dans le Delta. Jamais l'avaleur d'ombres n'aurait existé. Et, un jour, Bel-Tran aurait de nouveau besoin de ses services... Un règne bâti sur le meurtre se consolidait grâce à lui.

Sur le quai, Kem et son singe.

La dernière inquiétude de l'avaleur d'ombres se dissipa : le vent soufflait dans la bonne direction. Le babouin ne percevrait pas sa présence et n'aurait aucune chance de couper la trajectoire du bâton de jet, qui ne décrirait pas une courbe mais tomberait du ciel à la vitesse de l'éclair. Seule difficulté : l'étroitesse de l'angle de tir. Mais la rage froide et le désir de réussir rendraient parfait le geste de l'assassin.

Le bateau du vizir accosta. En descendirent Pazair et Néféret, aussitôt protégés par Kem et ses hommes. Après avoir salué le couple d'un hochement de tête, Tueur prit la tête du cortège.

Il évita la grande artère et s'engagea dans la ruelle. Le vent violent énervait le babouin, dont les narines s'agitaient en vain.

Dans quelques secondes, le vizir s'immobiliserait devant son char. Le temps d'y monter, et le bâton de jet fracasserait sa tempe.

Le bras ployé, l'avaleur d'ombres se concentra. Kem et le singe se placèrent de part et d'autre du char. Le Nubien donna le bras à Néféret, l'aidant à monter. Derrière elle, Pazair. L'avaleur d'ombres se leva, vit le profil de Pazair et retint son arme au dernier moment, alors qu'elle se détachait déjà de sa main.

Un homme s'interposait, masquant le vizir.

Bel-Tran venait de sauver l'être dont il souhaitait la disparition.

– Je dois vous parler sans tarder, déclara le directeur de la Double Maison blanche, dont la parole précipitée et les gestes saccadés irritèrent le babouin.

– Est-ce si urgent ? s'étonna Pazair.

– Votre bureau m'a appris que vos rendez-vous étaient annulés pour plusieurs jours.

– Dois-je vous rendre compte de mon emploi du temps ?

– La situation est grave : j'en appelle à la déesse Maât.

Bel-Tran n'avait pas prononcé ces paroles à la légère, en présence de plusieurs témoins, dont le chef de la police. La déclaration était si solennelle que le vizir devait accéder à la requête, à condition qu'elle fût fondée.

– Elle vous répondra par sa Règle ; soyez à mon bureau dans deux heures.

Le vent se calma ; Tueur leva les yeux vers le ciel. L'avaleur d'ombres s'aplatit sur le toit du silo. À plat ventre, il battit en retraite. Lorsqu'il entendit le char du vizir s'éloigner, il se mordit les lèvres au sang.

*

Le vizir félicita le jeune Bak, devenu son secrétaire particulier. L'adolescent, scrupuleux et travailleur, ne tolérait aucune inexactitude dans la rédaction des documents officiels ; aussi Pazair lui confiait-il le soin d'examiner décrets et communications, afin de demeurer irréprochable aux yeux des responsables et de la population.

– Tu me donnes toute satisfaction, Bak, mais il serait bon que tu changes d'administration.

L'adolescent blêmit.

– Quelle faute ai-je commise ?

– Aucune.

– Soyez sincère, je vous en supplie !

– Aucune, je te le répète.

– En ce cas, pourquoi me muter ?

– Pour ton bien.

– Mon bien... Mais je suis heureux, à vos côtés ! Aurais-je froissé quelqu'un ?

– Ta discrétion t'attire l'estime des scribes.

– Dites-moi la vérité.

– Eh bien... Il serait sage de t'éloigner de moi.

– Je refuse !

– Mon avenir est très compromis, Bak, de même que celui de mes proches.

– Ce Bel-Tran, n'est-ce pas ? Il veut votre perte.

– Inutile d'être entraîné dans ma chute ; dans une autre administration, tu seras à l'abri.

– Une telle lâcheté me répugne ; quoi qu'il arrive, je désire rester avec vous.

– Tu es très jeune ; pourquoi compromettre ta carrière ?

– Je me moque de ma carrière ; vous m'avez fait confiance, je vous donne la mienne.

– As-tu bien conscience de ton imprudence ?

– À ma place, agiriez-vous autrement ?

– Vérifie ce texte concernant une plantation d'arbres dans le quartier nord de Memphis ; que personne ne conteste les emplacements choisis.

Fou de joie, Bak se remit au travail.

Sa mine s'assombrit lorsqu'il introduisit Bel-Tran dans le bureau du vizir.

Assis en scribe, Pazair rédigeait une lettre à l'intention des chefs de province, en vue de la prochaine crue ; il leur demandait de vérifier le bon état des digues et des bassins de retenue, afin que le pays recueille au mieux les bienfaits de la montée des eaux fécondantes.

Bel-Tran, vêtu d'une robe neuve aux plis trop amples, resta debout.

– Je vous écoute, dit le vizir sans lever la tête ; auriez-vous l'obligeance de ne pas vous perdre dans des discours oiseux ?

– Connaissez-vous l'étendue de votre pouvoir ?

— Je me préoccupe davantage de mes devoirs.

— Vous occupez un poste essentiel, Pazair ; en cas de fautes graves commises à la tête de l'État, c'est à vous de rétablir la justice.

— Je déteste les insinuations.

— Je vais être très clair : vous seul pouvez juger les membres de la famille royale et le roi lui-même, s'il trahit son pays.

— Vous, oser parler de trahison !

— Ramsès est coupable.

— Qui l'accuse ?

— Moi, afin que nos valeurs morales soient respectées. En envoyant à nos amis d'Asie un or de mauvaise qualité, Ramsès a compromis la paix ; que son procès soit instruit devant votre tribunal.

— C'est vous qui avez expédié ce métal défectueux !

— Pharaon ne laisse à personne le soin de mener la politique asiatique ; qui croira que l'un de ses ministres a agi contre son gré ?

— Comme vous le supposez, à moi d'établir la vérité. Ramsès n'est pas coupable, et je le démontrerai.

— Je fournirai les preuves contre lui ; en tant que vizir, vous serez dans l'obligation d'en tenir compte et de déclencher la procédure.

— L'instruction sera très longue.

Bel-Tran s'emporta.

— Ne comprenez-vous pas que je vous offre votre dernière chance ? En devenant l'accusateur du roi, vous vous sauverez vous-même ! Les personnalités les plus influentes se rallient à ma cause ; Ramsès est un homme seul, abandonné de tous.

— Il lui restera son vizir.

— Votre successeur vous condamnera pour haute trahison.

— Plaçons notre confiance en Maât.

— Vous aurez mérité votre triste sort, Pazair.

— Nos actes seront pesés sur la balance de l'au-delà, les miens comme les vôtres.

Bel-Tran parti, Bak remit une étrange missive entre les mains de Pazair.

— J'ai supposé que cette lettre vous paraîtrait urgente.

Pazair consulta le document.

— Tu as eu raison de me la montrer avant mon départ.

*

Le petit village thébain aurait dû sommeiller sous le chaud soleil de mai à l'ombre des palmes. Mais seuls les bœufs et les ânes s'accordaient du repos, car la population s'était regroupée sur la place poussiéreuse où siégeait le tribunal local.

Le maire tenait enfin sa revanche sur le vieux berger Pépi, un véritable sauvage qui vivait à l'écart, seul avec les ibis et les crocodiles, et se cachait dans les fourrés de papyrus dès qu'approchait un agent du fisc. Puisqu'il ne payait pas d'impôts depuis de nombreuses années, le maire avait décidé que sa modeste parcelle de terrain, quelques arpents au bord du fleuve, deviendraient propriété du village.

Appuyé sur son bâton noueux, le vieillard était sorti de sa tanière, afin de défendre sa cause. Le juge du village, un paysan ami du maire et ennemi d'enfance de Pépi, ne semblait guère décidé à écouter les arguments du berger, malgré plusieurs protestations.

— Voici le jugement : il est décidé que...

— Enquête insuffisante.

— Qui ose m'interrompre ?

Pazair s'avança.

— Le vizir d'Égypte.

Tous reconnurent Pazair, qui avait commencé sa carrière de juge dans le village où il était né. Surpris et admiratifs, ils s'inclinèrent.

— Selon la loi, je dirige ce tribunal, décréta-t-il.

— Le dossier est complexe, bougonna le maire.

— Je le connais bien, grâce au dossier que m'a fait parvenir le préposé au courrier.

— Les charges contre Pépi...

— Ses dettes sont réglées ; l'affaire est donc réduite à néant. Le berger conserve le terrain que lui a légué le père de son père.

On acclama le vizir, on lui apporta de la bière et des fleurs.

Enfin, il fut seul avec le héros du jour.

— Je savais que tu reviendrais, dit Pépi ; tu as bien choisi ton moment. Tu n'étais pas un mauvais bougre, au fond, malgré ton drôle de métier.

— Tu le constates, un juge peut être juste.

— Je continuerai quand même à me méfier. Tu reviens t'installer ici ?

— Malheureusement, non. Je dois partir pour Coptos.

— Rude tâche que celle de vizir ; préserve le bonheur des gens, voilà ce qu'on attend de toi.

— Qui ne ploierait pas sous la charge ?

— Imite le palmier. Plus on le tire vers le bas, plus on tente de le courber, plus il s'élève et se dresse vers le haut.

CHAPITRE 39

Panthère dégusta un morceau de pastèque, se baigna, se sécha au soleil, but de la bière fraîche et se lova contre Souti, dont le regard demeurait fixé sur la rive d'Occident.

– Que redoutes-tu ?

– Pourquoi n'attaquent-ils pas ?

– Ordre du vizir, rappelle-toi.

– Si Pazair vient, nous...

– Il ne viendra pas. Le vizir d'Égypte t'a abandonné ; tu es devenu un rebelle et un hors-la-loi. Lorsque nos nerfs seront à bout, des dissensions éclateront ; bientôt, les Libyens se heurteront aux Nubiens, et « ceux à la vue perçante » reprendront le droit chemin. L'armée n'aura même pas à combattre.

Souti caressa les cheveux de Panthère.

– Que proposes-tu ?

– Brisons l'étau. Pendant que nos soldats nous obéissent, profitons de leur désir de vaincre.

– Nous serons massacrés.

– Qu'en sais-tu ? Nous sommes habitués aux miracles, toi et moi. Si nous sommes vainqueurs, Thèbes nous sera promise. Coptos me semble trop petite, à présent, et la morosité te sied mal.

Il la prit aux hanches et la souleva ; les seins à la hauteur des yeux de son amant, la tête penchée en arrière, ses cheveux blonds noyés de soleil, les bras tendus, la Libyenne poussa un soupir d'aise.

— Fais-moi mourir d'amour, implora-t-elle.

*

Le Nil changeait d'aspect; un œil exercé constatait que le bleu du fleuve devenait moins vif, comme si les premiers limons, venus du sud lointain, commençaient à l'obscurcir. Avec juin s'achèverait la moisson; dans les campagnes, on s'adonnait au battage.

Sous la protection de Kem et du babouin policier, Pazair avait dormi dans son village, à la belle étoile; lorsqu'il était un jeune juge, il s'octroyait souvent ce plaisir, avide des parfums de la nuit et des couleurs de l'aube.

— Nous partons pour Coptos, annonça-t-il à Kem; je convaincrai Souti de renoncer à ses projets insensés.

— Comment vous y prendrez-vous?

— Il m'écoutera.

— Vous savez bien que non.

— Nous avons échangé notre sang, nous nous comprenons au-delà des mots.

— Je ne vous laisserai pas l'affronter seul.

— Il n'existe pas d'autre solution.

Quand elle sortit de la palmeraie, Pazair crut rêver. Aérienne, rayonnante, le front orné d'un diadème de fleurs de lotus, sa perle de turquoise au cou, Néféret venait vers lui.

Lorsqu'il la prit dans ses bras, elle retint ses larmes.

— J'ai fait un rêve affreux, expliqua-t-elle; tu mourais, seul, au bord du Nil, en m'appelant. Je suis venue conjurer le sort.

*

Le risque serait grand, mais l'avaleur d'ombres devait le courir. Où le vizir serait-il plus exposé qu'à

Coptos? À Memphis, il devenait intouchable. S'ajoutant à la protection rapprochée, la chance l'assistait de manière insolente. D'aucuns auraient prétendu que les dieux veillaient sur Pazair; bien que l'idée le traversât parfois, l'avaleur d'ombres refusait d'y croire. Versatile, le succès finirait par changer de camp.

Des indiscrétions avaient filtré. Sur le marché, on parlait d'une troupe de rebelles, surgie du désert, qui se serait emparée de Coptos et menacerait Thèbes; l'intervention rapide de l'armée dissipait toute inquiétude, mais l'on se demandait quel châtiment le vizir infligerait aux trublions. Qu'il s'occupe lui-même de rétablir l'ordre était apprécié de la population; Pazair ne se comportait pas en fonctionnaire enfermé dans son bureau, mais en homme de terrain, prompt à agir.

L'avaleur d'ombres ressentit un fourmillement dans les doigts. Il lui rappela son premier meurtre, au service des comploteurs que dirigeait Bel-Tran. En montant sur le bateau qui l'emmènerait à Coptos, il eut la certitude que, cette fois, il réussirait.

*

— Le vizir! hurla un guetteur nubien.

Les habitants de Coptos coururent dans les rues. On annonça une attaque, on parla d'un régiment d'archers, de plusieurs tours d'assaut montées sur roues, de centaines de chars.

De la terrasse de la maison du maire, Souti ramena le calme.

— C'est bien le vizir Pazair, annonça-t-il d'une voix puissante. Il a revêtu sa robe de fonction et il est seul.

— L'armée? interrogea une femme angoissée.

— Aucun soldat avec lui.

— Que comptes-tu faire?

— Sortir de Coptos et le rencontrer.

— Panthère tenta de retenir Souti.

— C'est un piège; des archers t'abattront.

– Tu connais mal Pazair.

– Et si ses troupes le trahissaient ?

– Il mourrait avec moi.

– Ne l'écoute pas, ne cède sur rien !

– Rassure ton peuple, déesse d'or.

*

De la proue d'un navire de guerre, Néféret, Kem et le babouin, consigné à bord, observaient Pazair. La jeune femme était morte de peur, le Nubien ne cessait de s'adresser des reproches.

– Pazair s'est entêté, parce qu'il avait donné sa parole... J'aurais dû l'enfermer !

– Souti ne lui veut aucun mal.

– Nous ne savons pas ce qu'il est devenu ; le goût du pouvoir l'a peut-être rendu fou. Quel homme le vizir trouvera-t-il en face de lui ?

– Il saura le convaincre.

– Je ne peux pas rester ici, inerte. Je le rejoins.

– Non, Kem ; respectons ses engagements.

– S'il lui arrive malheur, je raserai cette ville.

Le vizir s'était immobilisé à une dizaine de mètres de l'entrée principale de Coptos, du côté du Nil. Il avait emprunté l'allée dallée venant du débarcadère, jalonnée de petits autels où, lors des processions, les prêtres déposaient des offrandes.

Les bras le long du corps, très digne dans sa robe raide et pesante, Pazair vit apparaître Souti.

Les cheveux longs, bronzé, sa carrure plus accentuée qu'auparavant, il portait un collier d'or ; à la ceinture de son pagne, une dague au pommeau d'or.

– Qui vient vers l'autre ?

– Respectes-tu encore notre hiérarchie ?

Souti avança.

Les deux hommes furent face à face.

– Tu m'as abandonné, Pazair.

– Pas un instant.

– Dois-je te croire ?

– T'ai-je menti une seule fois ? Ma position de vizir m'interdisait de violer la loi en cassant le jugement prononcé contre toi. Si la garnison de Tjarou ne t'a pas poursuivi après ton évasion, c'est parce que je l'avais consignée à l'intérieur de la forteresse. Ensuite, j'ai perdu ta trace, mais je savais que tu reviendrais. Ce jour-là, je serais présent, et me voici. Une réapparition plus discrète m'aurait davantage convenu ; mais je me contente de celle-ci.

– À tes yeux, je suis un rebelle.

– Je n'ai reçu aucune plainte dans ce sens.

– J'ai envahi Coptos.

– Ni mort, ni blessé, ni conflit d'aucune sorte.

– Et le maire ?

– Il s'est adressé à l'armée, qui effectue des manœuvres près d'ici. De mon point de vue, aucun acte irrémédiable n'a été commis.

– Tu oublies que la loi me condamne à devenir l'esclave de la dame Tapéni.

– La dame Tapéni a été déchue de ses droits civiques. Elle paie ainsi sa lamentable tentative d'alliance avec Bel-Tran. Elle n'imaginait pas qu'il détestait les femmes à ce point.

– Ce qui veut dire...

– Ce qui veut dire que le divorce sera prononcé si tu le désires ; tu pourrais même exiger une partie de ses biens, mais je te le déconseille, en raison de la longueur probable de la procédure.

– Je me moque de ses biens !

– Ta déesse d'or t'aurait-elle comblé ?

– Panthère m'a sauvé la vie, en Nubie ; mais la justice égyptienne l'a condamnée à l'exil définitif.

– Inexact, puisque sa peine était liée à la tienne. De plus, un acte d'héroïsme en faveur d'un Égyptien m'autorise à revoir le jugement. Panthère est libre de circuler sur notre territoire.

– Tu dis la vérité ?

– En tant que vizir, j'y suis obligé. Ces décisions, prises en toute équité, seront approuvées par un tribunal.

– Je n'y crois pas.

– Tu as tort. Ce n'est pas seulement ton frère de sang qui te parle, mais le vizir d'Égypte.

– Ne compromets-tu pas ta position ?

– Peu importe ; dès le début de la crue, je serai démis et emprisonné. La victoire de Bel-Tran et de ses alliés semble inéluctable ; de plus, la guerre menace.

– Les Asiatiques ?

– Bel-Tran leur a envoyé un or de mauvaise qualité ; la faute incombe à Pharaon. Pour l'effacer, il faudrait leur en offrir le double. Je n'ai pas le temps de reconstituer nos stocks, insuffisants à cause de Bel-Tran. De quelque côté que je me tourne, le piège s'est refermé. Au moins, je vous sauverai, toi et Panthère ; profite de l'Égypte pendant les dernières semaines qui nous séparent de l'abdication de Ramsès, et puis quitte-la. Ce pays deviendra un enfer, soumis à la loi de l'argent grec, du profit et du matérialisme le plus cruel.

– Moi, j'ai de l'or.

– Celui qu'avait volé le général Asher et que tu as récupéré ?

– Il suffirait presque à payer les dettes de l'Égypte.

– Grâce à toi, nous éviterions une invasion.

– Tu devrais être plus curieux.

– Est-ce un refus ?

– Tu ne saisis pas : j'ai découvert la ville de l'or, perdue dans le désert. D'immenses réserves de métal précieux ! À Coptos, j'offre un chariot rempli de lingots ; à l'Égypte, le montant de sa dette.

– Panthère y consentira-t-elle ?

– Il te faudra beaucoup de diplomatie ; voici venue l'occasion de prouver ton talent.

Les deux amis tombèrent dans les bras l'un de l'autre.

*

Lors des fêtes du dieu Min, le patron de la ville, Coptos entrait dans l'une des liesses les plus débridées du pays. Puissance régissant la fécondité du ciel et de la terre, Min incitait les garçons et les filles à communier dans l'élan réciproque de leur désir. Lorsque l'accord de paix fut proclamé, la joie éclata avec une exaltation digne des réjouissances traditionnelles.

Sur décision du vizir, Coptos serait bénéficiaire de l'or de Souti, exempté d'impôts; les Libyens étaient engagés comme fantassins dans le corps d'armée stationné à Thèbes, les Nubiens comme archers d'élite, et « ceux à la vue perçante » reprenaient leurs missions de surveillance des caravanes et des mineurs, sans subir de sanction.

Les soldats de l'armée régulière n'avaient pas leur pareil pour banqueter et plaisanter; dans la nuit chaude de juin, les rires ne cessaient de fuser, sous la protection de la pleine lune. Souti et Panthère reçurent le vizir et Néféret dans la demeure du maire, officiellement mise à la disposition du premier ministre.

La blonde Libyenne, aux éblouissantes parures d'or, avait une mine boudeuse.

— Je refuse de quitter la ville; nous l'avons conquise, elle nous appartient.

— Sors de ton rêve, recommanda Souti; nos troupes ont disparu.

— Nous avons assez d'or pour acheter l'Égypte entière!

— Commencez par la sauver, recommanda Pazair.

— Moi, sauver mon ennemie héréditaire!

— Vous aussi avez intérêt à éviter une invasion asiatique; si elle se produit, je ne donne pas cher de votre trésor.

Panthère regarda Néféret, en quête de son approbation.

— Je partage l'avis du vizir; à quoi servirait votre fortune si vous ne pouvez en disposer?

310

Panthère estimait Néféret. En proie au doute, elle se leva, nerveuse, et arpenta la vaste salle d'hôte.

— Quelles sont vos exigences ? interrogea Pazair.

— En tant que sauveurs de l'Égypte, déclara Panthère avec superbe, nous pouvons être très gourmands. Puisque nous sommes en présence du vizir, autant être direct : qu'est-il prêt à nous accorder ?

— Rien.

Elle sursauta.

— Comment, rien ?

— Vous serez, l'un et l'autre, lavés de toute accusation et sans tache au regard de la loi, puisque vous n'avez commis aucun délit. Le maire de Coptos acceptera vos excuses et l'or qui enrichira sa ville, dont vous faites le bonheur ; pourquoi vous importunerait-il ?

Souti éclata de rire.

— Mon frère de sang est incroyable ! La justice parle par sa bouche, mais il n'oublie pas la diplomatie. Serais-tu devenu un vrai vizir ?

— Je m'y emploie.

— Ramsès est un génie, puisqu'il t'a choisi ; et moi, j'ai la chance d'être ton ami.

Panthère s'enflamma.

— Quel royaume m'offriras-tu, Souti ?

— Ma vie ne te suffit pas, déesse d'or ?

La Libyenne se rua sur l'Égyptien et lui frappa le torse à coups de poing.

— J'aurais dû te tuer !

— Ne désespère pas.

Il la maîtrisa et la serra contre lui.

— T'imaginais-tu notable de province ?

Éclatant de rire à son tour, Panthère s'arracha à l'étreinte et s'empara d'une jarre de vin ; lorsqu'elle la présenta à Souti, il porta la main à ses yeux.

— Il est aveugle, à cause d'une piqûre de scorpion ! cria-t-elle, lâchant le récipient.

Néféret la calma.

— Ne vous inquiétez pas ; les accès de cécité nocturne

sont une maladie rare, certes, mais je la connais et je la guérirai.

L'angoisse fut de courte durée, car les services médicaux de Coptos disposaient des remèdes nécessaires. Néféret fit absorber à Souti un médicament composé d'humeur extraite d'yeux de porc, de galène, d'ocre jaune et de miel fermenté, broyés et réduits en une masse compacte; puis elle lui administra une décoction de foie de bœuf, qu'il devrait ingérer chaque jour pendant trois mois afin d'obtenir une guérison complète.

*

Panthère dormait, rassurée; fatiguée, Néféret s'était assoupie. Souti regardait les étoiles, gavait ses yeux de la lumière nocturne. En compagnie de Pazair, il se promenait dans les rues de la cité apaisée.

— Quelles merveilles! Néféret m'a ressuscité.

— Ta chance ne t'a pas quitté.

— Où en est le royaume?

— Même avec ton aide, je ne suis pas sûr de pouvoir le sauver.

— Arrête Bel-Tran et jette-le en prison.

— J'en ai souvent eu l'intention, mais cela n'arracherait pas les racines du mal.

— Si tout est perdu, ne te sacrifie pas.

— Tant qu'il restera l'ombre d'un espoir, je remplirai la mission qui m'a été confiée.

— L'entêtement est l'un de tes nombreux défauts; pourquoi s'obstiner à se fracasser la tête contre un mur? Pour une fois, écoute-moi. J'ai mieux à te proposer.

Les deux hommes passèrent devant un groupe de Libyens adossés à la porte d'une taverne. Ivres de bière, ils ronflaient.

Souti leva de nouveau les yeux vers le ciel, trop heureux de voir la lune et les étoiles; à l'instant même où le babouin policier, qui filait les deux hommes à distance, poussa un cri d'alarme, le jeune homme aperçut l'archer, debout sur un toit, prêt à tirer.

D'un pas de côté, il se plaça devant Pazair.

Lorsque Souti s'écroula, percé d'une flèche, l'avaleur d'ombres sautait déjà dans un char et prenait la fuite.

CHAPITRE 40

L'opération débuta à l'aube et dura trois heures. Manquant de sommeil, Néféret puisa l'énergie au tréfonds d'elle-même, afin de ne commettre aucune erreur. Deux chirurgiens de Coptos, habitués à soigner « ceux à la vue perçante », l'assistèrent.

Avant d'ôter la flèche, qui s'était fichée dans la poitrine de Souti, juste au-dessus du cœur, Néféret pratiqua une anesthésie générale. À courts intervalles, elle fit absorber au blessé dix doses d'une poudre composée d'opium, de racine de mandragore et de pierre siliceuse ; pendant l'intervention, un assistant délaierait la même poudre dans du vinaigre et ferait respirer au patient l'acide qui s'en dégagerait, afin qu'il ne sorte pas de son sommeil. Pour davantage de sécurité, l'un des chirurgiens badigeonna le corps de Souti d'un baume contre la douleur, dont la racine de mandragore, puissant narcotique, était le principal composant.

Le médecin-chef du royaume vérifia le tranchant de ses scalpels en pierre dure, puis élargit la plaie afin de retirer la pointe de la flèche. La profondeur de la blessure l'inquiéta ; par bonheur, les canaux du cœur n'étaient pas lésés, bien que Souti perdît beaucoup de sang. Des compresses enduites de miel stoppèrent l'hémorragie. Avec des gestes lents et précis, la jeune femme répara les déchirures, puis réunit les bords de la plaie principale avec de fines lanières, obtenues à partir d'un intestin de bovidé. Quelques instants, elle hésita : une greffe serait-elle nécessaire ? Se fiant à son instinct et à la solidité de Souti, elle y renonça. Les premières réactions de la peau la confirmèrent dans son opinion ; aussi consolida-t-elle les points de suture avec des bandes de toile collante qu'elle recouvrit de graisse et de miel. Puis elle banda le torse du blessé avec un tissu végétal très doux.

D'un point de vue technique, l'opération avait réussi ; mais Souti se réveillerait-il ?

*

Kem inspecta le toit d'où l'avaleur d'ombres avait tiré. Il ramassa l'arc nubien que l'assassin avait utilisé, avant de sauter dans la ruelle où un char, volé aux Libyens, l'attendait. Tueur s'était rué à sa poursuite, sans parvenir à le rejoindre. Le meurtrier avait disparu dans la campagne.

En vain, le chef de la police rechercha des témoins fiables ; l'un ou l'autre avait bien vu un char sortir de la ville en pleine nuit, mais personne n'était capable de donner une description précise du conducteur. Kem eut envie d'arracher son nez en bois et de le piétiner. La patte du babouin, agrippée à son poignet, l'en dissuada.

— Merci de ton aide, Tueur.

Le singe ne lâcha pas prise.

— Que veux-tu ?

Tueur tourna la tête vers la gauche.

— Entendu, je te suis.

Il mena Kem à l'angle d'une ruelle et lui montra une borne en pierre, égratignée au passage du char.

— Il s'est enfui par là, tu as raison, mais...

Le babouin entraîna son supérieur un peu plus loin, sur le chemin qu'avait suivi le véhicule. Il se pencha sur un trou de la chaussée, puis recula, faisant signe à Kem de l'explorer. Intrigué, le Nubien s'exécuta. Au fond du trou, un couteau en obsidienne.

– Il l'a perdu sans s'en apercevoir...

Kem tâta l'objet.

– Officier de police Tueur, je crois que vous venez de nous procurer un indice décisif.

*

Quand Souti se réveilla, il contempla le sourire de Néféret.

– Tu m'as fait peur, confessa-t-elle.

– Qu'est-ce qu'une flèche, à côté des griffes d'un ours? Tu m'as sauvé, une seconde fois.

– À quelques centimètres près, l'assassin te perçait le cœur.

– Des séquelles à redouter?

– Peut-être une cicatrice, mais le changement fréquent de pansements devrait l'éviter.

– Quand serai-je debout?

– Très vite, grâce à ta robuste constitution. Tu me sembles encore plus solide que lors de ta première opération.

– Ma mort s'amuse, à moi aussi.

La voix de Néféret trembla d'émotion.

– Tu t'es sacrifié pour Pazair... Je ne sais comment te remercier.

Il lui prit tendrement la main.

– Panthère me vole tout l'amour dont je dispose; sinon, comment ne pas être fou de toi? Personne ne vous séparera, Pazair et toi; le destin s'usera sur votre union. Aujourd'hui, c'est moi qu'il a élu comme bouclier; j'en suis fier, Néféret, très fier.

– Pazair peut-il te parler?

– Si le corps médical le permet.

Le vizir était aussi ému que son épouse.

– Tu n'aurais pas dû risquer ta vie, Souti.

– Je croyais qu'un vizir ne proférait pas de sornettes.

– Tu souffres?

316

– Néféret est une thérapeute extraordinaire ; je ne sens presque rien.

– Notre conversation fut interrompue.

– Je m'en souviens.

– Alors, ce conseil ?

– Quel est mon vœu le plus cher, à ton avis ?

– D'après tes propos, mener grande vie, aimer, faire la fête, t'enivrer de chaque soleil nouveau.

– Et le tien ?

– Tu le connais : me retirer dans mon village avec Néféret, loin de l'agitation à laquelle je suis confronté.

– Le désert m'a changé, Pazair ; c'est lui, mon avenir et mon royaume. J'ai appris à partager ses secrets, à me nourrir de son mystère. Loin de lui, je me sens lourd et vieux ; dès que la plante de mes pieds entre en contact avec le sable, je suis jeune et immortel. Il n'est de vraie loi que celle du désert ; rejoins-moi, tu es de cette nature-là. Partons ensemble, quittons ce monde de compromis et de mensonges.

– S'il existe un vizir, Souti, c'est pour les combattre et faire régner la rectitude.

– Y parviens-tu ?

– Chaque jour m'offre son lot de victoires et de défaites, mais Maât gouverne encore l'Égypte ; lorsque Bel-Tran régnera, la justice quittera cette terre.

– N'attends pas ce moment-là.

– Aide-moi à mener ce combat.

Comme s'il signifiait un refus, Souti se tourna sur le côté.

– Laisse-moi dormir ; comment combattrai-je, si je manque de sommeil ?

*

Le bateau de la reine mère avait emmené Silkis du port de Memphis à celui de Pi-Ramsès ; dans sa cabine, bien aérée et protégée de l'ardent soleil de juin, l'épouse de Bel-Tran avait bénéficié des soins attentifs d'un personnel zélé. On l'avait massée et parfumée, on lui avait offert des jus de fruits et des linges frais à disposer sur le front et la nuque, de sorte que son voyage fut un enchantement.

Au débarcadère, une chaise à porteurs, équipée de deux parasols, était à sa disposition. Le trajet fut de brève durée, car on conduisit Silkis au bord du lac de la résidence royale. Deux porteurs de parasol descendirent avec elle dans un esquif peint en bleu. Sans heurt, les rameurs la conduisirent à une île où, assise sous un kiosque en bois, Touya lisait des poèmes de l'Ancien Empire, célébrant la beauté sublime des paysages égyptiens et le respect que les hommes devaient éprouver envers les dieux.

Silkis, dont la robe de lin était d'un luxe ostentatoire, cédait à la panique. Ses nombreux bijoux ne la rassuraient guère ; serait-elle capable d'affronter la femme la plus riche et la plus influente d'Égypte ?

— Venez vous asseoir près de moi, dame Silkis.

À la grande stupéfaction de l'arrivante, la reine mère ressemblait davantage à une femme du peuple qu'à la mère de Ramsès le grand. Les cheveux libres, pieds nus, une simple robe blanche à bretelles, ni colliers, ni bracelets, pas le moindre maquillage... Mais sa voix perçait l'âme.

— Vous devez souffrir de la chaleur, mon enfant.

Incapable de parler, Silkis s'assit dans l'herbe, sans songer aux inévitables taches vertes qui souilleraient le précieux lin.

— Mettez-vous à votre aise ; nagez, si vous le désirez.

— Je... je n'en ai pas envie, Majesté.

— De la bière fraîche ?

Tétanisée, Silkis accepta un récipient tout en longueur, muni d'un fin tube métallique qui permettait d'aspirer le délicieux liquide. Elle but plusieurs gorgées, les yeux baissés, incapable de supporter le regard de Touya.

— J'aime le mois de juin, dit la reine mère ; sa

lumière est d'une franchise éblouissante. Redoutez-vous les fortes chaleurs ?

— Elles... elles déssèchent ma peau.

— Ne disposez-vous pas d'un arsenal de crèmes et de fards ?

— Si, bien sûr.

— Passez-vous beaucoup de temps à vous rendre belle ?

— Plusieurs heures par jour... Mon mari est très exigeant.

— Une remarquable carrière, m'a-t-on dit.

Silkis releva un peu la tête ; la reine mère n'avait pas tardé à venir sur le terrain où elle la guettait. Sa peur s'atténua ; cette femme impressionnante, au nez fin et droit, aux joues assez marquées et au menton carré, ne serait-elle pas son esclave docile ? La haine l'envahit, semblable à celle qui l'avait poussée à se dénuder devant le gardien-chef du sphinx, afin de le réduire à merci, et de permettre à son mari de l'abattre. Silkis aimait être soumise à Bel-Tran, mais elle désirait que son entourage fût à ses pieds. Commencer par humilier la reine-mère provoquait un début d'extase.

— Remarquable, Majesté ; c'est le mot exact.

— Un petit comptable devenu grand du royaume... Seule l'Égypte autorise ce genre d'ascension. L'important n'est-il pas de perdre sa petitesse, lorsqu'on accède à la grandeur ?

Silkis fronça les sourcils.

— Bel-Tran est honnête, travailleur, et ne songe qu'au bien commun.

— La quête du pouvoir engendre des conflits auxquels je n'assiste que de fort loin.

Silkis jubila ; le poisson mordait à l'hameçon ! Pour se donner du courage, elle but un peu de bière fraîche, si exquise qu'elle éprouva un sentiment de relaxation.

— À Memphis, on murmure que le roi est souffrant.

— Très fatigué, dame Silkis ; sa charge est écrasante.

— Ne doit-il pas célébrer bientôt une fête de régénération ?

– Telle est la tradition sacrée.

– Et... si le rituel magique échouait ?

– Les dieux signifieraient ainsi qu'un nouveau pharaon est appelé à régner.

Le visage de Silkis s'anima d'un sourire cruel.

– Les dieux seraient-ils seuls en cause ?

– Vous êtes énigmatique.

– Bel-Tran ne possède-t-il pas l'étoffe d'un roi ?

Pensive, Touya observa une colonie de cols-verts glisser sur l'eau bleue du lac de plaisance.

– Qui sommes-nous, pour prétendre soulever le voile du futur ?

– Bel-Tran le peut, Majesté !

– Admirable.

– Lui et moi comptions sur votre appui ; chacun sait que vos jugements sont très sûrs.

– Tel est le rôle de la reine-mère : voir et conseiller.

Silkis avait gagné ; elle se sentait légère comme un oiseau, rapide comme un chacal, aiguisée comme la lame d'un poignard. L'Égypte lui appartenait.

– Comment votre mari a-t-il constitué sa fortune ?

– En développant sa fabrique de papyrus. Bien sûr, il a jonglé avec les comptes, comme partout où il est passé ; aucun financier n'est parvenu à l'égaler.

– Aurait-il commis des malhonnêtetés ?

Silkis devint volubile.

– Majesté ! Les affaires ne sont-elles pas les affaires ? Si l'on désire accéder au premier rang, il faut parfois oublier la morale. Les gens ordinaires s'y empêtrent ; Bel-Tran s'est débarrassé de cette entrave. Dans l'administration, il a bouleversé les habitudes. Personne ne s'est aperçu de ses malversations ; l'État y a trouvé son compte, mais lui aussi ! A présent, trop tard pour le mettre en accusation.

– Vous a-t-il assuré une fortune personnelle ?

– Bien sûr !

– De quelle manière ?

Silkis exultait.

– La plus audacieuse qui soit!

– Éclairez-moi.

– Vous n'en croirez pas vos oreilles, Il s'agit d'un trafic de papyrus du *Livre des morts*; en tant que fournisseur d'une bonne partie de la noblesse, il se charge de trouver des scribes capables de dessiner les scènes et d'écrire les textes relatifs à la résurrection du défunt dans l'autre monde.

– Quelle fut la nature de la fraude?

– Triple! D'abord, il a livré un papyrus de qualité inférieure à celle promise; ensuite, il a réduit le volume des textes, sans baisser les prix de la prestation, tout en payant fort peu le scribe rédacteur; enfin, processus identique pour les illustrations! Les familles des défunts, écrasées de chagrin, n'ont pas songé à vérifier. Et je possède aussi un énorme lot de pièces grecques qui sommeillent dans mes coffres, en attendant la libre circulation de l'argent... Quelle révolution, Majesté! Vous ne reconnaîtrez plus cette vieille Égypte, engoncée dans d'inutiles traditions et des coutumes désuètes.

– C'est le discours de votre mari, si je ne m'abuse.

– Le seul que le pays doit entendre!

– Avez-vous une pensée personnelle, Silkis?

La question dérouta l'épouse de Bel-Tran.

– Que voulez-vous dire?

– Le meurtre, le vol, le mensonge vous apparaissent-ils comme de bons piliers d'un règne?

Exaltée, Silkis ne recula pas.

– S'ils sont nécessaires, pourquoi pas? Nous sommes allés trop loin pour reculer. Moi-même, je suis complice et coupable! Je regrette de n'avoir pas supprimé le sage Branir et le vizir Pazair, les principaux obstacles à...

Un vertige la fit vaciller; elle porta la main à son front.

– Que m'arrive-t-il... Pourquoi vous ai-je avoué tout cela...

– Parce que vous avez bu de la bière additionnée de

mandragore; son goût est insipide, mais elle délie la parole. Grâce à elle, les esprits faibles se libèrent de leurs secrets.

– Qu'ai-je dit, que vous ai-je révélé ?

– Si la mandragore a agi aussi vite, indiqua la reine mère, c'est parce que vous êtes une droguée.

– Mon ventre me fait mal !

Silkis se leva. L'île et le ciel bougeaient. Elle tomba à genoux, se masqua les yeux avec les mains.

– Le trafic de *Livres des morts* est un crime abominable, jugea Touya; vous avez spéculé sur la douleur d'autrui, avec une incroyable cruauté. Je porterai moi-même plainte devant le tribunal du vizir.

– Elle n'aboutira pas ! Bientôt, vous serez ma servante, dit-elle en relevant la tête.

– Vous ne réussirez pas, Silkis, car vous portez l'échec en vous et ne parviendrez jamais à devenir une dame de la cour. Vos turpitudes seront connues de tous et de toutes; personne ne vous acceptera, même si vous disposez d'un quelconque pouvoir. Vous verrez, c'est une situation intenable; de plus acharnées que vous furent contraintes de renoncer à leurs ambitions.

– Bel-Tran vous écrasera du pied.

– Je suis une vieille dame et ne redoute pas les bandits de son espèce; mes ancêtres ont lutté contre des envahisseurs aussi dangereux que lui et les ont vaincus. S'il espérait votre appui, il sera déçu : vous ne lui serez d'aucune utilité.

– Je l'aiderai, nous réussirons.

– Vous en serez incapable : intelligence limitée, nerfs fragiles, absence de personnalité propre, feu destructeur nourri de haine et d'hypocrisie. Non seulement vous lui nuirez, mais encore vous le trahirez, tôt ou tard.

Silkis trépigna, frappant le sol de ses poings fermés.

La barque bleue, sur un signe de Touya, accosta.

– Ramenez cette femme au port, ordonna Touya à l'équipage, et qu'elle quitte Pi-Ramsès sur-le-champ.

Silkis fut prise d'une envie de dormir; elle s'affala dans l'embarcation, la tête remplie d'insupportables bourdonnements, comme si des abeilles dévoraient son cerveau.

La reine mère, sereine, contempla les eaux paisibles du lac de plaisance, au-dessus duquel dansaient des hirondelles.

CHAPITRE 41

S'appuyant sur l'épaule de Pazair, Souti fit ses premiers pas sur le pont du bateau qui les ramenait à Memphis. Néféret surveilla l'expérience, satisfaite des facultés de récupération de leur ami; Panthère admira son héros, rêvant d'un fleuve immense qui lui appartiendrait et dont elle serait la reine. Du nord au sud et du sud au nord, ils circuleraient sur une barque immense, chargée de l'or qu'ils offriraient aux villages disséminés sur les berges. Puisqu'il était impossible de conquérir un empire par la force, pourquoi ne pas utiliser le don? Le jour où les mines de la cité disparue seraient épuisées, le peuple entier célébrerait le nom de Panthère et de Souti. Allongée sur le toit de la cabine, elle confia son corps de cuivre aux caresses brûlantes du soleil d'été.

Néféret renouvela le pansement de Souti.

— La plaie est belle; comment te sens-tu?

— Pas encore capable de combattre, mais je tiens debout.

— Puis-je te supplier de te reposer? Sinon, les tissus tarderont à se reconstituer.

Souti s'étendit sur une natte, à l'ombre d'une toile tendue entre quatre piquets. Grâce au sommeil, ses forces se régénéraient.

Néféret observa le Nil; Pazair l'enlaça.

324

– Crois-tu que la crue sera précoce ?

– Le flot gonfle, mais sa couleur se modifie lentement ; nous bénéficierons peut-être de quelques jours de répit.

– Lorsque l'étoile Sothis brillera dans le ciel, Isis versera des larmes, et l'énergie de la résurrection animera le fleuve né dans l'au-delà ; comme chaque année, la mort sera vaincue. Et pourtant, l'Égypte de nos pères disparaîtra.

– Chaque nuit, j'implore l'âme de notre maître disparu ; j'ai la certitude qu'elle ne s'est pas éloignée de nous.

– Échec complet, Néféret : je n'ai ni identifié l'assassin ni retrouvé le testament des dieux.

Kem s'approcha du couple.

– Pardonnez-moi de vous importuner, mais j'aimerais vous proposer une promotion.

Pazair fut surpris.

– Vous, Kem, vous préoccuper d'avancement ?

– L'officier de police Tueur le mérite.

– J'aurais dû y songer depuis longtemps ; sans lui, j'aurais rejoint la rive d'Occident.

– Non seulement il vous a sauvé la vie, mais encore il nous offre le moyen d'identifier l'avaleur d'ombres. Cet exploit ne vaut-il pas le grade de lieutenant avec augmentation de solde ?

– Quel est ce moyen, Kem ?

– Laissez Tueur mener cette enquête à son terme ; je le seconderai.

– Qui soupçonnez-vous ?

– Il me reste un certain nombre de recoupements à effectuer avant d'obtenir le nom du coupable ; mais il ne nous échappera pas.

– Combien de temps prendront vos investigations ?

– Une journée au mieux, une semaine au pire ; lorsque Tueur sera face à lui, il l'identifiera.

– Vous devrez l'interpeller afin qu'il soit jugé.

– L'avaleur d'ombres a commis plusieurs meurtres.

– Si vous ne persuadez pas Tueur de l'épargner, je serai obligé de lui retirer cette enquête.

– L'avaleur d'ombres a tenté de le supprimer en envoyant contre lui un autre babouin ; comment l'oublierait-il ? L'empêcher de remplir sa mission serait une injustice.

– Nous devons savoir si l'avaleur d'ombres est responsable de la mort de Branir, et quel maître il sert.

– Vous le saurez, je ne peux rien vous promettre de plus. Si Tueur est provoqué, comment le retenir ? Entre la vie d'un brave et celle d'un monstre, mon choix est fait.

– Soyez très prudents, l'un et l'autre.

*

Lorsque Bel-Tran passa le seuil de sa villa, personne ne vint à sa rencontre. Contrarié, il appela son intendant. Seul répondit un jardinier.

– L'intendant ?

– Il est parti, avec deux servantes et vos enfants.

– Serais-tu ivre ?

– C'est ainsi, je vous l'assure.

Furibond, Bel-Tran se rua à l'intérieur de la maison et se heurta à la femme de chambre de Silkis.

– Où sont mes enfants ?

– Partis pour votre maison du Delta.

– Sur l'ordre de qui ?

– De votre épouse.

– Où est-elle ?

– Dans sa chambre, mais...

– Parlez !

– Elle est très dépressive ; depuis son retour de Pi-Ramsès, elle n'a pas cessé de pleurer.

À grandes enjambées, Bel-Tran traversa les pièces de la maison et fit irruption dans les appartements privés de son épouse. Immobile, dans la position du fœtus, elle sanglotait.

– Encore malade ?

Il la secoua, elle ne réagit pas.

— Pourquoi as-tu envoyé les enfants à la campagne ? Réponds!

Il lui tordit les poignets, l'obligeant à s'asseoir.

— Réponds, je te l'ordonne!

— Ils sont... en danger.

— Tu divagues.

— Moi aussi, je suis en danger.

— Que s'est-il passé?

En sanglotant, Silkis raconta son entrevue avec la reine mère.

— Cette femme est un monstre, elle m'a brisée.

Bel-Tran ne prit pas le récit de son épouse à la légère; il lui fit même répéter les accusations portées par Touya.

— Reprends-toi, ma chérie.

— Un piège! Elle m'a attirée dans un piège!

— Rassure-toi; bientôt, elle ne disposera plus d'aucun pouvoir.

— Tu n'as pas compris : je n'ai plus aucune chance d'être admise à la cour. Chacun de mes gestes sera contesté, chacune de mes attitudes critiquée, la moindre de mes initiatives vilipendée... Qui résisterait à une telle persécution?

— Calme-toi.

— Me calmer, alors que Touya ruine ma réputation!

Silkis entra dans une violente colère, hurlant des phrases incompréhensibles où se mélangeaient l'interprète des rêves, l'avaleur d'ombres, ses enfants, un trône inaccessible et d'intolérables douleurs intestinales.

Bel-Tran l'abandonna, pensif. Touya était une femme lucide; Silkis, en raison de ses dérèglements mentaux, serait incapable de s'intégrer à la cour d'Égypte.

*

Panthère rêvait. Le voyage sur le Nil, en toute sécurité, aux côtés du vizir et de Néféret, lui avait offert

327

un moment de sérénité inhabituel, au cœur de son existence tumultueuse. Sans l'avouer à Souti, elle songeait à une vaste maison entourée d'un jardin, honteuse de renoncer, fût-ce quelques heures, à sa soif de conquête. La présence de Néféret apaisait le feu qui la dévorait depuis qu'elle avait eu à lutter pour survivre; Panthère découvrait les vertus de la tendresse, dont elle s'était toujours méfiée comme d'une maladie mortelle. L'Égypte, cette terre tant détestée, devenait son havre de paix.

— Je dois vous parler, déclara-t-elle gravement au vizir, assis en scribe.

Pazair rédigeait un décret relatif à la protection, dans chaque province, d'une espèce animale qu'il était interdit de tuer et de consommer.

— Je vous écoute.

— Allons à la poupe; j'aime contempler le Nil.

Accoudés au bastingage, tels deux voyageurs émerveillés, le vizir et la Libyenne dialoguèrent au fil de l'eau.

Sur les chemins de terre, au sommet des buttes, des ânes avançaient de leur pas égal, portant des chargements de céréales; autour des braves grisons, des enfants piaillaient. Dans les villages, à l'ombre des palmiers, des femmes préparaient la bière; dans les champs, les paysans achevaient le battage, au son d'une flûte qui jouait d'antiques mélodies. Chacun attendait la crue.

— Je vous donne mon or, vizir d'Égypte.

— Souti et vous avez découvert une mine abandonnée; elle est votre propriété.

— Gardez ces richesses pour les dieux; ils en feront meilleur usage que les mortels. Mais permettez-moi de vivre ici et d'oublier le passé.

— Je vous dois la vérité : dans un mois, ce pays changera d'âme. Il subira de tels bouleversements que vous ne le reconnaîtrez plus.

— Un mois de quiétude, c'est énorme.

– Mes amis seront pourchassés, arrêtés, peut-être exécutés; si vous m'aidez, vous serez dénoncée.

– Je ne reviendrai pas sur ma décision. Prenez l'or, évitez la guerre avec l'Asie.

Elle retourna sur le toit de la cabine, adoratrice d'un soleil dont elle apprivoisait la violence.

Souti prit sa place.

– Je marche, et je remue le bras gauche; un peu douloureux, mais très satisfaisant. Ta femme est une magicienne.

– Panthère en est une autre.

– Une véritable sorcière! La preuve, je n'ai pas encore réussi à m'en détacher.

– Elle donne votre or à l'Égypte afin d'éviter un conflit avec les Asiatiques.

– Je suis contraint de m'incliner.

– Elle désire être heureuse avec toi; je crois que l'Égypte l'a conquise.

– Quel horrible avenir! Faudra-t-il que j'extermine un bataillon de Libyens pour lui redonner de la vigueur? Oublions-la; c'est toi qui me préoccupes.

– Tu connais la vérité.

– Une partie, seulement; mais je constate que tu te noies dans ton principal défaut : le respect d'autrui.

– C'est la loi de Maât.

– Balivernes! Tu es en guerre, Pazair, et tu prends trop de coups sans les rendre. Encore une semaine et, grâce à Néféret, je serai de nouveau à l'offensive. Laisse-moi agir à ma guise et troubler le jeu de l'adversaire.

– Ne t'écarteras-tu pas du chemin de la légalité?

– Quand les hostilités sont déclarées, il faut tracer sa propre route; sinon, on tombe dans une embuscade. Bel-Tran n'est qu'un ennemi comme un autre.

– Non, Souti; il dispose d'une arme décisive contre laquelle ni toi ni moi ne pouvons rien.

– Laquelle?

– Je dois garder le silence.

— Il te reste peu de temps pour agir.

— Au début de la crue, Ramsès abdiquera. Il sera incapable de vivre sa régénération.

— Ton attitude devient absurde ; jusqu'à présent, tu as sans doute eu raison de te méfier des uns et des autres. À présent, réunis les êtres en qui tu as confiance, révèle-leur la nature de cette arme et les véritables raisons de l'incapacité de Ramsès. Ensemble, nous trouverons une parade.

— Je dois consulter Pharaon ; lui seul peut me permettre d'accéder à ta requête. Vous débarquerez à Memphis, et je continuerai le voyage jusqu'à Pi-Ramsès.

*

Néféret déposa des lotus, des bleuets et des lys sur l'autel de la petite chapelle ouverte aux vivants ; ainsi demeurait-elle en communion avec l'âme de Branir, dont le corps de lumière, appelé à la résurrection d'Osiris, reposait dans un sarcophage, au sein de la terre-mère.

Par une fente ouverte dans un mur de la tombe, elle contempla la statue du maître assassiné. Il était debout, dans l'attitude de la marche, les yeux levés vers le ciel.

Les ténèbres lui parurent moins profondes qu'à l'ordinaire ; surprise, elle sentit que le regard de Branir la fixait avec une intensité inhabituelle. Ce n'étaient plus les yeux d'un mort, mais ceux d'un vivant revenu de l'autre monde pour lui transmettre un message, au-delà des mots et des pensées humaines.

Bouleversée, elle abolit toute réflexion, afin de percevoir, par le cœur, la vérité de l'ineffable. Et Branir lui parla, comme autrefois, de sa voix grave et posée. Il évoqua la lumière dont se nourrissaient les justes, la beauté des paradis où la pensée voguait dans les étoiles.

Quand il se tut, la jeune femme sut qu'il avait ouvert un chemin sur lequel le vizir devrait s'engager. La victoire du mal n'était pas inéluctable.

Au sortir de l'immense domaine funéraire de Saqqara, Néféret croisa Djoui, le momificateur. Pâle, les mains interminables, les jambes grêles, il se dirigeait vers son atelier.

– Je me suis occupé de la tombe de Branir, comme vous le désiriez.

– Merci, Djoui.

– Vous semblez très émue.

– Ce n'est rien.

– Désirez-vous un peu d'eau ?

– Non, je dois me rendre à l'hôpital. À bientôt.

D'un pas fatigué, le momificateur chemina sous le soleil implacable pour rejoinde une maison percée de minuscules fenêtres; contre les murs, plusieurs sarcophages de qualités diverses. L'atelier se trouvait dans un endroit isolé; au loin, pyramides et tombeaux. Une colline rocailleuse empêchait de voir palmiers et cultures, en bordure du désert.

Djoui poussa la porte, qui s'ouvrit en grinçant; il revêtit un tablier en peau de chèvre, couvert de taches brunâtres, considéra d'un œil éteint le cadavre qu'on venait de lui apporter. On l'avait payé pour une momification de seconde classe, qui nécessiterait l'utilisation d'huiles et d'onguents. Las, le spécialiste s'empara d'un crochet de fer, avec lequel il extrairait le cerveau du défunt par les narines.

Un couteau d'obsidienne fut jeté à ses pieds.

– Tu as perdu cet objet, à Coptos.

Très lentement, Djoui se retourna.

Sur le seuil de l'atelier, Kem, le chef de la police.

– Vous vous trompez.

– C'est avec ce couteau que tu incises le flanc des cadavres.

– Je ne suis pas le seul momificateur...

– Tu es le seul à beaucoup voyager, depuis quelques mois.

– Ce n'est pas une faute.

– À chaque fois que tu quittes ton poste, tu es obligé

de le signaler; sinon, tes collègues se plaindraient. Or tes déplacements ont coïncidé avec ceux du vizir, que tu as tenté en vain de supprimer, à plusieurs reprises.

— Mon métier est si difficile que j'ai souvent besoin de prendre l'air.

— Dans ta profession, on vit à l'écart et l'on ne quitte guère son lieu de travail. Tu n'as pas de famille, à Thèbes.

— La région est belle; j'ai le droit de circuler, comme n'importe qui.

— Tu connais bien les poisons.

— Qu'en savez-vous?

— J'ai consulté tes états de service. Avant de devenir momificateur, tu as travaillé comme assistant au laboratoire de l'hôpital; ta connaissance des lieux a facilité tes rapines.

— Il n'est pas interdit de changer d'activité.

— Tu es également un excellent manieur de bâton de jet; chasseur d'oiseaux fut ton premier métier.

— Serait-ce un crime?

— Tous les indices concordent; c'est toi, l'avaleur d'ombres chargé d'assassiner le vizir Pazair.

— Calomnie.

— Une preuve formelle : ce couteau en obsidienne, d'un prix élevé. À sa base, il porte une marque distinctive, celle des momificateurs, et un numéro, correspondant à l'atelier de Saqqara. Tu n'aurais pas dû le perdre, Djoui, mais tu n'acceptais pas de t'en séparer. C'est l'amour de ton métier qui t'a trahi, l'amour de la mort.

— Un tribunal jugera cette preuve insuffisante.

— Tu sais bien que non; et la dernière confirmation est cachée ici, j'en suis sûr.

— Une perquisition?

— Indispensable.

— Je m'y oppose, car je suis innocent.

— Qu'as-tu à craindre?

— C'est mon domaine; personne n'a le droit de le violer.

– Je suis le chef de la police; avant de me montrer ta cave, pose ton crochet de fer. Je n'aime pas te voir avec une arme à la main.

Le momificateur obéit.

– Passe devant.

Djoui s'engagea dans l'escalier aux marches usées et glissantes. Deux torches, brûlant en permanence, éclairaient une immense cave où étaient empilés des sarcophages. Au fond, une vingtaine de vases destinés à recevoir foie, poumons, estomac et intestins des défunts.

– Ouvre-les.

– Ce serait un sacrilège.

– Je prends le risque.

Le Nubien ôta un couvercle à tête de babouin, un second de chien, un troisième de faucon; les vases ne contenaient que des viscères.

Dans le quatrième, au couvercle en forme de tête d'homme, un gros lingot d'or. Kem poursuivit ses investigations et en découvrit trois autres.

– Le prix de tes meurtres.

Bras croisés sur la poitrine, Djoui semblait presque indifférent.

– Combien veux-tu, Kem?

– Combien me proposes-tu?

– Si tu es venu sans ton babouin et sans le vizir, c'est pour vendre ton silence; la moitié de mes gains te suffira-t-elle?

– Il faudra aussi satisfaire ma curiosité: qui t'a payé?

– Bel-Tran et ses complices; toi et le vizir avez décimé la bande. Seuls lui et sa femme Silkis continuent à vous narguer. Une belle garce, tu peux m'en croire. C'est elle qui me transmettait les consignes, quand je devais supprimer un témoin gênant.

– As-tu assassiné le sage Branir?

– Je tiens à jour la liste de mes succès, pour m'en souvenir quand je serai vieux. Branir ne fait pas partie de mes victimes. Je n'aurais pas reculé, sois-en sûr, mais on ne me l'a pas demandé.

— Qui est coupable ?

— Aucune idée, et je m'en moque. Ta démarche est la bonne, Kem ; je n'en attendais pas moins de toi. Je savais que, si tu m'identifiais, tu n'avertirais pas le vizir et viendrais exiger ton dû.

— Laisseras-tu Pazair en paix ?

— Il sera mon seul échec... à moins que tu ne me donnes un coup de main.

Le Nubien soupesa les lingots.

— Ils sont magnifiques.

— La vie est courte ; il faut savoir en profiter.

— Tu as commis deux erreurs, Djoui.

— Parlons plutôt de l'avenir.

— La première, c'est d'avoir mal évalué ma vraie valeur.

— Tu veux tout ?

— Une montagne d'or ne me suffirait pas.

— Tu plaisantes ?

— La seconde, c'est d'avoir cru que Tueur te pardonnerait de lui avoir opposé un rival, décidé à le mettre en pièces. D'autres auraient peut-être éprouvé de la compassion à ton égard ; mais je ne suis qu'un nègre aux sentiments frustes, et lui un singe susceptible et rancunier. Tueur est mon ami, il a failli mourir à cause de toi ; quand il crie vengeance, je suis obligé de l'écouter. Grâce à lui, tu n'avaleras plus d'ombres.

Le babouin apparut au bas de l'escalier.

Jamais Kem ne l'avait vu aussi furieux. Les yeux rouge vif, les poils hérissés, les crocs apparents, il émit un grognement qui glaçait le sang. Aucun doute ne subsistait sur la culpabilité de Djoui.

L'avaleur d'ombres recula, Tueur bondit.

CHAPITRE 42

– Allonge-toi, demanda Néféret à Souti.

– La douleur a disparu.

– Je dois vérifier les canaux du cœur et la circulation de l'énergie.

Néféret prit le pouls de Souti, à plusieurs endroits, tout en consultant la petite horloge à eau qu'elle portait au poignet ; à l'intérieur, des graduations sous forme de points étagés sur douze lignes verticales. Elle calcula les rythmes internes, les compara entre eux, et constata que la voix du cœur était puissante et régulière.

– Si je ne t'avais pas opéré moi-même, j'aurais peine à croire que tu as été victime d'une blessure récente ; la cicatrisation est deux fois plus rapide que la normale.

– Demain, je tire à l'arc... Si le médecin-chef du royaume m'y autorise.

– Ne sollicite pas trop tes muscles ; sache être patient.

– Impossible, j'aurais l'impression de gâcher ma vie ; ne doit-elle pas être semblable au vol d'un rapace, violent et imprévisible ?

– Fréquenter les malades m'a fait admettre toutes les formes d'existence ; je suis pourtant obligée de refaire un pansement qui gênera ton essor.

– Quand Pazair rentre-t-il ?

– Demain, au plus tard.

– J'espère qu'il aura été convaincant; il faut sortir de la passivité.

– Tu juges bien mal le vizir; depuis ton malencontreux départ pour la Nubie, il n'a cessé de lutter contre Bel-Tran et ses alliés.

– Résultats insuffisants.

– Il les a affaiblis.

– Mais pas éliminés!

– Le vizir est le premier serviteur de la loi qu'il doit faire respecter.

– Bel-Tran ne connaît que sa propre loi; c'est pourquoi Pazair ne lutte pas à armes égales. Lorsque nous étions jeunes, il appréciait la situation, et moi, je fonçais. Si la cible est définie, je ne la rate pas.

– Ton aide lui sera précieuse.

– À condition que je sache tout, comme toi.

– Ton pansement est terminé.

*

Pi-Ramsès était moins gaie qu'à l'ordinaire. Les soldats avaient remplacé les passants, des chars circulaient dans les rues, la marine de guerre occupait le port. Dans les casernes, en état d'alerte, les fantassins répétaient les exercices de combat. Les archers s'entraînaient sans relâche, les officiers supérieurs vérifiaient les harnachements de leurs chevaux. Un parfum de guerre flottait dans l'air.

La garde du palais avait été doublée; la visite de Pazair ne suscita aucun enthousiasme, comme si la présence du vizir scellait une décision redoutée.

Pharaon ne s'adonnait plus au jardinage; en compagnie de ses généraux, il étudiait une grande carte d'Asie, déployée sur le sol de la salle du conseil. Les militaires s'inclinèrent devant le vizir.

– Puis-je vous consulter, Majesté?

Ramsès congédia les généraux.

– Nous sommes prêts à combattre, Pazair; l'armée

de Seth est déjà déployée le long de la frontière. Nos espions confirment que les principautés d'Asie tentent de s'unir afin de mobiliser un maximum de soldats; la confrontation sera rude. Bien que mes généraux me conseillent d'attaquer, de manière préventive, je préfère patienter. On jurerait que l'avenir m'appartient!

— Nous éviterons le conflit, Majesté.

— Par quel miracle?

— L'or d'une mine oubliée.

— Renseignement fiable?

— Une expédition est en route, avec une carte qu'a dressée Souti.

— Quantité suffisante?

— L'Asie sera satisfaite.

— Que désire Souti?

— Le désert.

— Es-tu sérieux?

— Il l'est.

— Le poste de chef de « ceux à la vue perçante » lui conviendra-t-il?

— Peut-être n'aspire-t-il qu'à la solitude.

— Un autre miracle dans sa besace?

— Souti souhaite connaître la vérité; il me propose de réunir les quelques êtres qui ont prouvé leur fidélité et de ne rien cacher des raisons de votre abdication.

— Un conseil secret...

— Un ultime conseil de guerre.

— Qu'en penses-tu?

— Ma mission est un échec, puisque je n'ai pas retrouvé le testament des dieux. Si vous m'y autorisez, je mobiliserai nos dernières forces afin d'affaiblir Bel-Tran au maximum.

*

La dame Silkis était victime de sa troisième crise d'hystérie depuis l'aube. Trois médecins s'étaient succédé à son chevet, sans grand succès; le dernier lui avait administré un narcotique, avec l'espoir qu'un sommeil profond la ramènerait à la raison. Dès qu'elle se réveilla, au milieu de l'après-midi, elle délira, alertant la maisonnée par ses cris et ses convulsions ; seule une nouvelle dose de narcotique fut efficace, bien que ses conséquences fussent redoutables : altération des facultés du cerveau et dégradation de la flore intestinale.

*

Bel-Tran arrêta la décision qui s'imposait. Il convoqua un scribe et lui dicta la liste des biens qu'il léguait à ses enfants, en réduisant ceux de sa femme au minimum imposé par la loi. Contrairement à la coutume, il avait fait établir un contrat de mariage très détaillé qui l'autorisait à gérer la fortune de son épouse, en cas d'impossibilité ou d'incompétence notoire de la part de Silkis. Incapacité qu'il fit constater par les trois thérapeutes, largement rétribués. Muni de ces documents, Bel-Tran serait seul à disposer de l'autorité parentale sur ses enfants, dont Silkis ne pouvait plus assumer l'éducation.

La reine-mère lui avait rendu service, en révélant la vraie nature de sa femme : un être instable, tantôt enfantin, tantôt cruel, inapte à occuper une fonction de premier plan. Après lui avoir servi comme un bel objet lors des réceptions et des banquets, elle devenait un handicap.

Où Silkis serait-elle mieux traitée que dans un établissement spécialisé abritant des malades mentaux ? Dès qu'elle serait en état de voyager, il l'enverrait au Liban.

Restait à établir l'acte de divorce, document indispensable, puisque Silkis résidait encore dans la demeure familiale. Bel-Tran ne devait pas attendre son départ ; délivrée d'elle, il serait prêt à affronter l'ultime étape qui le séparait de la réalisation de son rêve.

C'était ainsi que l'on parcourait le chemin du pouvoir, en se séparant d'inutiles compagnons de route.

*

L'Égypte entière appelait la crue. La terre était fendue, comme morte ; brûlée, roussie, desséchée par un vent brûlant, elle mourait de soif, avide de l'eau nourricière qui escaladerait bientôt les berges et repousserait le désert. Une sourde fatigue accablait les hommes et les animaux, la poussière recouvrait les arbres, les dernières parcelles de verdure se racornissaient, épuisées. Pourtant, l'effort ne se relâchait pas ; des équipes se succédaient, occupées à nettoyer les canaux, à réparer les puits et les chadoufs, à consolider les digues en remontant la terre affaissée et en bouchant les fissures. Les enfants étaient chargés de remplir des jarres avec des fruits séchés, principale nourriture pendant la période où l'eau recouvrirait les campagnes.

En revenant de Pi-Ramsès, Pazair ressentit la souffrance et l'espérance de sa terre ; demain, Bel-Tran ne s'attaquerait-il pas au flot lui-même, en lui reprochant de ne pas être présent l'année durant ? Le régime qu'il imposerait briserait l'alliance du pays avec les dieux et la nature. En rompant le délicat équilibre qu'avaient respecté jusqu'alors dix-neuf dynasties de pharaons, l'économiste laisserait le champ libre aux puissances du mal.

Sur le quai du débarcadère principal de Memphis, Kem et le babouin policier attendaient le vizir.

— Djoui était l'avaleur d'ombres, révéla le Nubien.

— Est-il coupable du meurtre de Branir ?

— Non, mais il était le bras armé de Bel-Tran. C'est lui qui a assassiné les vétérans survivants et les complices du directeur de la Double Maison blanche ; c'est lui qui a tenté de vous supprimer.

— L'as-tu emprisonné ?

— Tueur ne lui a pas accordé son pardon. J'ai dicté

mon témoignage à un scribe; il comporte des accusations contre Bel-Tran, des noms et des dates. A présent, vous êtes en sécurité.

Accompagné de Vent du Nord, qui portait une outre d'eau fraîche, Souti s'approcha de Pazair.

– Ramsès a-t-il accepté?

– Oui.

– Réunis ton conseil sur-le-champ; je suis prêt à me battre.

– Auparavant, j'aimerais tenter une ultime démarche.

– Le temps est compté.

– Des messagers sont déjà partis, porteurs de mes convocations; le conseil sera réuni dès demain.

– C'est ta dernière chance.

– La dernière chance de l'Égypte.

– Quelle est cette ultime démarche?

– Je ne courrai aucun risque, Souti.

– Permets-moi de t'accompagner.

– Acceptez la présence de Tueur, renchérit Kem.

– Impossible, répondit le vizir; je dois être seul.

*

À une trentaine de kilomètres au sud de la nécropole de Saqqara, le site de Licht vivait encore à l'heure du Moyen Empire, temps de paix et de prospérité. Là s'élevaient des temples et des pyramides, dédiés aux pharaons Amenemhat I et Sésostris I, puissants monarques de la douzième dynastie qui avait rendu l'Égypte heureuse, après une période de troubles. Depuis cette lointaine époque, sept cents ans avant le règne de Ramsès II, la mémoire des illustres souverains était respectée. Des prêtres du *ka* célébraient des rites quotidiens, afin que l'âme des rois défunts demeurât présente sur terre et inspirât l'action de leurs successeurs.

Située non loin des cultures, la pyramide de Sésostris I était en réfection, à la suite de l'effondrement d'une partie de son revêtement de calcaire blanc, provenant de la carrière de Toura.

Le char de Bel-Tran, conduit par un ancien officier, avait emprunté la route en bordure du désert ; il s'arrêta au seuil de la chaussée couverte qui montait vers la pyramide. Nerveux, le directeur de la Double Maison blanche bondit du véhicule et appela un prêtre. Sa voix irritée fut des plus incongrue, au cœur du silence environnant le site.

Un ritualiste au crâne rasé sortit d'une chapelle.

– Je suis Bel-Tran, le vizir m'a convoqué ici.

– Suivez-moi.

Le financier se sentit mal à l'aise. Il n'aimait ni les pyramides, ni les sanctuaires anciens où les architectes avaient dressé des blocs colossaux, se jouant de ces masses avec une incroyable virtuosité. Les temples dérangeaient les analyses économiques de Bel-Tran ; les détruire serait une priorité du nouveau régime. Tant que des hommes, fussent-ils en petit nombre, échapperaient à la loi universelle du profit, ils contrarieraient le développement d'un pays.

Le ritualiste précéda Bel-Tran ; sur les murs de l'étroite chaussée, des bas-reliefs montraient le roi faisant offrande aux divinités. Comme le prêtre marchait lentement, le financier était obligé de brider son allure. Il pestait contre ce temps perdu et cette convocation en ce lieu oublié.

Au sommet de la chaussée, un temple accolé à la pyramide. Le ritualiste tourna sur la gauche, traversa une petite salle à colonnes et s'immobilisa devant un escalier.

– Montez, le vizir vous attend au sommet de la pyramide.

– Pourquoi là-haut ?

– Il surveille les travaux.

– L'ascension est-elle dangereuse ?

– Les degrés intérieurs ont été mis à nu ; en grimpant doucement, vous ne risquez rien.

Bel-Tran n'avoua pas au prêtre qu'il souffrait de vertige ; reculer l'eût rendu ridicule. À contrecœur, il s'engagea, au tiers de la pyramide, culminant à une soixantaine de mètres.

Il entreprit l'escalade par l'arête, sous le regard de tailleurs de pierre occupés à restaurer le revêtement. Le regard collé sur les pierres, le pied malhabile, il se hissa au sommet, une plate-forme dépourvue de pyramidion. Déposé, ce dernier avait été confié aux orfèvres, afin qu'ils le recouvrent d'or fin.

Pazair tendit la main à Bel-Tran et l'aida à se mettre debout.

– Quel merveilleux paysage, n'est-ce pas ?

Bel-Tran vacilla, ferma les yeux, et préserva son équilibre.

– Du haut d'une pyramide, continua le vizir, l'Égypte se dévoile. Avez-vous remarqué la frontière brutale entre les cultures et le désert, entre la terre noire et la terre rouge, entre le domaine d'Horus et celui de Seth ? Pourtant, ils sont indissociables et complémentaires. La terre cultivable manifeste l'éternelle danse des saisons, le désert le feu de l'immuable.

– Pourquoi m'avoir fait venir ici ?

– Connaissez-vous le nom de cette pyramide ?

– Je m'en moque.

– Elle s'appelle « l'observatrice des deux pays » ; en les regardant, elle crée leur unité. Si les anciens ont consacré leurs efforts à bâtir ce type de monument, si nous construisons des temples et des demeures d'éternité, c'est parce qu'aucune harmonie n'est possible sans leur présence.

– Amas de pierres inutile.

– La fondation de notre société. L'au-delà inspire notre gouvernement, l'éternité nos actes, car le quotidien ne suffit pas à nourrir les hommes.

– Idéalisme désuet.

– Votre politique ruinera l'Égypte, Bel-Tran, et vous souillera.

— Je me paierai les meilleurs blanchisseurs.

— L'âme ne se lave pas aussi aisément.

— Êtes-vous prêtre ou premier ministre ?

— Le vizir est prêtre de Maât ; la déesse de la rectitude ne vous a-t-elle jamais séduite ?

— Réflexion faite, je déteste les femmes. Si vous n'avez pas d'autre discours à tenir, je descends.

— J'ai cru que vous étiez mon ami, lorsque nous nous sommes entraidés ; vous n'étiez alors que fabricant de papyrus et moi, un petit juge perdu dans une grande ville. Je ne m'interrogeais même pas sur votre sincérité ; vous me paraissiez animé d'une véritable foi dans votre tâche, au service du pays. Lorsque je songe à cette période, je ne parviens pas à admettre que vous avez sans cesse menti.

Un vent violent se leva ; déséquilibré, Bel-Tran s'agrippa à Pazair.

— Vous avez joué la comédie dès notre première rencontre.

— J'espérais vous convaincre et vous utiliser ; une déception, je l'avoue ! Votre entêtement et votre étroitesse de vues m'ont beaucoup déçu. Vous manipuler n'a pas été trop difficile.

— Qu'importe le passé ; changez de vie, Bel-Tran. Mettez vos compétences au service de Pharaon et du peuple d'Égypte, renoncez à vos ambitions démesurées et vous connaîtrez le bonheur des êtres de rectitude.

— Quelles paroles ridicules... Vous n'y croyez pas vous-même, j'espère ?

— Pourquoi emmener un peuple vers le malheur ?

— Bien que vous soyez vizir, vous ignorez le goût du pouvoir. Moi, je le connais ; ce pays me revient, car je suis capable de lui imposer ma propre règle.

Le vent obligeait les deux hommes à parler fort, en détachant leurs mots. Au loin, les palmiers se courbaient, les palmes s'entremêlaient et gémissaient à se briser. Des tourbillons de sable montaient à l'assaut de la pyramide.

— Oubliez votre intérêt propre, Bel-Tran ; il vous conduira au néant.

— Votre maître Branir n'aurait pas été fier de vous et de votre manque d'intelligence. En m'aidant, vous avez prouvé votre incompétence ; en me suppliant de la sorte, votre stupidité.

— Êtes-vous son assassin ?

— Je ne me salis jamais les mains, Pazair.

— Ne prononcez plus jamais le nom de Branir.

Dans les yeux de Pazair, Bel-Tran vit sa mort. Affolé, il recula d'un pas et perdit l'équilibre.

Pazair le rattrapa par le poignet ; le cœur battant, le directeur de la Double Maison blanche descendit en s'agrippant à chaque pierre.

Sur lui pesait le regard du vizir d'Égypte, tandis que le vent d'orage se déchaînait.

CHAPITRE 43

Depuis la fin du mois de mai, l'eau du Nil était verte ; à la fin de juin, elle devint marron, chargée de boue et de vase. Dans les champs, les travaux s'interrompirent ; avec la fin du battage débutait une longue période de vacances. Ceux qui désiraient arrondir leur pécule iraient travailler sur les grands chantiers, lorsque l'inondation faciliterait le transport d'énormes blocs, chargés sur des bateaux.

Une inquiétude hantait les esprits : le niveau des eaux serait-il suffisant pour abreuver la terre assoiffée et la rendre féconde ? Afin de provoquer la faveur des dieux, villageois et citadins offraient au fleuve de petites figurines en terre cuite ou en faïence, représentant un homme gras, aux mamelles pendantes, la tête couronnée de plantes ; il symbolisait Hâpy, le dynamisme de la crue, formidable puissance qui verdirait les cultures.

Dans une vingtaine de jours, vers le vingt juillet, Hâpy gonflerait au point d'envahir les Deux Terres et de rendre l'Égypte semblable à un immense lac, où chacun se déplacerait en barque d'un village à l'autre. Dans une vingtaine de jours, Ramsès abdiquerait en faveur de Bel-Tran.

*

Le vizir caressait son chien, nanti d'un os qu'il avait
mastiqué, enfoui, puis extirpé de sa cachette; Brave
ressentait, lui aussi, les effets de cette période lourde de
peurs et d'incertitudes. Pazair se préoccupait de l'avenir de ses fidèles compagnons; qui prendrait soin du
chien et de l'âne lorsqu'il serait arrêté et déporté? Vent
du Nord, habitué à sa paisible retraite, serait renvoyé
sur les sentiers poussiéreux où il porterait de lourdes
charges. Complices depuis si longtemps, ses deux
compagnons mourraient de chagrin.

Pazair serra son épouse contre lui.

— Tu dois partir, Néféret, quitter l'Égypte avant
qu'il ne soit trop tard.

— Me proposerais-tu de t'abandonner?

— Le cœur de Bel-Tran est desséché; la cupidité et
l'ambition ont remplacé tout sentiment. Plus rien ne
saurait l'émouvoir.

— En doutais-tu?

— J'espérais que la voix des pyramides éveillerait en
lui une conscience oubliée... Je n'ai réussi qu'à aviver
sa soif de pouvoir. Sauve ta vie, sauve celle de Brave et
de Vent du Nord.

— En tant que vizir, admettrais-tu que le médecin-
chef du royaume désertât son poste au moment où une
maladie grave s'abat sur le pays? Quel que soit le
terme de l'aventure, nous le vivrons ensemble. Interroge
Brave et Vent du Nord; ni l'un ni l'autre ne consenti-
ront à s'éloigner.

Main dans la main, Pazair et Néféret contemplèrent
le jardin où s'ébattait Coquine, le petit singe vert, sans
cesse en quête de friandises. Si proches du cataclysme,
ils goûtèrent la paix parfumée de ce lieu à l'abri du
tumulte; le matin, ils s'étaient baignés dans le bassin de
plaisance, avant de se promener sous les ombrages.

— Les hôtes du vizir arrivent.

Kem et Tueur saluèrent le gardien, cheminèrent dans l'allée bordée de tamaris, se recueillirent devant la chapelle des ancêtres, se lavèrent les mains et les pieds sur le seuil de la demeure, traversèrent la loggia et prirent place dans la salle à quatre piliers où siégeaient le vizir et son épouse. Au chef de la police et à son lieutenant succédèrent la reine mère Touya, l'ancien vizir Bagey, le grand prêtre de Karnak, Kani, et Souti.

— Avec l'autorisation du roi, déclara Pazair, je puis vous révéler que la grande pyramide de Khéops, où seul Pharaon est autorisé à pénétrer, a été violée par Bel-Tran, son épouse et trois complices, le transporteur Dénès, le dentiste Kadash et le chimiste Chéchi. Ces trois derniers sont morts, mais le but des comploteurs fut atteint : ils profanèrent le sarcophage, volèrent le masque d'or, le grand collier, le scarabée de cœur, les amulettes de lapis-lazuli, l'herminette en fer céleste et la coudée en or. Certains de ces trésors ont été retrouvés, mais il nous manque l'essentiel : le testament des dieux, contenu dans l'étui en cuir que le roi doit tenir dans la main droite pendant sa fête de régénération, avant de le montrer au peuple et aux prêtres. Ce document, transmis de Pharaon en Pharaon, légitime son règne. Qui aurait pu imaginer qu'une telle profanation et qu'un tel vol fussent commis ? Mon maître Branir fut assassiné parce qu'il gênait les séditieux. Kem et Tueur ont mis fin aux agissements criminels du momificateur Djoui, devenu avaleur d'ombres à la solde de Bel-Tran. Bien minces résultats, puisque nous n'avons pas identifié l'assassin de Branir et fûmes incapables de rapporter au roi le testament des dieux. Le jour de l'an nouveau, Ramsès sera contraint d'abdiquer et d'offrir le trône à Bel-Tran. Ce dernier fermera les temples, introduira la circulation de la monnaie et adoptera l'unique loi du profit.

Un long et pesant silence succéda aux explications

du vizir. Les membres de son conseil secret étaient atterrés ; comme le redoutaient d'anciennes prédictions, le ciel leur tombait sur la tête *. Souti fut le premier à réagir.

— Ce document, si précieux soit-il, ne suffira pas à faire de Bel-Tran un pharaon respecté et capable de régner.

— C'est pourquoi il a pris le temps nécessaire pour gangrener l'administration et l'économie du pays, et créer un réseau d'alliances efficaces.

— N'as-tu pas tenté de le démanteler ?

— Les têtes du monstre repoussent dès qu'on les coupe.

— Vous êtes trop pessimiste, estima Bagey ; nombre de fonctionnaires n'accepteront pas les directives d'un Bel-Tran.

— L'administration égyptienne a le sens de la hiérarchie, objecta Pazair ; elle obéira au pharaon.

— Organisons la résistance, proposa Souti. A nous tous, nous contrôlons un certain nombre de secteurs. Que le vizir coordonne les forces dont il dispose.

Kani, le grand prêtre de Karnak, demanda la parole. L'ex-jardinier, au visage ridé, se prononça sans détour.

— Les temples n'accepteront pas les bouleversements économiques que veut imposer Bel-Tran, car ils conduiraient notre pays à la misère et à la guerre civile. Pharaon est le serviteur du temple en esprit ; s'il trahissait ce devoir premier, il ne serait qu'un chef politique à qui l'on ne devrait plus obéissance.

— En ce cas, confirma Bagey, la hiérarchie administrative sera délivrée de ses engagements ; elle a prêté serment de fidélité au médiateur entre le ciel et la terre, non à un despote.

— Le service de santé cessera de fonctionner, précisa Néféret ; étant relié aux temples, il refusera le nouveau pouvoir.

---

* Selon la mythologie, le ciel reposait sur quatre grands piliers. En cas de rupture de l'harmonie avec les dieux, il risquait de s'effondrer sur les humains, fauteurs de troubles.

— Avec des êtres tels que vous, dit la reine mère Touya d'une voix émue, la partie n'est pas encore perdue. Sachez que la cour est hostile à Bel-Tran et qu'elle n'acceptera jamais en son sein la dame Silkis, dont les turpitudes lui sont connues.

— Magnifique! s'exclama Souti; êtes-vous parvenue à introduire la discorde dans ce couple de criminels?

— Je l'ignore, mais cette femme-enfant, cruelle et perverse, a la tête fragile. Si je vois juste, Bel-Tran l'abandonnera, ou bien elle le trahira. Lorsqu'elle est venue à Pi-Ramsès s'assurer de ma future complicité, elle semblait certaine de son succès; lors de son départ, son cerveau avait fait naufrage. Une question, vizir Pazair : pourquoi tous les « amis uniques » du roi ne sont-ils pas ici?

— Parce que ni Ramsès ni moi-même n'avons identifié les complices, plus ou moins passifs, de Bel-Tran. Si le roi a décidé d'occulter la vérité, c'est pour continuer la lutte aussi longtemps que possible sans mettre l'adversaire au courant de nos initiatives.

— Vous lui avez porté des coups sévères.

— Aucun n'a été décisif, hélas! La résistance elle-même ne sera pas facile, car Bel-Tran a infiltré l'armée et les transports.

— La police vous est acquise, affirma Kem; et le prestige de Souti est si grand, aux yeux de « ceux à la vue perçante », qu'il les mobilisera sans difficulté.

— Ramsès ne contrôle-t-il pas les troupes casernées à Pi-Ramsès? interrogea Souti.

— C'est la raison de sa présence là-bas.

— Le corps d'armée résidant à Thèbes écoutera ma voix, estima Kani.

— Nomme-moi général à Memphis, exigea Souti; je saurai parler aux soldats.

La proposition recueillit l'unanimité du conseil secret.

— Reste le transport maritime sur lequel la Double Maison blanche a la haute main, rappela Pazair; et je ne parle pas des services de l'irrigation et des préposés aux canaux que Bel-Tran tente de corrompre depuis plusieurs mois. Quant aux chefs de province, certains se sont détachés de lui, mais d'autres croient encore à ses promesses. Je redoute des conflits internes qui feront de nombreuses victimes.

– Existe-t-il une autre solution ? demanda la reine-mère. Ou nous abdiquons tous devant Bel-Tran, et l'Égypte de la déesse Maât est morte ; ou bien nous refusons la tyrannie, et nous préservons l'espoir, fût-ce au prix de nos vies.

*

Aidé de Bagey, qui avait vaincu les réticences d'une épouse hostile à ce surcroît de travail, Pazair rédigea des décrets relatifs à l'exploitation des domaines après la crue et à la remise en état de bassins d'irrigation désaffectés. Il mit sur pied un programme de grands travaux civils et religieux, sur une période de trois ans. Ces documents démontreraient que le vizir comptait agir dans la durée et qu'aucun bouleversement ne menaçait le règne de Ramsès.

La fête de régénération serait grandiose ; les uns après les autres, les chefs de province, accompagnés des statues des divinités locales, arrivaient à Memphis. Logés au palais, avec les égards dus à leur rang, ils s'entretinrent avec le vizir, dont ils apprécièrent l'autorité et la courtoisie. A Saqqara, à l'intérieur de l'enceinte de Djeser, les ritualistes préparaient la grande cour où Ramsès, porteur de la double couronne, réunirait en son être symbolique le nord et le sud ; dans cet espace magique, le souverain communierait avec chaque puissance divine, afin de recueillir sa force et d'être capable de gouverner.

La nomination de Souti, dont la légende s'était vite répandue, avait suscité l'enthousiasme dans les casernes de Memphis. Le nouveau général avait aussitôt réuni ses troupes, leur annonçant que la guerre en Asie était évitée et qu'ils bénéficieraient d'une prime exceptionnelle. La renommée du jeune chef atteignit une apogée lors du banquet offert à la troupe. Qui d'autre que Ramsès garantirait une paix durable, dont les soldats égyptiens étaient friands ?

La police éprouvait une admiration de plus en plus marquée à l'égard de Kem, dont chacun connaissait la fidélité indéfectible au vizir ; le Nubien n'eut pas besoin de discourir pour maintenir la cohésion de ses subordonnés autour de Pazair.

Dans tous les temples d'Égypte, sur recommandation du grand prêtre Kani, agissant en accord avec le roi et avec le vizir, on se prépara au pire. Néanmoins, les spécialistes de l'énergie sacrée ne changèrent rien au déroulement des journées et des nuits ; les rites de l'aube, du midi et du couchant furent assurés avec régularité, comme ils l'avaient été depuis la première dynastie.

La reine mère accorda de nombreuses audiences et dialogua avec les courtisans les plus influents, membres de la haute administration, attachés à la maison royale, scribes chargés de l'éducation des élites, nobles dames, responsables de l'étiquette. Que Bel-Tran, considéré comme un agité, et Silkis, comme une déséquilibrée, désirent appartenir au cercle proche de la monarchie apparut comme une loufoquerie dont il valait mieux rire.

*

Bel-Tran ne riait pas.

La vaste offensive que menait Pazair portait quelques fruits. Dans sa propre administration, il éprouvait des difficultés à se faire obéir et devait s'emporter de plus en plus souvent contre des subordonnés négligents. La rumeur s'amplifiait ; aussitôt après la régénération de Ramsès, le vizir nommerait un nouveau directeur de la Double Maison blanche, et Bel-Tran, trop ambitieux, trop pressé, et incapable de sortir de ses encombrants vêtements de parvenu, serait renvoyé à son exploitation de papyrus du Delta. Certains colportaient des informations confidentielles, selon lesquelles la reine-mère aurait porté plainte auprès du vizir pour trafic de *Livre des morts*. L'ascension de Bel-Tran avait été rapide; sa chute ne le serait-elle pas davantage? À ces difficultés s'ajoutait l'absence prolongée de la dame Silkis, recluse dans sa villa; on prétendait qu'elle souffrait d'une maladie incurable, l'empêchant de paraître lors des banquets que, naguère, elle prisait tant.

Bel-Tran pestait, mais préparait sa vengeance; quelle que fût l'opposition, elle serait balayée. Devenir Pharaon, c'était détenir le pouvoir sacré devant lequel le peuple s'inclinait. La rébellion contre le roi, crime suprême, attirait le châtiment suprême. Les hésitants se rallieraient au nouveau monarque, les partisans de Pazair l'abandonneraient; depuis longtemps traître à sa parole et à ses serments, Bel-Tran ne croyait plus aux promesses. Lorsque la force s'exprimait, la faiblesse et la dérobade lui répondaient.

Pazair avait la puissance d'un chef, mais s'était égaré en la mettant au service d'une loi périmée. Homme du passé, attaché à des valeurs désuètes, incapable de comprendre les exigences de l'avenir, il devait disparaître. Puisque l'avaleur d'ombres n'avait pas réussi à le supprimer, Bel-Tran l'éliminerait à sa manière, en le faisant condamner sous l'inculpation d'incurie et de haute trahison. Le vizir ne s'était-il pas opposé aux nécessaires réformes et à la transformation de l'État?

Quinze jours à patienter, quinze jours avant son triomphe, quinze jours avant la chute d'un vizir inflexible et obstiné... Bel-Tran, à la nervosité grandissante, ne rentrait plus chez lui. La rapide dégradation physique de Silkis l'horrifiait; les papiers du divorce en règle, il ne tenait plus à revoir cette femme défraîchie.

Le directeur de la Double Maison blanche restait au

bureau après le départ des fonctionnaires, et songeait à ses projets et aux multiples décisions qu'il lui faudrait prendre en peu de temps. Il frapperait vite et fort.

Quatre lampes à huile, d'où ne sortait aucune fumée, lui offraient un éclairage satisfaisant. Insomniaque, le financier passa la nuit à vérifier les éléments de sa stratégie économique ; bien que démantelés en grande partie, ses réseaux d'influence, que soutiendraient les banquiers et les commerçants grecs, imposeraient ses vues à la population avec d'autant plus de facilité que son arme majeure, dont Pazair ignorerait la nature jusqu'au dernier moment, serait utilisée avec une totale efficacité.

Un bruit fit sursauter Bel-Tran. À cette heure tardive, le bâtiment était désert ; intrigué, il se leva.

— Qui est là ?

Seul le silence lui répondit. Rassuré, il se rappela que la ronde de nuit garantissait la sécurité des locaux. Il se rassit en scribe et déroula un papyrus comptable, préfiguration du nouveau système fiscal.

Un puissant avant-bras lui enserra la gorge. À demi étranglé, Bel-Tran gesticula, tentant de se dégager.

— Tiens-toi tranquille ou je t'enfonce un poignard dans le flanc.

La voix de son agresseur ne lui était pas inconnue.

— Que voulez-vous ?

— Te poser une question ; si tu y réponds, tu auras la vie sauve.

— Qui êtes-vous ?

— Le savoir ne te sera d'aucune utilité.

— Je ne céderai pas à la menace.

— Tu n'as pas assez de courage pour résister.

— Je sais qui vous êtes... Souti !

— Général Souti.

— Vous ne me ferez aucun mal.

— Détrompe-toi.

— Le vizir vous condamnera !

— Pazair ignore ma démarche ; torturer un individu

353

de ton espèce ne m'indispose pas. Si la vérité est à ce prix, je suis prêt à le payer.

Bel-Tran sentit que son interlocuteur ne plaisantait pas.

— Quelle est votre question ?

— Où se trouve le testament des dieux ?

— Je ne sais...

— Ça suffit, Bel-Tran ; l'heure n'est plus aux mensonges.

— Lâchez-moi ; je parlerai.

L'étau se desserra. Bel-Tran se massa le cou et jeta un œil sur le poignard que brandissait Souti.

— Même si vous m'enfonciez cette lame dans le ventre, vous n'apprendriez rien de plus.

— Essayons.

La lame piqua la chair de Bel-Tran ; le sourire du financier étonna Souti.

— Prendriez-vous plaisir à mourir ?

— Me tuer serait stupide ; je ne connais pas l'endroit où est caché le testament des dieux.

— Tu mens.

— Servez-vous de votre arme, et vous commettrez un crime inutile.

Souti hésita, tant l'assurance de Bel-Tran le troublait.

Le directeur de la Double Maison blanche aurait dû trembler de peur et s'effondrer à l'idée d'échouer si près du but à cause de cette brutale intervention.

— Sortez d'ici, général Souti ; votre démarche était inutile.

CHAPITRE 44

Souti vida une coupe de bière fraîche; elle ne le désaltéra pas.

— Invraisemblable, dit-il à Pazair, qui avait écouté son récit avec la plus grande attention. Invraisemblable... Mais Bel-Tran ne mentait pas, j'en suis certain. Il ne connaît pas la cachette du testament des dieux!

Néféret resservit Souti; le petit singe vert sauta sur l'épaule du jeune général, trempa un doigt dans la coupe, bondit sur le tronc du sycomore le plus proche et se dissimula dans le feuillage.

— Je crains qu'il ne t'ait abusé; Bel-Tran est un redoutable bavard, passé maître dans l'art du faux-semblant.

— Cette fois, il disait la vérité, même si ça n'a aucun sens. Crois-moi: j'étais prêt à lui transpercer le corps, mais cette révélation m'en a ôté le désir. Je suis perdu... À toi de nous orienter, vizir.

Le portier de la villa avertit Néféret qu'une femme insistait pour lui parler; autorisée à entrer dans le jardin, la femme de chambre de Silkis se prosterna devant le médecin-chef du royaume.

— Ma maîtresse est mourante; elle vous réclame.

Silkis ne reverrait jamais ses enfants ; en lisant l'acte de divorce que lui avait communiqué un scribe, à l'insu de Bel-Tran, elle était entrée dans une crise d'hystérie qui l'avait laissée sans force. Autour d'elle, tout n'était que souillure ; malgré l'intervention d'un médecin, l'hémorragie intestinale n'avait pas été stoppée.

En se regardant dans un miroir, Silkis prit peur ; qui était cette sorcière aux yeux boursouflés, au visage déformé et aux dents gâtées ? Piétiner le miroir n'avait pas aboli l'horreur ; Silkis ressentait la dégradation de son corps, rapide et inéluctable.

Lorsque ses jambes se dérobèrent sous elle, l'épouse de Bel-Tran fut incapable de se relever. Dans la grande villa abandonnée, ne restaient que le jardinier et la femme de chambre ; ils la soulevèrent et la déposèrent sur son lit. Elle délirait, hurlait, tombait en léthargie, puis délirait de nouveau.

Silkis pourrissait de l'intérieur.

Dans un moment de lucidité, elle avait ordonné à sa domestique de faire venir Néféret ; et Néféret était venue. Belle, rayonnante, paisible, elle la regardait.

— Désirez-vous être transportée à l'hôpital ?

— Inutile, je vais mourir... Osez prétendre le contraire.

— Il faudrait que je vous ausculte.

— Votre expérience vous permet d'émettre un jugement... Je suis affreuse, n'est-ce pas ?

Silkis se déchira le visage avec ses ongles.

— Je vous hais, Néféret ; je vous hais, parce que vous possédez ce dont je rêve et que je n'aurai jamais.

— Bel-Tran ne vous a-t-il pas comblée ?

— Il m'abandonne, puisque je suis laide et malade... Un divorce en bonne et due forme. Vous et Pazair, je vous hais !

— Sommes-nous responsables de votre malheur ?

Silkis pencha la tête de côté ; une sueur malsaine poissait ses cheveux.

– J'ai failli gagner, Néféret, j'ai failli vous écraser, vous et votre vizir. J'ai su être la plus hypocrite des femmes, vous inspirer confiance, attirer votre amitié... avec la seule intention de vous nuire et de vous vaincre. Vous auriez été mon esclave, contrainte de m'obéir, à chaque seconde.

– Où votre mari a-t-il caché le testament des dieux ?

– Je l'ignore.

– Bel-Tran vous a pervertie.

– Ne croyez pas ça ! Nous sommes en plein accord, depuis le début du complot ; pas une seule fois, je ne me suis opposée à ses décisions. L'assassinat des vétérans, les crimes de l'avaleur d'ombres, l'élimination de Pazair... Je les ai voulus, approuvés, et je m'en suis félicitée ! C'est moi qui transmettais les ordres, c'est moi qui ai rédigé le message qui attira Pazair chez Branir... Pazair au bagne, accusé du meurtre de son maître, quelle victoire !

– Pourquoi tant de haine ?

– Pour donner à Bel-Tran la première place, pour qu'il m'élève à sa hauteur. J'étais décidée à mentir, à ruser et à tromper n'importe qui, afin d'y parvenir. Et il me quitte... Il me quitte parce que mon corps me trahit.

– L'aiguille qui a tué Branir vous appartenait-elle ?

– Je n'ai pas tué Branir... Bel-Tran a tort de me quitter, mais la vraie coupable, c'est vous ! Si vous aviez accepté de me soigner, j'aurais gardé mon mari, au lieu de pourrir ici, seule et abandonnée.

– Qui a assassiné Branir ?

Un sourire méchant anima le visage déformé.

– Vous et Pazair faites fausse route... Quand vous comprendrez, il sera trop tard, bien trop tard ! Du fond des enfers où les démons me brûleront l'âme, j'assisterai à votre déchéance, belle Néféret !

Silkis vomit ; Néféret appela la femme de chambre.

– Lavez-la et désinfectez cette pièce avec une fumigation ; je vous envoie un médecin de l'hôpital.

Silkis se redressa, les yeux fous.

– Reviens, Bel-Tran, reviens! Nous les piétinerons sous nos sandales, nous...

Le souffle coupé, la tête renversée en arrière, les bras en croix, elle s'effondra, inanimée.

*

Avec le mois de juillet s'affirmait le règne d'Isis, la souveraine des étoiles, la grande magicienne dont le sein généreux et inépuisable dispensait toutes les formes de vie. Femmes et fillettes, évoquant ses bienfaits, préparaient leurs plus belles robes en vue de la grande fête organisée le premier jour de la crue. Sur l'île de Philae, territoire sacré de la déesse à l'extrême sud de l'Égypte, les prêtresses répétaient les morceaux de musique joués lors de la montée des eaux.

À Saqqara, les ritualistes étaient prêts. Dans chaque chapelle de la cour où s'accomplirait la régénération, avait été installée la statue d'une divinité. Pharaon monterait un escalier et embrasserait le corps de pierre, animé d'une force surnaturelle; elle pénétrerait en lui et le rajeunirait. Façonné par les puissances divines, chef-d'œuvre conçu par le Principe et réalisé par le temple, Pharaon, trait d'union entre l'invisible et le visible, serait empli de l'énergie nécessaire au maintien de l'union des Deux Terres. Ainsi assurerait-il la cohérence de son peuple et le mènerait-il vers la plénitude, ici-bas et dans l'au-delà.

Lorsque Ramsès le grand arriva à Memphis, trois jours avant la fête de régénération, la cour, au grand complet, l'accueillit. La reine mère lui souhaita de franchir avec succès l'épreuve rituelle, les dignitaires l'assurèrent de leur confiance. Le roi précisa que la paix avec l'Asie serait durable et qu'il continuerait, après la fête, à régner selon l'éternelle loi de Maât.

Dès la fin de la brève cérémonie, Ramsès s'enferma avec son vizir.

— Des éléments nouveaux ?

— Un fait troublant, Majesté : en dépit d'une intervention plutôt rude de Souti, Bel-Tran affirme ignorer l'endroit où se trouve le testament des dieux.

— Mensonge grossier.

— Supposons que non.

— Quelles conclusions en tirer ?

— Que ni vous ni personne ne pourrez présenter ce testament aux prêtres, à la cour et au peuple.

Ramsès fut troublé.

— Nos ennemis l'auraient-ils détruit ?

— Il existe entre eux de graves dissensions ; Bel-Tran a éliminé ses complices et il divorce d'avec la dame Silkis.

— S'il n'est pas en possession du document, comment compte-t-il agir ?

— J'ai tenté, une dernière fois, de faire appel à la parcelle de lumière qui aurait subsisté en son cœur. Ma démarche fut inutile.

— Donc, il ne renonce pas.

— Silkis, dans son délire, a prétendu que nous nous trompions.

— Que signifient ces paroles ?

— Je l'ignore, Majesté.

— J'abdiquerai avant le début du rituel et déposerai mes sceptres et mes couronnes devant l'unique porte de l'enceinte sacrée de Saqqara ; au lieu d'une régénération, les ritualistes célébreront le couronnement de mon ennemi.

— Le service des eaux est formel : la crue débutera bien après-demain.

— Pour la dernière fois, Pazair, le Nil inondera la terre des pharaons ; lorsqu'il reviendra, l'an prochain, il nourrira un tyran.

— La résistance s'organise, Majesté ; le règne de Bel-Tran s'annonce des plus difficile.

— Le seul titre de Pharaon imposera l'obéissance ; il regagnera vite le terrain perdu.

– Sans le testament ?

– Il s'est moqué de Souti. Je me retire au temple de Ptah ; nous nous reverrons devant la porte de l'enceinte de Saqqara. Tu fus un bon vizir, Pazair ; le pays ne t'oubliera pas.

– J'ai échoué, Majesté.

– Ce mal nous était inconnu ; nous n'avions pas les moyens de le combattre.

*

La nouvelle se répandit du sud au nord : la crue serait parfaite, ni trop faible ni trop forte. Aucune province ne manquerait d'eau, aucun village ne serait défavorisé. Pharaon bénéficiait de la faveur des dieux, puisqu'il était capable de nourrir son peuple ; sa régénération ferait de Ramsès le plus grand des rois, devant lequel la terre entière se prosternerait. Autour des nilomètres, on s'agitait ; des graduations tracées dans la pierre permettraient d'évaluer le rythme de la montée des eaux et le dynamisme de Hâpy. À l'accélération du débit du fleuve, à sa coloration brunâtre, on prit conscience que le miracle annuel était sur le point de se produire. La joie envahit les cœurs, la fête commença avant l'heure.

Les membres du conseil secret du vizir ne dissimulèrent pas leur tristesse. La reine mère Touya accusait le poids des ans ; Bagey, l'ancien vizir, était de plus en plus voûté ; Souti souffrait de ses multiples blessures ; Kem gardait la tête basse, comme s'il avait honte de son nez en bois ; les rides de Kani, le grand prêtre de Karnak, s'étaient creusées ; la dignité de Pazair était empreinte de désespérance. Chacun, dans son domaine, avait déployé le maximum d'efforts, avec un sentiment d'échec. Que resterait-il des engagements pris ici ou là, lorsque le nouveau pharaon dicterait sa loi ?

– Ne restez pas à Memphis, conseilla Pazair. J'ai affrété un bateau pour le sud ; d'Éléphantine, il sera aisé de gagner la Nubie et de s'y cacher.

– Je n'ai pas l'intention d'abandonner mon fils, déclara Touya.

– Silkis se meurt, Majesté; Bel-Tran vous rendra responsable de sa mort et sera impitoyable envers vous.

– Ma décision est prise, Pazair; je reste.

– La mienne aussi, indiqua Bagey; à mon âge, je ne crains plus rien.

– Désolé de vous détromper; vous incarnez une tradition dont Bel-Tran exige la disparition.

– Il se brisera les dents sur mes vieux os; ma présence, près de Ramsès et de la reine mère, l'incitera peut-être à la modération.

– Au nom des autres grands prêtres, déclara Kani, je verrai Bel-Tran dès son intronisation et soulignerai notre attachement aux lois et aux vertus économiques qui ont fait la grandeur de l'Égypte; il saura que les temples n'accorderont pas leur soutien à un tyran.

– Votre existence sera en péril.

– Peu m'importe.

– Je dois rester afin de te protéger, indiqua Souti.

– Moi de même, ajouta Kem; je suis aux ordres du vizir et de personne d'autre.

Ému aux larmes, le vizir Pazair clôtura son dernier conseil en évoquant la déesse Maât, dont la règle survivrait après l'extinction de l'humanité.

*

Après avoir relaté à Pazair son dernier pèlerinage à la tombe de Branir, Néféret était partie pour l'hôpital, afin d'y opérer un malade victime d'un traumatisme crânien et d'y donner d'ultimes consignes à ses collaborateurs. Elle avait affirmé que la communion avec l'âme de son maître n'était pas une illusion; bien qu'elle ne parvînt pas à traduire le message de l'au-delà en mots humains, elle était persuadée que Branir ne les abandonnerait pas.

Seul face à la chapelle des ancêtres, Pazair laissa sa

réflexion voguer dans le passé. Depuis qu'il remplissait la fonction de vizir, il n'avait pas eu le loisir de méditer ainsi, détaché d'une réalité sur laquelle il n'avait plus aucune prise. Le mental, ce singe fou qu'il fallait tenir enchaîné, était pacifié ; la pensée se libéra, aiguë et précise comme le bec d'un ibis. Le vizir se remémora les faits les uns après les autres, depuis l'instant crucial où, refusant de cautionner l'invraisemblable mutation du gardien-chef du sphinx de Guizeh, il avait, sans le savoir, contrarié le plan des comploteurs. La recherche acharnée de la vérité avait été parsemée d'embûches et de dangers, mais il ne s'était pas découragé. Aujourd'hui, bien qu'il ait identifié certains conjurés, dont leur chef, Bel-Tran, et son épouse Silkis, quoiqu'il disposât des éléments de l'énigme et connût l'issue de la machination, Pazair s'estimait berné. Emporté dans le tourbillon, il n'avait pas pris assez de recul.

Brave leva la tête et grogna doucement ; le chien percevait une présence. Dans le jardin, des oiseaux, réveillés, s'égaillèrent. Quelqu'un se faufila le long du bassin aux lotus et se dirigea vers le porche. Pazair retint son chien par le collier.

Un émissaire de Bel-Tran, chargé de l'éliminer, un second avaleur d'ombres que Tueur n'avait pas intercepté ? Le vizir se préparait à sa mort ; il serait le premier à succomber sous les coups du nouveau maître de l'Égypte, pressé d'éliminer ses adversaires.

Vent du Nord ne s'était pas manifesté ; le vizir redouta que l'agresseur ne l'eût égorgé. Il le supplierait, sans doute en pure perte, d'épargner Brave.

Elle apparut dans la lumière de la lune, une épée courte à la main, les seins nus couverts de signes étranges, le front orné de stries noires et blanches.

— Panthère !

— Je dois tuer Bel-Tran.

— Des peintures de guerre...

— C'était la coutume, dans ma tribu ; il n'échappera pas à ma magie.

— Je crains que si, Panthère.

— Où se cache-t-il ?

— Dans son bureau de la Double Maison blanche, et sous bonne garde ; après la visite de Souti, il ne prend plus aucun risque. N'y allez pas, Panthère ; vous seriez arrêtée ou tuée.

Les lèvres de la Libyenne devinrent boudeuses.

— Alors, c'est fini...

— Convainquez Souti de quitter Memphis dès cette nuit ; réfugiez-vous en Nubie, exploitez votre mine d'or, soyez heureux. Ne me suivez pas dans ma chute.

— J'ai promis aux démons de la nuit de détruire ce monstre et je tiendrai ma promesse.

— Pourquoi prendre un tel risque ?

— Parce que Bel-Tran veut du mal à Néféret ; je refuse que l'on détruise son bonheur.

Panthère s'élança dans le jardin ; Pazair la vit escalader le mur d'enceinte avec la souplesse d'un félin.

Brave se rendormit, Pazair reprit sa méditation.

D'étranges détails lui revinrent en mémoire ; afin de ne pas s'égarer, il les nota sur des tablettes d'argile. Au fur et à mesure que le travail avançait, d'autres aspects de son enquête, jusqu'alors négligés, furent mis en lumière. Pazair regroupa des indices, recoupa des conclusions provisoires et creusa des pistes étranges, que la raison lui interdisait de prendre au sérieux.

Lorsque Néféret rentra, à l'aube, Brave et Coquine lui firent fête ; Pazair la prit dans ses bras.

— Tu es épuisée.

— L'opération fut difficile ; ensuite, j'ai mis mes affaires en ordre. Mon successeur n'aura aucune peine à poursuivre mon travail.

— Repose-toi, à présent.

— Je n'ai pas sommeil.

Néféret remarqua les dizaines de tablettes réparties en colonnes.

— As-tu travaillé la nuit durant ?

— J'ai été stupide.

– Pourquoi t'injurier ainsi ?

– Stupide et aveugle, parce que j'ai refusé de voir la réalité. Une faute impardonnable, pour un vizir ; une faute qui aurait précipité l'Égypte dans le malheur. Mais tu avais raison : un événement s'est produit, l'âme de Branir a parlé.

– Veux-tu dire que...

– Je sais où se trouve le testament des dieux.

CHAPITRE 45

Alors que l'étoile Sothis brillait à l'orient, compagne
du soleil levant, la naissance de la crue fut proclamée
dans le pays entier. Après plusieurs jours d'angoisse,
l'an nouveau surgissait du flot créateur; les réjouissances seraient exceptionnelles, puisque la fête se dou-
blerait de la régénération de Ramsès le grand.

Démons, miasmes et dangers invisibles avaient été
vaincus; grâce aux conjurations du médecin-chef du
royaume, Sekhmet la terrifiante n'avait pas envoyé
contre l'Égypte ses hordes de maladies. Chacun remplit
une gourde en faïence bleue de l'eau du nouvel an, qui
portait en elle la lumière de l'origine; la conserver dans
une demeure assurait sa prospérité.

Au palais, on ne dérogea pas à la coutume; un vase
en argent, contenant le précieux liquide, fut déposé au
pied du trône sur lequel Ramsès le grand avait pris
place depuis les premières lueurs de l'aube.

Le roi ne portait ni couronne, ni collier, ni bracelets;
il se contentait du simple pagne blanc de l'Ancien
Empire.

Pazair s'inclina devant lui.

— L'année sera heureuse, Majesté; la crue est parfaite.

— Et l'Égypte connaîtra le malheur...

— J'espère avoir accompli ma mission.

– Je ne te reproche rien.

– Je prie Votre Majesté de revêtir les insignes du pouvoir.

– Vaine requête, vizir; ce pouvoir n'existe plus.

– Il est intact et le restera.

– Te moquerais-tu de moi, au moment où Bel-Tran va apparaître dans cette salle du trône et s'emparer de l'Égypte?

– Il ne viendra pas.

– Aurais-tu perdu la raison?

– Bel-Tran n'est pas le chef des conjurés. Il était à la tête de ceux qui violèrent la grande pyramide, mais l'instigateur du complot ne s'était pas mêlé à l'expédition. Kem m'avait suggéré cette hypothèse, en s'interrogeant sur le nombre des comploteurs, mais mes oreilles demeurèrent sourdes; au fur et à mesure que nous découvrions l'ampleur de leur plan, Bel-Tran s'est imposé comme leur porte-parole, alors que le manipulateur restait dans l'ombre. Non seulement je crois connaître son nom, mais aussi la cachette du testament des dieux.

– Le retrouverons-nous à temps?

– J'en suis persuadé.

Ramsès se leva, orna sa poitrine du grand collier d'or et ses poignets de bracelets en argent, se coiffa de la couronne bleue, prit dans la main droite le sceptre de commandement et s'assit sur le trône.

Le chambellan sollicita l'autorisation d'intervenir; Bagey demandait audience. Le souverain masqua son impatience.

– Sa présence te gêne-t-elle, vizir?

– Non, Majesté.

L'ex-vizir s'avança, le visage fermé, l'allure raide, portant comme seul bijou le symbole de son ancienne fonction, un cœur de cuivre attaché à une chaîne passée autour du cou.

– Notre défaite n'est pas encore consommée, révéla le roi; Pazair pense que...

Ramsès s'interrompit; Bagey ne s'était pas encore incliné devant lui.

— Voici l'homme dont je vous parlais, Majesté, dit Pazair.

Le monarque fut stupéfait.

— Toi, Bagey, mon ancien vizir!

— Remettez-moi le sceptre de commandement; vous n'êtes plus apte à gouverner.

— Quel démon s'est emparé de ton esprit? Toi, trahir ainsi...

Bagey sourit.

— Bel-Tran a su me convaincre de la justesse de ses vues; le monde qu'il désire, et que nous façonnerons ensemble, me convient. Mon couronnement ne surprendra personne et rassurera le pays. Lorsque le peuple s'apercevra des transformations que Bel-Tran et moi aurons imposées, il sera trop tard. Ceux qui ne nous suivront pas resteront sur le bord du chemin, où leurs cadavres se dessécheront.

— Tu n'es plus l'homme que j'ai connu, le magistrat intègre et incorruptible, le géomètre préoccupé de vérité...

— Les temps changent, les hommes aussi.

Pazair intervint.

— Avant de rencontrer Bel-Tran, vous vous contentiez de servir Pharaon et d'appliquer la loi, avec une sévérité proche du rigorisme. Le financier vous a fait miroiter un autre horizon; il a su acheter votre conscience, parce qu'elle était à vendre.

Bagey resta de glace.

— Il fallait bien assurer l'avenir de vos enfants, continua Pazair; de manière ostensible, vous démontriez votre peu de goût pour les biens matériels, mais vous êtes devenu le complice d'un homme dont la cupidité est le trait de caractère dominant. Avide, vous l'êtes aussi, car vous voulez le pouvoir suprême.

— Trêve de discours, coupa sèchement Bagey, tendant la main. Le sceptre de commandement, Majesté, et la couronne.

– Nous devons comparaître devant les grands prêtres et devant la cour.

– Je m'en réjouis; vous renoncerez au trône en ma faveur.

D'une main ferme et rapide, Pazair saisit le cœur de cuivre, le tira vers lui, rompit la chaîne auquel il était suspendu, et remit le bijou au roi.

– Ouvrez ce cœur morbide, Majesté.

De son sceptre, Ramsès fracassa l'emblème.

A l'intérieur, le testament des dieux.

Bagey, pétrifié, n'avait pas bougé.

– Lâche entre les lâches! s'exclama le roi.

Bagey recula; ses yeux froids contemplèrent Pazair.

– La vérité ne m'est apparue que cette nuit, avoua le vizir d'une voix calme. Comme j'avais pleine confiance en vous, j'étais incapable d'envisager votre alliance avec un être comme Bel-Tran, et moins encore votre rôle de meneur occulte. Vous avez misé sur ma crédulité et vous avez failli triompher. Pourtant, j'aurais dû vous soupçonner depuis longtemps. Qui pouvait ordonner la mutation du gardien-chef du sphinx, en faisant retomber la responsabilité sur le général Asher, dont il connaissait la trahison? Qui pouvait tirer les ficelles de l'administration et bâtir un tel complot, sinon le vizir lui-même? Qui pouvait manipuler l'ancien chef de la police, Mentmosé, si préoccupé de garder son poste qu'il exécutait des ordres sans les comprendre? Qui a laissé Bel-Tran grimper dans la hiérarchie sans contrarier son action? Si je n'étais pas devenu moi-même vizir, je n'aurais pas perçu l'ampleur de cette fonction et le champ d'action qu'elle implique.

– As-tu cédé aux menaces ou au chantage de Bel-Tran? demanda le Pharaon.

Bagey demeura muet; Pazair répondit à sa place.

– Bel-Tran lui a dessiné un avenir riant, où il occuperait enfin le premier rang, et Bagey a su comment utiliser un personnage grossier, mais conquérant. Bagey se cachait dans les ténèbres, Bel-Tran se montrait. Toute son existence, Bagey s'est réfugié derrière des règlements et la sécheresse de la géométrie, car c'est la lâcheté qui habite son cœur ; je l'ai constaté lorsque, dans des circonstances difficiles où nous devions affronter ensemble des ennemis, il a préféré s'enfuir plutôt que de m'assister. Sensibilité et amour de la vie sont inconnus de Bagey ; sa rigueur n'était que le masque du fanatisme.

– Et tu as osé porter le cœur du vizir autour de ton cou, faire croire que tu étais la conscience de Pharaon !

La colère de Ramsès fit reculer Bagey, qui ne cessait de fixer Pazair.

– Bagey et Bel-Tran, poursuivit ce dernier, ont fondé leur stratégie sur le mensonge. Leurs complices ignoraient le rôle de Bagey, et même, ils s'en méfiaient ! Cette attitude m'a abusé. Quand le vieux dentiste Qadash est devenu gênant, Bagey a donné l'ordre de l'éliminer. Et le même sort eût été réservé au transporteur Dénès et au chimiste Chéchi, si la princesse Hattousa n'avait assouvi elle-même sa vengeance *. Quant à ma disparition, elle devait combler la déception d'avoir vu le poste de vizir échapper à Bel-Tran. Lors de ma nomination inattendue, il espérait me corrompre ; dépité, il a tenté de me discréditer. L'échec consommé, il ne restait plus que le meurtre.

Aucune émotion ne s'inscrivait sur le visage de Bagey, indifférent à l'énoncé de ses méfaits.

– Grâce à Bagey, Bel-Tran progressait en toute sécurité ; qui irait chercher le testament des dieux dans le cœur de cuivre, symbole de la conscience des devoirs de vizir, que Pharaon l'avait autorisé à conserver, en reconnaissance des services rendus ? Bagey avait prévu ce geste. Ne laissant aucune place au hasard, il détenait ainsi la meilleure et la plus inaccessible des cachettes. Tapi dans l'ombre, il ne serait pas identifié avant de prendre le pouvoir. Jusqu'au dernier moment, nous concentrerions notre attention sur Bel-Tran, alors que

* Voir *La Loi du désert*.

Bagey était membre de mon conseil secret et informait son complice de mes décisions.

Comme si la proximité du trône lui devenait intolérable, Bagey s'en éloigna davantage.

— Le seul point sur lequel je ne me suis pas trompé, précisa Pazair, est le lien entre l'assassinat de Branir et le complot. Mais comment aurais-je supposé que vous fussiez mêlé à ce crime abominable, de près ou de loin ? Je fus un piètre vizir, avec mes a priori, mon aveuglement et ma confiance en votre authenticité. Là encore, vos calculs se révélèrent justes... jusqu'à l'aube de cette splendide journée où Ramsès le grand sera régénéré. Branir devait être supprimé ; en tant que grand prêtre de Karnak, il aurait occupé une position dominante et m'aurait donné des moyens d'investigation dont je ne disposais pas. Or qui savait que Branir occuperait cette fonction ? Cinq personnes. Trois d'entre elles étaient insoupçonnables : le roi, le prédécesseur de Branir à Karnak et vous-même. Les deux autres, en revanche, étaient d'excellents suspects : le médecin-chef du royaume, Nébamon, qui souhaitait m'éliminer et épouser Néféret, et le chef de la police, Mentmosé, son complice, qui n'hésita pas à m'envoyer au bagne, me sachant innocent. J'ai longtemps cru à la culpabilité de l'un ou de l'autre, avant d'acquérir la certitude qu'ils n'avaient pas attenté aux jours de mon maître. L'arme du crime, l'aiguille en nacre, semblait désigner une femme ; j'ai suivi de fausses pistes en songeant à l'épouse du transporteur Dénès, à la dame Tapéni, et à Silkis. Pour planter cette aiguille dans le cou de la victime, sans qu'elle esquisse le moindre geste de défense, il fallait appartenir au cercle étroit de ses familiers, être dépourvu de toute sensibilité, capable de tuer un sage en acceptant d'être damné, et se montrer d'une parfaite précision dans le geste criminel. Or, l'enquête a établi que ces trois dames n'étaient pas coupables de ce forfait, pas davantage que le prédécesseur de Branir, qui n'a pas quitté Karnak et ne se trouvait donc pas à Memphis le jour du meurtre.

– Oublieriez-vous l'avaleur d'ombres? questionna Bagey.

– L'interrogatoire qu'a mené Kem a dissipé mes doutes; il n'est pas l'assassin de Branir. Il ne reste que vous, Bagey.

L'accusé ne nia pas.

– Vous connaissiez bien sa modeste demeure et ses habitudes; sous le prétexte de le féliciter, vous lui avez rendu visite à une heure où personne ne vous remarquerait. Homme des ténèbres, vous savez passer inaperçu. Il vous tournait le dos et vous lui avez enfoncé dans la nuque une aiguille en nacre que vous aviez dérobée à Silkis, lors d'un de vos entretiens secrets chez Bel-Tran. Jamais plus grande lâcheté ne fut accomplie sur cette terre. Ensuite, vos succès s'enchaînèrent : Branir disparu, moi au bagne sans que votre responsabilité fût engagée, un chef de la police inapte à vous identifier, Néféret esclave du médecin-chef Nébamon, Souti réduit à l'impuissance, Bel-Tran bientôt vizir, et Ramsès contraint d'abdiquer en votre faveur. Mais vous avez mésestimé la puissance de l'âme de Branir et oublié la présence de l'au-delà; m'anéantir ne suffisait pas, il fallait aussi empêcher Néféret de percevoir la vérité. Bel-Tran et vous, qui méprisez les femmes, avez eu tort de négliger son action; sans elle, j'aurais échoué, et vous seriez devenus les maîtres de l'Égypte.

– Laissez-moi quitter le pays avec ma famille, demanda Bagey d'une voix enrouée; ma femme et mes enfants ne sont pas coupables.

– Tu seras jugé, décréta Pharaon.

– Je vous ai servi avec fidélité, sans être récompensé à ma juste valeur. Bel-Tran, lui, l'a discernée; qu'était Branir, qu'est ce misérable Pazair à côté de moi et de mon savoir?

– Tu étais un faux sage, Bagey, la pire espèce de criminels; le monstre que tu as nourri en toi-même t'a dévoré.

*

En ce jour de fête, les bureaux de la Double Maison blanche étaient déserts. Redoutant une nouvelle intervention de Souti, Bel-Tran n'avait pas levé la garde, exigeant même qu'elle redoublât de vigilance. La liesse l'amusait ; le peuple ne savait pas encore qu'il acclamait le nom d'un monarque déchu. Qui s'étonnerait qu'un Ramsès discrédité cède la place à Bagey, estimé de tous ? On aurait confiance en un vieux vizir, sans ambition apparente.

Bel-Tran consulta son horloge à eau ; à cette heure, Ramsès avait abdiqué. Bagey était installé sur le trône, le sceptre de commandement en main. Un scribe enregistrait sa première décision : démettre Pazair, l'emprisonner pour haute trahison et nommer Bel-Tran vizir. Dans quelques minutes, une délégation viendrait le chercher et l'emmènerait au palais, où il assisterait à la cérémonie d'intronisation du nouveau monarque.

Bagey s'enivrerait vite d'un pouvoir qu'il était incapable d'assumer ; Bel-Tran saurait le flatter, aussi longtemps que nécessaire, et agirait à sa guise. Dès que l'État serait entre ses mains, le financier se débarrasserait du vieux fonctionnaire, à moins que la maladie n'accomplisse cette corvée à sa place.

De la fenêtre du premier étage, Bel-Tran vit Kem à la tête d'une escouade de policiers. Pourquoi le Nubien était-il encore en poste ? Bagey avait oublié de le remplacer. Bel-Tran ne commettrait pas ce genre d'erreurs ; il s'entourerait, au plus vite, de subordonnés dévoués à sa cause.

L'allure martiale de Kem intrigua le financier ; le Nubien ne ressemblait pas à un vaincu, obligé d'exécuter un ordre déplaisant. Bagey lui avait pourtant affirmé qu'il ne courait aucun risque d'échec ; là où était caché le testament des dieux, personne ne le trouverait.

La garde de la Double Maison blanche baissa les

armes et laissa Kem passer. Bel-Tran paniqua; un incident s'était produit. Il quitta son bureau et courut vers le fond du bâtiment où existait une sortie de secours, en cas d'incendie. Le verrou s'ouvrit en grinçant, Bel-Tran s'engagea dans un couloir qui donnait sur un jardin. Se faufilant entre des massifs de fleurs, il longea le mur d'enceinte.

Alors qu'il s'apprêtait à assommer le gardien de la porte d'accès au domaine de la Double Maison blanche, une masse s'abattit sur ses épaules et le renversa. Le visage de Bel-Tran s'enfonça dans la terre molle, que venait d'arroser un jardinier; la poigne du babouin policier cloua le fuyard au sol.

*

Sous les regards des grands prêtres d'Héliopolis, de Memphis et de Karnak, Pharaon, après avoir uni le nord et le sud, entra dans la cour de la régénération. Seul face aux divinités, il partagea le secret de leur incarnation, puis revint dans le monde des hommes.

Porteur de la double couronne, Ramsès serra dans la main droite l'étui de cuir qui contenait le testament des dieux, légué de Pharaon en Pharaon.

De la « fenêtre d'apparition » de son palais de Memphis, le roi montra à son peuple le document qui faisait de lui le souverain légitime.

Des ibis s'envolèrent aux quatre points cardinaux, chargés de répandre la nouvelle; de la Crète à l'Asie, du Liban à la Nubie, vassaux, alliés et ennemis sauraient que le règne de Ramsès le grand se poursuivait.

*

Au quinzième jour de la crue, la liesse battait son plein.

De la terrasse de son palais, Ramsès contemplait la ville illuminée par d'innombrables lampes. Dans les nuits chaudes de l'été, l'Égypte ne songeait qu'à la joie et au bonheur de vivre.

– Quelle magnifique vision, Pazair.

– Pourquoi le mal s'est-il emparé de Bagey ?

– Parce qu'il résidait en lui dès sa naissance ; j'ai commis l'erreur de le nommer vizir, mais les dieux m'ont permis de la réparer en te choisissant. Personne ne modifie sa nature profonde ; à nous, en charge du destin d'un peuple, héritiers d'une sagesse, de savoir la discerner. À présent, il faut rendre justice ; c'est sur elle, et sur elle seule, que reposent la grandeur et le bonheur d'un pays.

CHAPITRE 46

— Distinguons la vérité du mensonge, déclara Pazair, et protégeons les faibles pour les sauver des puissants.

L'audience du tribunal du vizir était ouverte.

Trois accusés, Bagey, Bel-Tran et Silkis, devaient répondre de leurs crimes devant Pazair et un jury composé de Kani, grand prêtre de Karnak, de Kem, chef de la police, d'un maître d'œuvre, d'une tisserande, et d'une prêtresse de Hathor. En raison de son état de santé, la dame Silkis avait été autorisée à demeurer chez elle.

Le vizir lut les actes d'accusation, dans lesquels il n'avait omis aucun détail. Lorsque Kem avait communiqué à Silkis le texte la concernant, elle s'était cantonnée dans le mutisme. Bagey ne manifesta aucune émotion et se désintéressa des griefs formulés à son encontre ; Bel-Tran protesta, gesticula, injuria ses juges et se vanta d'avoir bien agi.

Après une brève délibération, le jury rendit son verdict que Pazair approuva.

— Bagey, Bel-Tran et Silkis, reconnus coupables de complot contre la personne du roi, de parjure, de crime et de complicité de crime, de trahison et de rébellion contre Maât, sont condamnés à mort, sur cette terre et dans l'au-delà. Désormais, Bagey s'appellera « le lâche »; Bel-Tran, « l'avide »; et Silkis, « l'hypocrite ». Ils porteront ces noms pour l'éternité. Comme ils sont des ennemis de la lumière, leur effigie et leur nom seront dessinés avec de l'encre fraîche sur une feuille de papyrus, qu'on attachera à une figurine de cire à leur image, percée d'une lance, piétinée, puis jetée dans le feu. Ainsi toute trace des trois criminels sera-t-elle effacée, dans ce monde comme dans l'autre.

*

Lorsque Kem apporta le poison à Silkis, afin qu'elle exécute elle-même la sentence, la femme de chambre lui apprit qu'elle était décédée, peu de temps après avoir appris son nom d'infamie et ceux de ses complices. L'hypocrite s'était éteinte dans une ultime crise d'hystérie; son cadavre fut brûlé.

Bel-Tran avait été enfermé dans la caserne placée sous le commandement du général Souti; il occupait une cellule aux murs blanchis, où il tournait en rond, les yeux fixés sur la fiole de poison que le chef de la police avait déposée au centre de la pièce. L'avide n'acceptait pas de se donner la mort tant il en avait peur; quand la porte s'ouvrit, il songea à se ruer sur l'arrivant, à le terrasser et à prendre la fuite.

Mais l'apparition le cloua sur place.

Panthère, le corps couvert de peintures de guerre, le menaçait d'une épée courte; dans sa main gauche, un sac de cuir. Le regard de la jeune femme était effrayant; Bel-Tran recula, se colla le dos au mur.

– Assis.

Bel-Tran obéit.

– Puisque tu es avide, mange!

– Le poison ?

– Non, ta nourriture préférée.

Posant la lame sur le cou de Bel-Tran, elle le força à

écarter les lèvres et versa dans sa bouche le contenu du sac, des pièces grecques en argent.

— Gave-toi, l'avide, gave-toi jusqu'au néant!

*

Le soleil d'été se réfléchissait sur les faces de la grande pyramide de Khéops, recouvertes de calcaire blanc de Toura; l'édifice entier se transformait en un puissant rayon pétrifié dont nul regard ne supportait l'intensité.

Les jambes enflées, le dos voûté, Bagey suivait Ramsès avec peine; le vizir fermait la marche. Le trio franchit le seuil de l'immense monument et progressa dans un couloir ascendant. Le souffle court, l'assassin de Branir avançait de plus en plus lentement; gravir la grande galerie fut un véritable supplice. Quand finirait cette ascension?

Après s'être courbé, au risque de se rompre les reins, il pénétra dans une vaste salle aux murs nus, dont la couverture était formée de neuf gigantesques dalles de granit. Au fond, un sarcophage vide.

— Voici le lieu que tu désirais tant conquérir, dit Ramsès; tes cinq complices, qui l'ont profané, ont été châtiés. Toi, le lâche parmi les lâches, contemple le centre énergétique du pays, déchiffre le secret que tu voulais t'approprier.

Bagey hésita, redoutant un piège.

— Va, ordonna le roi; explore le domaine le plus inaccessible d'Égypte.

Bagey s'enhardit. Il longea un mur, comme un voleur, chercha en vain une inscription, une cachette d'objets précieux, et parvint au sarcophage, sur lequel il se pencha.

— Mais... il est vide!

— Tes complices ne l'ont-ils pas pillé? Regarde mieux.

— Rien... Il n'y a rien.

– Puisque tu es aveugle, va-t'en.

– M'en aller ?

– Sors de la pyramide, disparais.

– Vous me laissez partir ?

Pharaon demeura silencieux. Le lâche s'engouffra dans le couloir bas et étroit, et dévala la grande galerie.

– Je n'ai pas oublié la condamnation à mort, vizir Pazair. Pour les lâches, le poison le plus violent est la lumière de midi ; celle qui le frappera, au sortir de la pyramide, l'anéantira.

– N'êtes-vous pas seul autorisé à pénétrer dans ce sanctuaire, Majesté ?

– Tu es devenu mon cœur, Pazair ; viens auprès du sarcophage.

Les deux hommes posèrent leurs mains sur la pierre fondamentale de l'Égypte.

– Moi, Ramsès, fils de la lumière, décrète que plus aucun corps visible ne reposera dans ce sarcophage. De ce vide naît l'énergie créatrice sans laquelle un règne ne serait qu'un médiocre gouvernement des hommes. Regarde, vizir d'Égypte, regarde l'au-delà de la vie, et vénère sa présence. Ne l'oublie pas, quand tu rendras la justice.

Quand Pharaon et son vizir sortirent de la grande pyramide, ils furent baignés de la douce clarté du couchant ; à l'intérieur du géant de pierre, le temps avait été aboli. Depuis longtemps, les gardes avaient emporté le cadavre calciné du lâche, foudroyé sur le seuil du temple des purifications.

*

Souti trépignait ; en dépit de l'importance de la cérémonie, Panthère était en retard. Bien qu'elle eût refusé de lui avouer pourquoi son corps était couvert de peintures guerrières, il était persuadé que seule la Libyenne avait été assez cruelle pour étouffer l'avide ; Kem, se contentant de constater le décès du condamné à mort, dont le corps serait brûlé comme celui de ses complices, n'avait pas ouvert d'enquête.

La cour entière s'était déplacée à Karnak; personne ne voulait manquer la grandiose cérémonie au cours de laquelle Ramsès récompenserait son vizir dont les Deux Terres chantaient les louanges. Au premier rang, à côté de Kem, en habit d'apparat, Vent du Nord, Brave et Tueur. L'âne, le chien et le babouin policier, élevé au grade de capitaine, avaient un air digne.

Dès la fin des festivités, Souti partirait vers le grand sud, afin de restaurer la cité perdue et de remettre en état l'exploitation d'or et d'argent; au cœur du désert, il se gaverait d'aubes sublimes.

Enfin, elle arriva, parée de colliers et de bracelets de lapis-lazuli, forçant l'admiration des plus blasés; sa chevelure blonde, panache de fauve indompté, suscita bien des jalousies féminines. Coquine, le petit singe vert de Néféret, était sagement installée sur son épaule gauche. Panthère jeta des œillades haineuses à quelques belles trop attentives à la prestance du général Souti.

Le silence s'établit lorsque Pharaon, porteur d'une coudée en or, se dirigea vers Pazair et Néféret, côte à côte au centre de la cour inondée de soleil.

— Vous avez sauvé l'Égypte du chaos, de la rébellion et du malheur; recevez ce symbole, qu'il soit votre but et votre destin. Par lui s'exprime Maât, le socle intangible d'où naissent les actes justes. Puisse la déesse de la vérité ne jamais quitter votre cœur.

*

Pharaon consacra lui-même la nouvelle statue de Branir qui fut déposée dans la partie secrète du temple, avec celles des autres sages admis dans le sanctuaire. Le maître de Pazair et de Néféret était représenté en scribe âgé, les yeux fixés sur un papyrus déroulé où était écrite une formule rituelle : « Vous qui me verrez, saluez mon *ka*, récitez pour moi les paroles d'offrande ; versez une libation d'eau, et l'on fera de même à votre intention. » Les yeux de Branir étincelaient de vie : quartz pour les paupières, cristal de roche pour le blanc de l'œil et la cornée, obsidienne pour la pupille composaient un regard d'éternité.

Lorsque la nuit d'été scintilla au-dessus de Karnak, Néféret et Pazair levèrent les yeux. Au sommet de la voûte céleste, une étoile nouvelle était apparue ; elle traversa l'espace et se joignit à la polaire. Désormais, l'âme de Branir, apaisée, vivrait en compagnie des dieux.

Sur les bords du Nil s'éleva le chant des ancêtres : « Que les cœurs soient doux, habitants des Deux Terres, le temps du bonheur est advenu, car la justice a repris sa place ; la vérité chasse le mensonge, les avides sont repoussés, ceux qui transgressent la Règle tombent sur leur face, les dieux sont comblés, et nous vivons des jours merveilleux, dans la joie et la lumière. »

Imprimé en France sur Presse Offset par

BRODARD & TAUPIN

GROUPE CPI

8596 – La Flèche (Sarthe), le 16-08-2001

Dépôt légal : septembre 1995

POCKET – 12, avenue d'Italie - 75627 Paris cedex 13
Tél. : 01.44.16.05.00